새로운 개정 교육과정 반영

 BEST 유형 +  BEST 기출 총망라

내신 UP

UP

내신업
중간고사 대비

중학 수학 **3**·2

# 구성과 특징
## Structures&Features

Part I

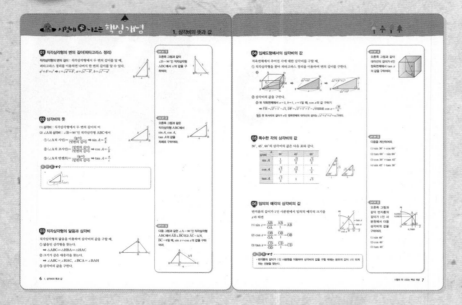

> ## 시험에 꼭 나오는 핵심 개념

각 단원에서 꼭 알아야 할 핵심 개념을 꼼꼼하게
정리하였고, 포인트 개념을 두어 중요한 개념을
한눈에 확인할 수 있도록 하였습니다.

> ## 예제

각 개념의 정의와 공식을 단순히 적용하여
학습한 개념을 바로 확인할 수 있는 기초 문제로
구성하였습니다.

Part II

| 싹쓸이 핵심 기출문제 |

전국 1,000여 개 중학교의 5년간 기출문제를 분석하여 출제율이 높은 핵심
25문제를 엄선하여 시험 직전에 최종 확인할 수 있도록 하였습니다.

| 싹쓸이 핵심 예상문제 |

싹쓸이 핵심 기출문제의 25가지 유형에 대하여 '숫자를 바꾼 문제', '표현을
바꾼 문제'로 구성하여 25가지 유형을 확실히 익힐 수 있도록 하였습니다.

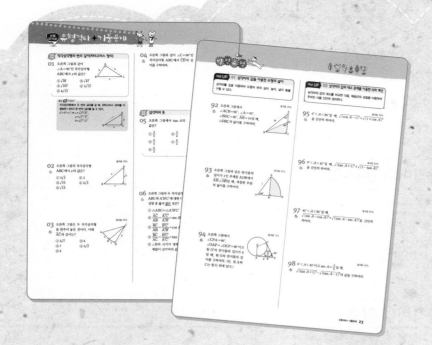

## 유형격파 + 기출문제

2015 개정 교육과정의 새 교과서와 전국 1,000여 개 중학교의 5년간 기출문제를 분석하여 시험에 꼭 나오는 대표유형과 그 유사문제를 난이도, 출제율과 함께 실었습니다.

## 내신 UP POINT

문제 해결을 위한 도움말을 제공하였습니다.

## 발전 유형

까다로운 기출문제를 유형별로 분석하여 발전 개념과 함께 구성하였습니다.

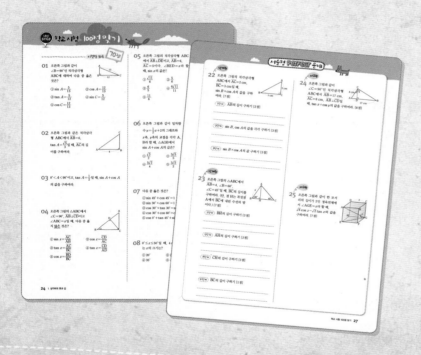

## 학교시험 100점 맞기

전국 1,000여 개 중학교의 5년간 기출 사이클 분석을 바탕으로 중간고사 적중률 100%에 도전하는 문제들을 수록하였습니다.

## 서술형 PERFECT 문제

실제 학교 시험과 유사한 서술형 문제로 단계형, 사고력 문제를 실었습니다.

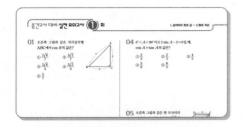

## | 실전 모의고사 |

실제 시험과 같이 구성한 실전 모의고사를 총 6회 실어 시험에 대한 자신감을 기를 수 있도록 하였습니다.

# 차례
## Contents

Part I

## 1 삼각비의 뜻과 값
- 시험에 꼭 나오는 핵심 개념 ........................... 6
- 유형격파 + 기출문제 ........................... 9
- 학교시험 100점 맞기 ........................... 24

## 2 삼각비의 활용
- 시험에 꼭 나오는 핵심 개념 ........................... 28
- 유형격파 + 기출문제 ........................... 30
- 학교시험 100점 맞기 ........................... 42

## 3 원과 직선
- 시험에 꼭 나오는 핵심 개념 ........................... 46
- 유형격파 + 기출문제 ........................... 48
- 학교시험 100점 맞기 ........................... 62

## 쉬어가기 ........................... 66

Part II

- 싹쓸이 핵심 기출문제 ........................... 68
- 싹쓸이 핵심 예상문제 ........................... 72
- 실전 모의고사 1회 ........................... 76
- 실전 모의고사 2회 ........................... 80
- 실전 모의고사 3회 ........................... 84
- 실전 모의고사 4회 ........................... 88
- 실전 모의고사 5회 ........................... 92
- 실전 모의고사 6회 ........................... 96

절대공감 내신 UP 중학 수학

# Part I

시험에 꼭 나오는 핵심 개념

---

유형격파 + 기출문제

---

학교시험 100점 맞기

---

## 01 직각삼각형의 변의 길이(피타고라스 정리)

직각삼각형의 변의 길이 : 직각삼각형에서 두 변의 길이를 알 때,
피타고라스 정리를 이용하면 나머지 한 변의 길이를 알 수 있다.

$$a^2+b^2=c^2 \Rightarrow c=\sqrt{a^2+b^2},\ a=\sqrt{c^2-b^2},\ b=\sqrt{c^2-a^2}$$

**예제 1**

오른쪽 그림과 같이
$\angle B=90°$인 직각삼각형
ABC에서 $x$의 값을 구
하여라.

## 02 삼각비의 뜻

(1) 삼각비 : 직각삼각형에서 두 변의 길이의 비
(2) $\angle A$의 삼각비 : $\angle B=90°$인 직각삼각형 ABC에서

　① $(\angle A$의 사인$)=\dfrac{(높이)}{(빗변의 길이)} \Rightarrow \sin A=\dfrac{a}{b}$

　② $(\angle A$의 코사인$)=\dfrac{(밑변의 길이)}{(빗변의 길이)} \Rightarrow \cos A=\dfrac{c}{b}$

　③ $(\angle A$의 탄젠트$)=\dfrac{(높이)}{(밑변의 길이)} \Rightarrow \tan A=\dfrac{a}{c}$

**예제 2**

오른쪽 그림과 같은
직각삼각형 ABC에서
$\sin A$, $\cos A$,
$\tan A$의 값을
차례로 구하여라.

**포인트 개념**

## 03 직각삼각형의 닮음과 삼각비

직각삼각형의 닮음을 이용하여 삼각비의 값을 구할 때,
① 닮음인 삼각형을 찾는다.
　➡ $\triangle ABC \backsim \triangle HBA \backsim \triangle HAC$
② 크기가 같은 대응각을 찾는다.
　➡ $\angle ABC = \angle HAC$, $\angle BCA = \angle BAH$
③ 삼각비의 값을 구한다.

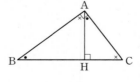

**예제 3**

다음 그림과 같은 $\angle A=90°$인 직각삼각형
ABC에서 $\overline{AD} \perp \overline{BC}$이고 $\overline{AC}=2\sqrt{6}$,
$\overline{BC}=6$일 때, $\sin x+\cos x$의 값을 구하
여라.

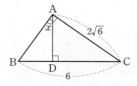

## 04 입체도형에서의 삼각비의 값

직육면체에서 주어진 각에 대한 삼각비를 구할 때,

① 직각삼각형을 찾아 피타고라스 정리를 이용하여 변의 길이를 구한다.

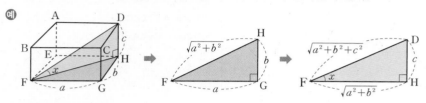

② 삼각비의 값을 구한다.

**예** 위 직육면체에서 $a=2$, $b=1$, $c=1$일 때, $\cos x$의 값 구하기

➡ $\overline{FH}=\sqrt{2^2+1^2}=\sqrt{5}$, $\overline{DF}=\sqrt{2^2+1^2+1^2}=\sqrt{6}$이므로 $\cos x=\dfrac{\sqrt{30}}{6}$

**참고** 한 모서리의 길이가 $a$인 정육면체의 대각선의 길이는 $\sqrt{a^2+a^2+a^2}=a\sqrt{3}$이다.

## 05 특수한 각의 삼각비의 값

$30°$, $45°$, $60°$의 삼각비의 값은 다음 표와 같다.

| 삼각비 $\diagdown$ $A$ | $30°$ | $45°$ | $60°$ |
|---|---|---|---|
| $\sin A$ | $\dfrac{1}{2}$ | $\dfrac{\sqrt{2}}{2}$ | $\dfrac{\sqrt{3}}{2}$ |
| $\cos A$ | $\dfrac{\sqrt{3}}{2}$ | $\dfrac{\sqrt{2}}{2}$ | $\dfrac{1}{2}$ |
| $\tan A$ | $\dfrac{\sqrt{3}}{3}$ | $1$ | $\sqrt{3}$ |

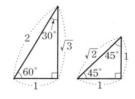

## 06 임의의 예각의 삼각비의 값

반지름의 길이가 1인 사분원에서 임의의 예각의 크기를 $x$라 하면

(1) $\sin x=\dfrac{\overline{AB}}{\overline{OA}}=\dfrac{\overline{AB}}{1}=\overline{AB}$

(2) $\cos x=\dfrac{\overline{OB}}{\overline{OA}}=\dfrac{\overline{OB}}{1}=\overline{OB}$

(3) $\tan x=\dfrac{\overline{CD}}{\overline{OD}}=\dfrac{\overline{CD}}{1}=\overline{CD}$

**포인트 개념**

• 반지름의 길이가 1인 사분원을 이용하여 삼각비의 값을 구할 때에는 분모의 값이 1이 되게 하는 선분을 찾는다.

---

**예제 4**

오른쪽 그림과 같이 대각선의 길이가 6인 정육면체에서 $\tan x$의 값을 구하여라.

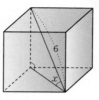

**예제 5**

다음을 계산하여라.

(1) $\sin 30°+\cos 60°$

(2) $\tan 60°-\sin 60°$

(3) $\cos 30° \times \tan 45°$

(4) $\sin 45° \div \tan 30°$

**예제 6**

오른쪽 그림과 같이 반지름의 길이가 1인 사분원에서 다음 삼각비의 값을 구하여라.

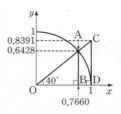

(1) $\sin 40°$

(2) $\cos 40°$

(3) $\tan 40°$

## 07 0°, 90°의 삼각비의 값

0°, 90°의 삼각비의 값은 다음 표와 같다.

| $A$ 삼각비 | $\sin A$ | $\cos A$ | $\tan A$ |
|---|---|---|---|
| 0° | 0 | 1 | 0 |
| 90° | 1 | 0 | 정할 수 없다. |

## 08 삼각비의 대소 관계

(1) $0° \leq x \leq 90°$일 때, $x$의 크기가 커지면

① $\sin x$의 값은 0에서 1까지 증가한다.

② $\cos x$의 값은 1에서 0까지 감소한다.

③ $\tan x$의 값은 0에서 한없이 증가한다. (단, $x \neq 90°$)

(2) $\sin x$, $\cos x$, $\tan x$의 값의 대소 관계는

① $0° \leq x < 45°$일 때, $\sin x < \cos x$

② $x = 45°$일 때, $\sin x = \cos x < \tan x$

③ $45° < x < 90°$일 때, $\cos x < \sin x < \tan x$

## 09 삼각비의 표

(1) 삼각비의 표 : 삼각비의 값을 반올림하여 소수점 아래 넷째 자리까지 나타낸 표

(2) 삼각비의 표를 읽는 방법 : 삼각비의 표에서 각도의 가로줄과 sin, cos, tan의 세로줄이 만나는 곳의 수가 삼각비의 값이다.

예 $\cos 2° = 0.9994$

| 각도 | 사인(sin) | 코사인(cos) | 탄젠트(tan) |
|---|---|---|---|
| 0° | 0.0000 | 1.0000 | 0.0000 |
| 1° | 0.0175 | 0.9998 | 0.0175 |
| 2° | 0.0349 | 0.9994 | 0.0349 |
| 3° | 0.0523 | 0.9986 | 0.0524 |
| ... | ... | ... | ... |

**예제 7**

다음을 계산하여라.

(1) $\sin 0° + \cos 0°$

(2) $\tan 0° - \cos 90°$

(3) $\sin 90° \times \tan 45°$

(4) $\cos 0° \div \sin 30°$

**예제 8**

다음 두 삼각비의 대소를 비교하여라.

(1) $\sin 50°$ ☐ $\sin 80°$

(2) $\cos 45°$ ☐ $\cos 90°$

(3) $\cos 37°$ ☐ $\sin 37°$

(4) $\tan 60°$ ☐ $\cos 60°$

**예제 9**

주어진 삼각비의 표를 이용하여 다음 삼각비의 값을 구하여라.

| 각도 | sin | cos | tan |
|---|---|---|---|
| 21° | 0.3584 | 0.9336 | 0.3839 |
| 22° | 0.3746 | 0.9272 | 0.4040 |
| 23° | 0.3907 | 0.9205 | 0.4245 |

(1) $\sin 21°$

(2) $\cos 22°$

(3) $\tan 23°$

출제율 85%

**직각삼각형의 변의 길이(피타고라스 정리)**

**01** 오른쪽 그림과 같이 ∠A=90°인 직각삼각형 ABC에서 $x$의 값은?

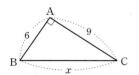

① $\sqrt{39}$　　　② $\sqrt{47}$

③ $\sqrt{107}$　　　④ $3\sqrt{13}$

⑤ $4\sqrt{13}$

---

**내신 UP POINT**

직각삼각형에서 두 변의 길이를 알 때, 피타고라스 정리를 이용하면 나머지 한 변의 길이를 알 수 있다.

$a^2+b^2=c^2 \Rightarrow c=\sqrt{a^2+b^2}$,
$a=\sqrt{c^2-b^2}$,
$b=\sqrt{c^2-a^2}$

---

출제율 95%

**02** 오른쪽 그림의 직각삼각형 ABC에서 $x$의 값은?

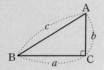

① $2\sqrt{2}$　　　② $3$

③ $\sqrt{10}$　　　④ $2\sqrt{3}$

⑤ $\sqrt{13}$

---

출제율 85%

**03** 오른쪽 그림은 두 직각삼각형을 맞추어 놓은 것이다. 이때 $\overline{AC}$의 길이는?

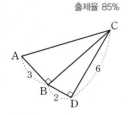

① $2\sqrt{7}$　　　② $6$

③ $7$　　　④ $5\sqrt{2}$

⑤ $8$

---

**04** 오른쪽 그림과 같이 ∠C=90°인 직각삼각형 ABC에서 $\overline{CD}$의 길이를 구하여라.

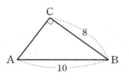

---

**삼각비의 뜻**

**05** 오른쪽 그림에서 $\tan A$의 값은?

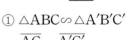

① $\dfrac{3}{5}$　　　② $\dfrac{3}{4}$

③ $\dfrac{5}{4}$　　　④ $\dfrac{4}{3}$

⑤ $\dfrac{5}{3}$

---

출제율 85%

**06** 오른쪽 그림의 두 직각삼각형 ABC와 A'B'C'에 대한 다음 설명 중 옳지 <u>않은</u> 것은?

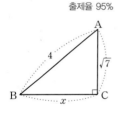

① △ABC∽△A'B'C'

② $\dfrac{\overline{AC}}{\overline{AB}}=\dfrac{\overline{A'C'}}{\overline{A'B'}}=\sin B$라 한다.

③ $\dfrac{\overline{BC}}{\overline{AB}}=\dfrac{\overline{B'C'}}{\overline{A'B'}}=\cos B$라 한다.

④ $\dfrac{\overline{BC}}{\overline{AC}}=\dfrac{\overline{B'C'}}{\overline{A'C'}}=\tan B$라 한다.

⑤ ∠B의 크기가 정해지면 직각삼각형의 크기에 관계없이 삼각비의 값은 각각 일정하다.

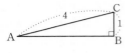

**07**
<small>중</small>
<small>출제율 95%</small>

오른쪽 그림과 같은 직각삼각형 ABC에서 다음을 구하여라.

(1) $\sin A$

(2) $\cos A$

(3) $\tan A$

**10**
<small>중</small>
<small>출제율 90%</small>

오른쪽 그림의 직각삼각형 ABC에 대하여 다음 중 옳지 <u>않은</u> 것은?

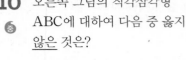

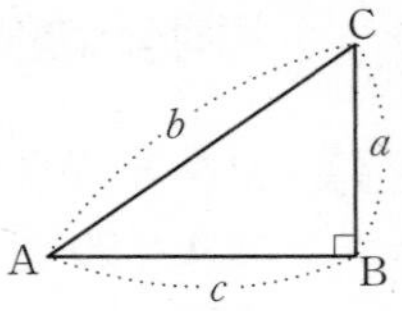

① $\sin A = \cos C$

② $\tan A \times \tan C = 1$

③ $\tan A = \dfrac{\sin A}{\cos A}$

④ $a = c \times \tan A$

⑤ $b = c \times \cos A$

**08**
<small>중</small>
<small>출제율 95%</small>

오른쪽 그림의 직각삼각형 ABC에서 다음 중 옳은 것은?

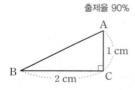

① $\sin A = \dfrac{2\sqrt{2}}{3}$  ② $\cos A = \dfrac{1}{3}$

③ $\tan A = \dfrac{\sqrt{2}}{4}$  ④ $\sin B = \dfrac{3\sqrt{2}}{4}$

⑤ $\cos B = 3$

**11**
<small>중</small>
<small>출제율 85%</small>

오른쪽 그림과 같이 $\overline{AB}=3$, $\angle B = 90°$인 직각삼각형 ABC에서 $\cos A = 2\cos C$가 성립할 때, $\overline{AC}$의 길이는?

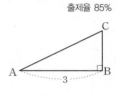

① $\dfrac{\sqrt{3}}{2}$  ② $\dfrac{2\sqrt{3}}{3}$  ③ $\dfrac{3\sqrt{5}}{2}$

④ $3\sqrt{3}$  ⑤ 4

**09**
<small>중</small>
<small>출제율 90%</small>

오른쪽 그림과 같은 직각삼각형 ABC에서 $\sin A \times \cos B$의 값은?

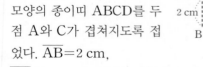

① $\dfrac{1}{3}$  ② $\dfrac{2}{3}$

③ $\dfrac{3}{4}$  ④ $\dfrac{2}{5}$

⑤ $\dfrac{4}{5}$

**12**
<small>상</small>
<small>출제율 80%</small>

오른쪽 그림과 같이 직사각형 모양의 종이띠 ABCD를 두 점 A와 C가 겹쳐지도록 접었다. $\overline{AB}=2$ cm, $\overline{AP}=3$ cm, $\angle CPQ = x$일 때, $\tan x$의 값은?

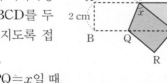

① $\dfrac{1+\sqrt{2}}{2}$  ② $\dfrac{2+\sqrt{3}}{3}$  ③ $\dfrac{3}{5}$

④ $\dfrac{3+\sqrt{5}}{2}$  ⑤ $\dfrac{3}{4}$

**대표유형** **삼각비가 주어진 경우 변의 길이 구하기**

**13** 오른쪽 그림의 직각삼각형
ABC에서 $\overline{AC}=6$,
$\cos A=\dfrac{\sqrt{5}}{3}$일 때, $\tan C$
의 값을 구하여라.

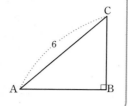

**POINT**
삼각비가 주어지는 경우 변의 길이 구하기
조건에 맞는 직각삼각형을 그린 다음, 삼각비와 피타고라스 정리를 이용하여 삼각형의 변의 길이를 구한다.

**14** 오른쪽 그림의 직각삼각형 ABC에서
⟨하⟩ $\overline{AB}=4$, $\cos A=\dfrac{1}{2}$일 때, $\overline{AC}$, $\overline{BC}$의
길이를 각각 구하여라.

출제율 95%

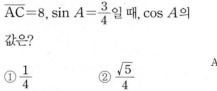

**15** 오른쪽 그림의 직각삼각형 ABC에서
⟨중⟩ $\overline{AC}=8$, $\sin A=\dfrac{3}{4}$일 때, $\cos A$의
값은?

출제율 95%

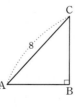

① $\dfrac{1}{4}$      ② $\dfrac{\sqrt{5}}{4}$

③ $\dfrac{2}{3}$      ④ $\dfrac{\sqrt{7}}{4}$

⑤ $\dfrac{\sqrt{2}}{2}$

**16** 오른쪽 그림의 △ABC에서
⟨중⟩ $\angle B=90°$, $\overline{BC}=9$,
$\sin A=\dfrac{3}{5}$일 때,
$\cos A-\tan A$의 값은?

출제율 90%

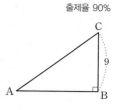

① $\dfrac{1}{3}$      ② $\dfrac{1}{9}$      ③ $\dfrac{1}{20}$

④ $\dfrac{2}{3}$      ⑤ $\dfrac{3}{5}$

**17** 오른쪽 그림과 같은 직각삼각형
⟨중⟩ ABC에서 $\overline{AB}=4$, $\sin A=\dfrac{\sqrt{5}}{3}$
일 때, $\overline{BC}$의 길이는?

출제율 85%

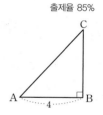

① $2$      ② $\sqrt{5}$

③ $4$      ④ $2\sqrt{5}$

⑤ $5$

**18** 오른쪽 그림에서 $\sin x=\dfrac{4}{5}$
⟨상⟩ 일 때, $\cos y$의 값은?

출제율 85%

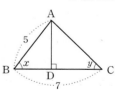

① $\dfrac{1}{2}$      ② $\dfrac{\sqrt{2}}{2}$

③ $\dfrac{\sqrt{3}}{2}$      ④ $\dfrac{\sqrt{3}}{4}$

⑤ $\dfrac{\sqrt{5}}{4}$

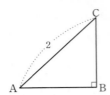
출제율 80%

**19** 오른쪽 그림과 같이 $\overline{AC}=2$인
(상) 직각삼각형 ABC의 넓이를 삼
각비로 옳게 나타낸 것은?

① $\sin A \cos A$

② $2 \sin A \cos A$

③ $2 \cos A \tan A$

④ $4 \sin A \cos A$

⑤ $4 \cos A \tan A$

출제율 95%

**22** $0° < A < 90°$이고 $3 \cos A - 2 = 0$일 때,
(중) $\sin A \times \tan A$의 값을 구하여라.

출제율 85%

**23** $\angle B = 90°$인 직각삼각형 ABC에서 $\tan A = \dfrac{\sqrt{3}}{2}$일 때,
(중) $\sin A = a$, $\cos A = b$라 하자. 상수 $a$, $b$에 대하여
$a^2 + b^2$의 값을 구하여라.

---

**삼각비가 주어지는 경우 다른 삼각비의 값 구하기**

**20** $\sin A = \dfrac{4}{5}$일 때, $\cos A$, $\tan A$의 값을 각각 구하
여라.

**내신 UP POINT**

삼각비의 값 중 어느 하나를 알 때, 다른 삼각비의 값은 다음
순서로 구한다.
① 주어진 삼각비의 값을 가지는 직각삼각형을 그린다.
② 피타고라스 정리를 이용하여 나머지 한 변의 길이를 구한다.
③ 다른 삼각비의 값을 구한다.

출제율 85%

**24** $\tan A = 2$일 때, $\dfrac{\sin A + \cos A}{\sin A - \cos A}$의 값은?
(중)

① $\sqrt{5}$　　　② $3$　　　③ $2\sqrt{5}$

④ $5$　　　⑤ $6$

출제율 95%

**21** $\tan A = \sqrt{2}$일 때, $\sin A$의 값은?
(중)

① $\dfrac{1}{3}$　　　② $\dfrac{\sqrt{3}}{3}$　　　③ $\dfrac{\sqrt{2}}{2}$

④ $\dfrac{\sqrt{6}}{3}$　　　⑤ $\dfrac{\sqrt{6}}{2}$

출제율 85%

**25** 오른쪽 그림을 이용하여
(상) $\sin a = \dfrac{\sqrt{5}}{3}$일 때, $\sin \dfrac{a}{2}$의
값을 구하여라.
（단, $\overline{AB} = \overline{AD}$）

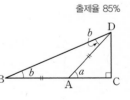

**대표유형** 닮음을 이용한 삼각비의 값 구하기

**26** 오른쪽 그림과 같은 △ABC에서 ∠BAC=90°, $\overline{AH}\perp\overline{BC}$이고 ∠BAH=$x$ 일 때, sin $x$의 값은?

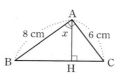

① $\dfrac{3}{5}$      ② $\dfrac{3}{4}$      ③ $\dfrac{4}{5}$

④ $\dfrac{5}{4}$      ⑤ $\dfrac{4}{3}$

**내신 UP POINT**

닮음을 이용한 삼각비의 값 구하기
오른쪽 그림의 직각삼각형 ABC에서 △ABC∽△DBA∽△DAC이고, 닮은 직각삼각형에서 대응각에 대한 삼각비의 값은 각각 서로 같음을 이용한다.

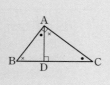

**27** 오른쪽 그림과 같이 ∠B=90°인 직각삼각형 ABC에서 $\overline{AC}\perp\overline{BD}$일 때, 다음 중 옳지 <u>않은</u> 것은?

출제율 90%

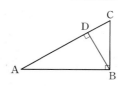

① sin $A=\dfrac{\overline{AB}}{\overline{BD}}$      ② cos $A=\dfrac{\overline{AB}}{\overline{AC}}$

③ tan $A=\dfrac{\overline{BD}}{\overline{AD}}$      ④ cos $C=\dfrac{\overline{CD}}{\overline{BC}}$

⑤ tan $C=\dfrac{\overline{AB}}{\overline{BC}}$

**28** 오른쪽 그림과 같이 ∠C=90°인 직각삼각형 ABC에서 $\overline{AB}\perp\overline{CD}$일 때, cos $x$÷tan $y$의 값을 구하여라.

출제율 95%

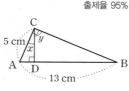

**29** 오른쪽 그림에서 $\overline{BD}$는 직사각형 ABCD의 대각선이고 $\overline{AH}\perp\overline{BD}$이다. ∠DAH=$x$라 할 때, sin $x$-cos $x$의 값은?

출제율 90%

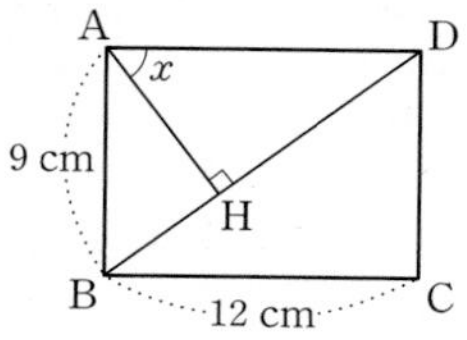

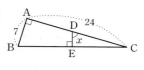

① $-\dfrac{1}{5}$      ② $\dfrac{1}{5}$      ③ $\dfrac{2}{5}$

④ $\dfrac{5}{12}$      ⑤ $\dfrac{7}{12}$

**30** 오른쪽 그림의 △ABC에서 ∠BAC=90°, $\overline{BC}\perp\overline{DE}$이다. ∠CDE=$x$일 때, cos $x$의 값은?

출제율 90%

① $\dfrac{7}{24}$      ② $\dfrac{3}{8}$      ③ $\dfrac{5}{7}$

④ $\dfrac{7}{25}$      ⑤ $\dfrac{23}{25}$

**대표유형** 직선의 방정식과 삼각비

**31** 일차함수 $y=x+3$의 그래프가 $x$축과 이루는 예각의 크기를 $a$라 할 때, cos $a$의 값을 구하여라.

**내신 UP POINT**

직선의 방정식과 삼각비
직선 $l$이 $x$축과 이루는 예각의 크기를 $a$라 할 때, $a$의 삼각비의 값은 다음 순서로 구한다.
① $x$절편과 $y$절편을 이용하여 좌표평면 위에 그래프를 그린다.
② 직각삼각형의 변의 길이를 구하여 삼각비의 값을 구한다.

**32** 오른쪽 그림과 같은 일차함수

출제율 90%

$y=\dfrac{2}{3}x+1$의 그래프가 $x$축

의 양의 방향과 이루는 각

의 크기를 $a$라 할 때, $\tan a$

의 값을 구하여라.

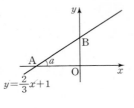

**33** 일차방정식 $3x+4y=12$의 그래프가 $x$축과 이루는

출제율 85%

예각의 크기를 $a$라 할 때, $\sin a$의 값을 구하여라.

**34** 일차방정식 $5x-2y+10=0$의 그래프와 $x$축, $y$축의

출제율 85%

교점을 각각 A, B라 할 때, $\triangle AOB$에서

$\sin A+\cos B$의 값을 구하여라.

**35** 오른쪽 그림과 같이 $x$절편

출제율 70%

과 $y$절편이 각각 $a$, $b$인 직

선 AB를 나타내는 그래프의

식은 $\dfrac{x}{a}+\dfrac{y}{b}=1$이다.

$\angle AOH=a$일 때,

$\sin a \div \cos a$의 값을 $a$, $b$

로 나타내어라. (단, $a>0$, $b>0$)

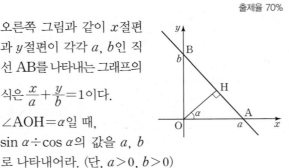

---

대표 유형 **입체도형에서의 삼각비**

**36** 오른쪽 그림은 한 모서리의 길

이가 3인 정육면체이다.

$\angle AGE=x$라 할 때, $\cos x$의

값은?

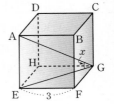

① $\dfrac{\sqrt{2}}{3}$ ② $\dfrac{\sqrt{3}}{3}$

③ $\dfrac{2}{3}$ ④ $\dfrac{\sqrt{3}}{2}$

⑤ $\dfrac{\sqrt{6}}{3}$

내신 **UP POINT**

입체도형과 삼각비

입체도형에서 삼각비의 값은 다음 순서로 구한다.

① 직각삼각형을 찾아 낸 다음, 피타고라스 정리를 이용하여

변의 길이를 구한다.

② 삼각비의 값을 구한다.

**37** 오른쪽 그림은 가로의 길이, 세

출제율 90%

로의 길이, 높이가 각각 4, 3, 5

인 직육면체이다. $\angle AGE=x$라

할 때, $\sin x+\cos x$의 값은?

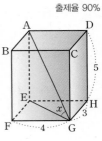

① $\sqrt{2}$ ② $\sqrt{3}$

③ 2 ④ $2\sqrt{2}$

⑤ $2\sqrt{3}$

**38** 오른쪽 그림과 같이 한 모서리

출제율 90%

의 길이가 10인 정육면체에서

$\angle CEG=x$일 때, $\dfrac{\cos x}{\sin x}$의

값을 구하여라.

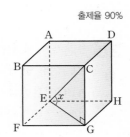

**39** 오른쪽 그림과 같이 한 모서리의 길이가 6인 정사면체에서 $\overline{BC}$의 중점을 E라 하자. $\angle AED = x$일 때, $\cos x$의 값을 구하여라.

출제율 85%

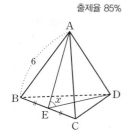

**42** $\sin 60° \div \cos 30° - \tan 45° \times \cos 60°$의 값은?

출제율 95%

① $\dfrac{1}{4}$　　② $\dfrac{1}{3}$　　③ $\dfrac{1}{2}$

④ $1$　　⑤ $\dfrac{3}{2}$

**40** 오른쪽 그림과 같이 한 모서리의 길이가 $a$인 정사면체에서 $\overline{AB}$의 중점을 M이라 하자. $\angle OCM = x$라 할 때, $\tan x$의 값을 구하여라.

출제율 85%

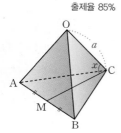

**43** 다음 식의 값을 구하면?

출제율 90%

$$\sqrt{3}\cos 30° + \frac{2\sqrt{2}\sin 45° \times \cos 60°}{\sqrt{3}\tan 30°}$$

① $\dfrac{1}{2}$　　② $1$　　③ $\dfrac{3}{2}$

④ $2$　　⑤ $\dfrac{5}{2}$

---

**대표유형** **특수한 각의 삼각비의 값**

**41** 다음 중 옳은 것은?

① $\sin 30° + \cos 30° = \sqrt{3}$

② $\tan 30° \times \cos 30° = 2$

③ $\sin 45° \div \cos 45° = \sqrt{2}$

④ $\sin 60° \times \cos 60° = \dfrac{\sqrt{3}}{4}$

⑤ $\tan 60° - \sin 45° = \sqrt{3} - \sqrt{2}$

**44** $\angle A = 60°$일 때, 다음 식의 값을 구하면?

출제율 80%

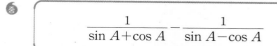

$$\frac{1}{\sin A + \cos A} - \frac{1}{\sin A - \cos A}$$

① $-2$　　② $-\dfrac{2}{3}$　　③ $-1$

④ $0$　　⑤ $\dfrac{1}{2}$

**45** <sub>중</sub> 오른쪽 그림과 같이 직선 $l$과 $x$축의 양의 방향이 이루는 각의 크기가 $30°$일 때, 직선 $l$의 기울기는?

출제율 85%

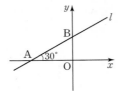

① $\dfrac{1}{3}$    ② $\dfrac{1}{2}$

③ $\dfrac{\sqrt{3}}{3}$    ④ $\sqrt{3}$

⑤ $\sqrt{3}$

**46** <sub>상</sub> 삼각형의 세 내각의 크기의 비가 $1:2:3$이고 내각 중 가장 작은 각의 크기를 $A$라 할 때, $\sin A \times \cos A \times \tan A$의 값은?

출제율 80%

① $\dfrac{1}{4}$    ② $\dfrac{1}{2}$    ③ $1$

④ $\dfrac{\sqrt{2}}{2}$    ⑤ $\dfrac{\sqrt{3}}{2}$

**대표 유형** 삼각비를 이용하여 각의 크기 구하기

**47** $\tan(2x-30°)=\sqrt{3}$일 때, $\sin x + \cos x$의 값은? (단, $0° < 2x-30° < 90°$)

① $\dfrac{1}{2}$    ② $1$    ③ $\sqrt{2}$

④ $\sqrt{3}$    ⑤ $2$

**48** <sub>중</sub> $0° \leq x \leq 55°$일 때, $6\sin(2x-20°)=3$을 만족하는 $x$의 크기는?

출제율 95%

① $25°$    ② $30°$    ③ $32.5°$

④ $40°$    ⑤ $45°$

**49** <sub>중</sub> $\angle A$가 예각이고, $\tan A = 2\sin 60°$일 때, $\angle A$의 크기는?

출제율 90%

① $30°$    ② $40°$    ③ $50°$

④ $55°$    ⑤ $60°$

**50** <sub>상</sub> 이차방정식 $x^2-3x+2=0$의 근 중 작은 근이 $\tan A$, 이차방정식 $2x^2+x-1=0$의 근 중 큰 근이 $\sin B$일 때, $\cos(2A-B)$의 값은? (단, $\angle A$, $\angle B$는 예각이다.)

출제율 80%

① $0$    ② $\dfrac{1}{2}$    ③ $\dfrac{\sqrt{2}}{2}$

④ $\dfrac{\sqrt{3}}{2}$    ⑤ $1$

**51** <sub>상</sub> 오른쪽 그림과 같이 $\angle C = 90°$인 직각삼각형 ABC에서 $\sqrt{3}c^2 = 4ab$인 관계가 성립할 때, $\angle B$의 크기를 구하여라.

출제율 75%

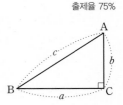

출제율 95%

**대표유형** 특수한 각의 삼각비의 값을 이용하여 변의 길이 구하기

**52** 오른쪽 그림의 △ABC에서 $x$, $y$의 값을 각각 구하여라.

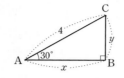

**56** 오른쪽 그림에서 ∠CAB=∠ABD=90°, ∠ACB=60°, ∠ADB=45°, $\overline{AC}=\sqrt{2}$일 때, $\overline{AD}$의 길이는?

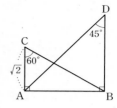

① $2\sqrt{3}$　　② $3\sqrt{2}$
③ $3\sqrt{3}$　　④ $4\sqrt{2}$
⑤ $4\sqrt{3}$

**53** 오른쪽 그림에서 $x$, $y$의 값을 각각 구하여라.

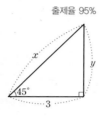

**57** 오른쪽 그림에서 $x$의 값을 구하는 식으로 옳지 <u>않은</u> 것은?

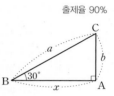

① $a\cos 30°$　　② $a\sin 60°$
③ $b\sin 30°$　　④ $b\tan 60°$
⑤ $\dfrac{b}{\tan 30°}$

**54** 오른쪽 그림에서 $x$, $y$의 값을 각각 구하여라.

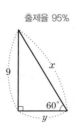

**58** 오른쪽 그림의 직각삼각형 ABC에서 ∠B=30°이고 $\overline{BD}=4$, ∠BAD=∠CAD 일 때, $x$의 값은?

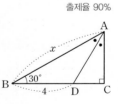

① 2　　② $2\sqrt{3}$
③ 4　　④ $4\sqrt{2}$
⑤ $4\sqrt{3}$

**55** 오른쪽 그림과 같은 △ABC에서 $\overline{AB}=3\sqrt{2}$, ∠B=45°, ∠C=60°, $\overline{AH}\perp\overline{BC}$일 때, $x$, $y$의 값을 각각 구하여라.

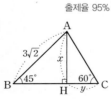

**59** 오른쪽 그림의 △ABC에서 $\overline{AB}=6$, $\overline{AC}=2\sqrt{5}$, ∠ABH=45°일 때, $\overline{BC}$의 길이는?

출제율 85%

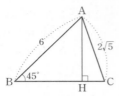

① $2\sqrt{2}$  ② $2\sqrt{3}$
③ $3\sqrt{5}$  ④ $4\sqrt{2}$
⑤ $5\sqrt{2}$

**60** 오른쪽 그림과 같이 ∠C=90°인 직각삼각형 ABC에서 ∠B=30°, $\overline{BC}=2\sqrt{3}$일 때, 내접원 I의 반지름의 길이를 구하여라.

출제율 85%

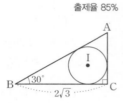

**61** 오른쪽 그림의 □ABCD에서 ∠A=105°, ∠B=∠D=90°, ∠C=75°이고 $\overline{AB}=\overline{BC}=10$일 때, □ABCD의 둘레의 길이는?

출제율 85%

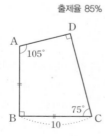

① $20+5\sqrt{3}$
② $20+5\sqrt{6}$
③ $20+5(\sqrt{2}+\sqrt{3})$
④ $20+5(\sqrt{2}+\sqrt{6})$
⑤ $20+5(\sqrt{3}+\sqrt{6})$

**62** 오른쪽 그림의 직각삼각형 ABC에서 $\overline{AD}=\overline{BD}=2$이고 ∠ADC=45°일 때, tan 22.5°의 값은?

출제율 85%

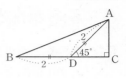

① $\sqrt{2}-1$  ② 1  ③ $\sqrt{2}$
④ $\sqrt{3}$  ⑤ $\sqrt{2}+1$

**63** 오른쪽 그림의 직각삼각형 ABD에서 $\overline{AB}=1$, ∠B=90°, ∠CAB=60°이고 $\overline{AC}=\overline{CD}$일 때, tan 75°의 값은?

출제율 90%

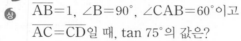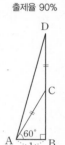

① $2-\sqrt{3}$  ② $\dfrac{4-\sqrt{3}}{2}$
③ $\dfrac{6+\sqrt{2}}{4}$  ④ $\dfrac{4+\sqrt{3}}{2}$
⑤ $2+\sqrt{3}$

**64** 다음 그림과 같은 △ABC에서 $\overline{AC}=5$, ∠ABC=15°, ∠ADC=30°임을 이용하여 tan 15°의 값을 구하여라.

출제율 85%

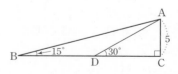

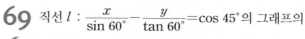

## 대표유형 직선의 기울기와 삼각비

**65** 오른쪽 그림과 같이 일차함수 $y=2x-4$의 그래프가 $x$축의 양의 방향과 이루는 각의 크기를 $a$라 할 때, $\tan a$의 값을 구하여라.

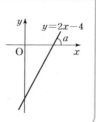

**69** 직선 $l : \dfrac{x}{\sin 60°} - \dfrac{y}{\tan 60°} = \cos 45°$의 그래프의 $x$절편을 $a$, $y$절편을 $b$라 할 때, $ab$의 값을 구하여라.

---

**내신 UP POINT**

직선의 기울기와 삼각비
일차함수 $y=mx+n$(단, $m>0$)의 그래프가 $x$축의 양의 방향과 이루는 각의 크기를 $a$라 하면 직선의 기울기 $m$은

$$m = \frac{(y의\ 값의\ 증가량)}{(x의\ 값의\ 증가량)} = \frac{\overline{BO}}{\overline{AO}} = \tan a$$

---

## 대표유형 임의의 예각의 삼각비의 값

**70** 오른쪽 그림을 보고 다음 삼각비의 값을 구하여라.

(1) $\sin 27°$
(2) $\cos 27°$
(3) $\tan 27°$

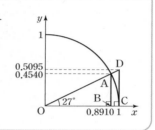

---

출제율 95%

**66** 오른쪽 그림과 같이 일차방정식 $2x-3y+4=0$의 그래프와 $x$축의 양의 방향이 이루는 각의 크기를 $a$라 할 때, $\tan a$의 값을 구하여라.

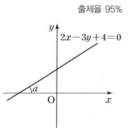

---

출제율 90%

**67** 오른쪽 그림과 같이 $x$절편이 $-6$이고, $x$축의 양의 방향과 이루는 각의 크기가 $30°$인 직선의 방정식을 구하여라.

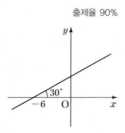

---

출제율 90%

**71** 오른쪽 그림과 같이 좌표평면 위에 원점 O를 중심으로 하고, 반지름의 길이가 1인 사분원이 있다. 다음 중 옳지 않은 것은?
(단, $0°<a<90°$)

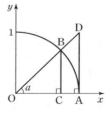

① $\sin a = \overline{BC}$
② $\cos a = \overline{OC}$
③ $\tan a = \overline{AD}$
④ $a$의 크기가 커지면 $\cos a$의 값도 커진다.
⑤ $a$의 크기가 커지면 $\tan a$의 값도 커진다.

---

출제율 85%

**68** 점 $\left(\dfrac{\sqrt{3}}{3}, 5\right)$를 지나는 직선이 $x$축의 양의 방향과 이루는 각의 크기가 $60°$이다. 이 직선과 $x$축, $y$축으로 둘러싸인 삼각형의 넓이를 구하여라.

**72** <sub>하</sub> 오른쪽 그림과 같이 반지름의 길이가 1인 사분원에서 다음 삼각비의 값에 해당하는 길이를 가지는 선분을 구하여라.

출제율 95%

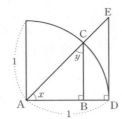

(1) $\sin x$       (2) $\tan x$

(3) $\sin y$       (4) $\cos y$

**73** <sub>하</sub> 오른쪽 그림은 반지름의 길이가 1인 사분원이다. 삼각비의 값을 변의 길이로 나타낸 것 중 옳지 않은 것은?

출제율 95%

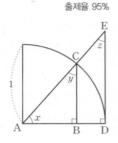

① $\sin x = \overline{BC}$

② $\cos x = \overline{AB}$

③ $\tan x = \overline{DE}$

④ $\cos y = \overline{BC}$

⑤ $\sin z = \overline{AD}$

**74** <sub>중</sub> 오른쪽 그림은 반지름의 길이가 1인 사분원이다.
$\angle AOB = a$, $\angle ODC = b$일 때, 점 A의 좌표인 것은?

출제율 90%

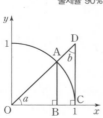

① $(\sin a, \sin b)$

② $(\sin b, \sin a)$

③ $(\sin a, \cos a)$

④ $(\cos b, \sin b)$

⑤ $(\cos a, \tan a)$

**75** <sub>중</sub> 오른쪽 그림은 반지름의 길이가 1인 사분원이다. 다음 중 옳은 것을 모두 골라라.

출제율 90%

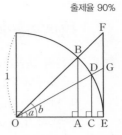

| ㉠ $\sin a = \overline{CD}$ | ㉡ $\tan a = \overline{CD}$ |
| --- | --- |
| ㉢ $\cos b = \overline{OE}$ | ㉣ $\tan b = \overline{EF}$ |
| ㉤ $\overline{AC} = \cos b - \cos a$ | ㉥ $\overline{FG} = \tan b - \tan a$ |

**76** <sub>중</sub> 오른쪽 그림의 부채꼴 CAD는 중심각의 크기가 60°이고, 반지름의 길이가 1이다. 이때 색칠한 부분의 넓이를 구하여라.

출제율 85%

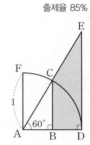

**77** <sub>상</sub> 다음의 왼쪽 그림을 이용하여 오른쪽 그림의 직각삼각형 ABC에서 $\overline{AC}$의 길이를 구하면?

출제율 85%

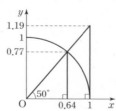 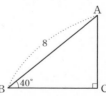

① 5       ② 5.12       ③ 5.56

④ 6.16       ⑤ 9.52

대표 유형 **$0°$, $90°$의 삼각비의 값**

**78** 다음 중 옳지 <u>않은</u> 것은?

① $\cos 0° + \tan 0° = 0$ ② $\sin 0° + \cos 90° = 0$
③ $\cos 0° + \cos 90° = 1$ ④ $2\cos 0° + \sin 90° = 3$
⑤ $2\sin 90° + \tan 45° = 3$

출제율 95%

**79** 다음 보기 에서 삼각비의 값이 같은 것은 모두 몇 쌍인지 구하여라.

하

보기

| | | |
|---|---|---|
| ㄱ. $\tan 0°$ | ㄴ. $\cos 30°$ | ㄷ. $\sin 45°$ |
| ㄹ. $\tan 45°$ | ㅁ. $\cos 90°$ | ㅂ. $\sin 90°$ |

출제율 95%

**80** 다음 식의 값을 구하여라.

중

$$\cos 0° \times \tan 0° - \sin 90° \times \tan 60° + \cos 30°$$

출제율 95%

**81** 다음 보기 중 옳은 것을 모두 골라라.

중

보기

ㄱ. $\sin 30° + \sin 60° = \sin 90°$
ㄴ. $\cos 45° = \tan 45°$
ㄷ. $\sin 60° = \cos 30°$
ㄹ. $\sin 0° + \cos 90° = 0$
ㅁ. $\sin 90° \times \cos 0° \times \tan 45° = \sqrt{2}$

대표 유형 **삼각비의 대소 관계**

**82** 다음 중 옳은 것은?

① $0° \le x < 90°$일 때, $0 \le \tan x < 1$
② $0° \le x \le 90°$일 때, $x$의 크기가 커지면 $\sin x$의 값은 작아진다.
③ $0° < x < 45°$일 때, $\sin x > \cos x$
④ $\tan 50° < \tan 65°$
⑤ $\tan 45° = \sin 90° = \cos 90°$

**내신 UP POINT**

(1) $0° \le x \le 90°$인 범위에서 $x$의 크기가 커지면
① $\sin x$의 값은 0에서 1까지 증가한다.
② $\cos x$의 값은 1에서 0까지 감소한다.
③ $\tan x$의 값은 0에서부터 무한히 증가한다. $(x \ne 90°)$

(2) 오른쪽 그림에서
① $0° < x < 45°$일 때, $\overline{AB} < \overline{OB}$
➡ $\sin x < \cos x$
② $x = 45°$일 때, $\overline{OB} = \overline{AB} < \overline{CD}$
➡ $\sin x = \cos x < \tan x$
③ $45° < x < 90°$일 때, $\overline{OB} < \overline{AB} < \overline{CD}$
➡ $\cos x < \sin x < \tan x$

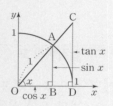

출제율 85%

**83** 다음 중 대소 관계가 옳지 <u>않은</u> 것은?

중

① $\sin 0° = \cos 90°$ ② $\cos 45° < \tan 45°$
③ $\cos 60° > \cos 65°$ ④ $\sin 30° > \cos 20°$
⑤ $\tan 50° < \tan 88°$

출제율 85%

**84** 다음 중 옳은 것은?

중

① $\sin 15° > \cos 15°$ ② $\cos 90° > \tan 45°$
③ $\sin 50° < \tan 50°$ ④ $\cos 80° > \sin 80°$
⑤ $\cos 45° < \tan 30°$

**85** 다음 삼각비의 값 중 그 값이 가장 작은 것은?

① sin 90°        ② cos 50°        ③ tan 45°
④ sin 65°        ⑤ tan 60°

**86** 다음 삼각비의 값 중 그 값이 두 번째로 큰 것은?

① sin 0°        ② cos 20°        ③ cos 45°
④ sin 35°        ⑤ tan 45°

### 대표유형 삼각비의 표

**87** 다음 중 오른쪽 삼각비의 표를 이용하여 삼각비의 값을 옳게 구한 것은?

| 각도 | sin | cos | tan |
|---|---|---|---|
| 14° | 0.2419 | 0.9703 | 0.2493 |
| 15° | 0.2588 | 0.9659 | 0.2679 |
| 16° | 0.2756 | 0.9613 | 0.2867 |
| 17° | 0.2924 | 0.9563 | 0.3057 |
| 18° | 0.3090 | 0.9511 | 0.3249 |

① sin 14°=0.9703
② sin 17°=0.2924
③ tan 16°=0.2756
④ cos 15°=0.2679
⑤ tan 18°=0.9511

**88** 다음 삼각비의 표를 보고 sin 35°+tan 32°의 값을 구하여라.

| 각도 | 사인(sin) | 코사인(cos) | 탄젠트(tan) |
|---|---|---|---|
| 32° | 0.5299 | 0.8480 | 0.6249 |
| 33° | 0.5446 | 0.8387 | 0.6494 |
| 34° | 0.5592 | 0.8290 | 0.6745 |
| 35° | 0.5736 | 0.8192 | 0.7002 |

**89** sin $x$=0.7547, tan $y$=1.2799일 때, 오른쪽 삼각비의 표를 이용하여 $x+y$의 크기를 구하면?

| 각도 | sin | cos | tan |
|---|---|---|---|
| 49° | 0.7547 | 0.6561 | 1.1504 |
| 50° | 0.7660 | 0.6428 | 1.1918 |
| 51° | 0.7771 | 0.6293 | 1.2349 |
| 52° | 0.7880 | 0.6157 | 1.2799 |
| 53° | 0.7986 | 0.6018 | 1.3270 |

① 100°        ② 101°
③ 102°        ④ 103°
⑤ 104°

**90** 다음 그림의 직각삼각형 ABC에서 $\overline{AB}$=100, $\overline{AC}$=73.14일 때, 삼각비의 표를 이용하여 ∠A의 크기를 구하면?

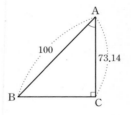

| 각도 | sin | cos | tan |
|---|---|---|---|
| 43° | 0.6820 | 0.7314 | 0.9325 |
| 44° | 0.6947 | 0.7193 | 0.9657 |
| 45° | 0.7071 | 0.7071 | 1.0000 |
| 46° | 0.7193 | 0.6947 | 1.0355 |
| 47° | 0.7314 | 0.6820 | 1.0724 |

① 43°        ② 44°        ③ 45°
④ 46°        ⑤ 47°

**91** 삼각비의 표를 이용하여 다음 그림의 직각삼각형 ABC에서 $\overline{BC}$의 길이를 구하여라.

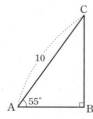

| 각도 | sin | cos | tan |
|---|---|---|---|
| 34° | 0.5592 | 0.8290 | 0.6745 |
| 35° | 0.5736 | 0.8192 | 0.7002 |
| 36° | 0.5878 | 0.8090 | 0.7265 |

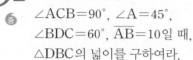

## 개념 UP ⟩ 01 삼각비의 값을 이용한 도형의 넓이

삼각비를 값을 이용하여 도형의 변의 길이, 높이, 넓이 등을 구할 수 있다.

## 개념 UP ⟩ 02 삼각비의 값의 대소 관계를 이용한 식의 계산

삼각비의 값의 대소를 비교한 다음, 제곱근의 성질을 이용하여 주어진 식을 간단히 정리한다.

---

**92** 출제율 85%

(중) 오른쪽 그림에서
$\angle ACB=90°$, $\angle A=45°$,
$\angle BDC=60°$, $\overline{AB}=10$일 때,
$\triangle DBC$의 넓이를 구하여라.

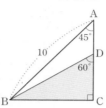

**95** 출제율 85%

(중) $0°<A<90°$일 때, $\sqrt{(\cos A-1)^2}+\sqrt{(1+\cos A)^2}$ 을 간단히 하여라.

**96** 출제율 85%

(중) $0°<A<45°$일 때, $\sqrt{(\tan A+1)^2}+\sqrt{(1-\tan A)^2}$ 을 간단히 하여라.

**93** 출제율 80%

(상) 오른쪽 그림과 같은 반지름의
길이가 1인 부채꼴 AOB에서
$\overline{AH}\perp\overline{OB}$일 때, 색칠한 부분
의 넓이를 구하여라.

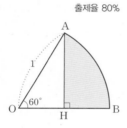

**97** 출제율 80%

(상) $45°<A<90°$일 때,
$\sqrt{(\sin A-\cos A)^2}+\sqrt{(\tan A-\sin A)^2}$을 간단히
하여라.

**94** 출제율 75%

(상) 오른쪽 그림에서
$\angle CPA=60°$,
$\angle OAP=\angle OCP=90°$이고
원 O′의 반지름의 길이가 6
일 때, 원 O의 반지름의 길
이를 구하여라. (단, 점 A와
C는 원 O 위에 있다.)

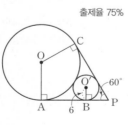

**98** 출제율 80%

(상) $0°<A<45°$이고 $\sin A=\dfrac{3}{5}$일 때,
$\sqrt{(\tan A+1)^2}-\sqrt{(\tan A-1)^2}$의 값을 구하여라.

**01** 오른쪽 그림과 같이
∠B＝90°인 직각삼각형
ABC에 대하여 다음 중 옳은
것은?

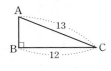

① $\sin A=\dfrac{5}{13}$　　② $\cos A=\dfrac{12}{13}$

③ $\tan A=\dfrac{5}{12}$　　④ $\sin C=\dfrac{5}{12}$

⑤ $\cos C=\dfrac{12}{13}$

**02** 오른쪽 그림과 같은 직각삼각
형 ABC에서 $\overline{AB}=6$,
$\tan A=\dfrac{\sqrt{5}}{3}$일 때, $\overline{AC}$의 길
이를 구하여라.

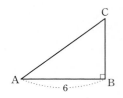

**03** $0°<A<90°$이고, $\tan A=\dfrac{1}{2}$일 때, $\sin A+\cos A$
의 값을 구하여라.

**04** 오른쪽 그림의 △ABC에서
∠C＝90°, $\overline{AB}\perp\overline{CD}$이고
∠ABC＝$x$일 때, 다음 중 옳
지 <u>않은</u> 것은?

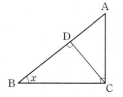

① $\sin x=\dfrac{\overline{AC}}{\overline{AB}}$　　② $\cos x=\dfrac{\overline{CD}}{\overline{AC}}$

③ $\tan x=\dfrac{\overline{AC}}{\overline{BC}}$　　④ $\tan x=\dfrac{\overline{CD}}{\overline{AD}}$

⑤ $\cos x=\dfrac{\overline{BD}}{\overline{BC}}$

**05** 오른쪽 그림의 직각삼각형 ABC
에서 $\overline{AB}\perp\overline{DE}$이고, $\overline{AB}=6$,
$\overline{AC}=5$이다. ∠BED＝$x$라 할
때, $\sin x$의 값은?

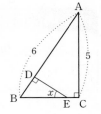

① $\dfrac{\sqrt{11}}{6}$　　② $\dfrac{5}{6}$

③ $\dfrac{6}{5}$　　④ $\dfrac{6\sqrt{11}}{11}$

⑤ $\dfrac{11}{6}$

**06** 오른쪽 그림과 같이 일차함
수 $y=\dfrac{1}{2}x+2$의 그래프와
$x$축, $y$축의 교점을 각각 A,
B라 할 때, △AOB에서
$\sin A+\cos A$의 값은?

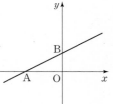

① $\dfrac{\sqrt{3}}{2}$　　② $\dfrac{3\sqrt{5}}{5}$　　③ $\sqrt{2}$

④ $\dfrac{5\sqrt{2}}{4}$　　⑤ $\dfrac{3\sqrt{5}}{2}$

**07** 다음 중 옳은 것은?

① $\sin 45°+\cos 45°=1$

② $\sin 30°\times\cos 60°=1$

③ $\cos 30°\times\tan 30°=\sin 30°$

④ $\cos 30°+\cos 60°=\cos 90°$

⑤ $\cos 0°+\tan 45°+\sin 90°=2$

**08** $0°\leq x\leq 50°$일 때, $4\cos(2x-10°)=2\sqrt{3}$을 만족하
는 $x$의 크기는?

① $20°$　　② $27.5°$　　③ $30°$

④ $35°$　　⑤ $45°$

**09** 오른쪽 그림과 같이 ∠A=30°, $\overline{AC}$=12인 직각 삼각형 ABC의 둘레의 길이를 구하여라.

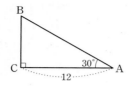

**10** 오른쪽 그림에서 ∠ABC=∠BCD=90°, ∠A=45°, ∠D=60°이고 $\overline{AB}$=3일 때, $\overline{BD}$의 길이는?

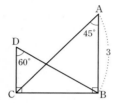

① 2　　　　② $2\sqrt{3}$
③ 4　　　　④ 6
⑤ $4\sqrt{3}$

**11** 오른쪽 그림에서 ∠BAD=∠DAC일 때, $x-y$의 값을 구하여라.

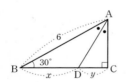

**12** 오른쪽 그림과 같이 $y$절편이 3이고, $x$축의 양의 방향과 이루는 각의 크기가 60°인 직선의 방정식을 구하여라.

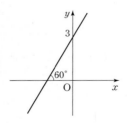

**13** 오른쪽 그림과 같이 반지름의 길이가 1인 사분원에 대하여 다음 중 옳지 <u>않은</u> 것은?

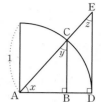

① $\cos x=\overline{AB}$
② $\tan x=\overline{DE}$
③ $\cos y=\overline{BC}$
④ $\sin z=\overline{AD}$
⑤ $\cos z=\overline{BC}$

**14** 오른쪽 그림을 이용하여 $\sin 50°+\tan 50°$의 값을 구하면?

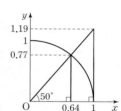

① 0.64　　　② 0.77
③ 1.41　　　④ 1.83
⑤ 1.96

**15** 다음 그림의 직각삼각형 ABC에서 $\overline{AB}$=75.47, $\overline{BC}$=100일 때, 삼각비의 표를 이용하여 ∠B의 크기를 구하면?

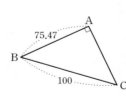

| 각도 | sin | cos | tan |
|---|---|---|---|
| 41° | 0.6561 | 0.7547 | 0.8693 |
| 42° | 0.6691 | 0.7431 | 0.9004 |
| … | … | … | … |
| 48° | 0.7431 | 0.6691 | 1.1106 |
| 49° | 0.7547 | 0.6561 | 1.1504 |

① 41°　　　② 42°　　　③ 45°
④ 48°　　　⑤ 49°

**16** 오른쪽 그림에서 $\sin x = \dfrac{3}{4}$ 일 때, $\cos y$의 값을 구하여라.

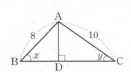

**17** 한 모서리의 길이가 12인 정사면체 O−ABC에서 꼭짓점 O에서 밑면 ABC에 내린 수선의 발을 H라 하자. $\angle OCH = x$ 라 할 때, $\sin x \times \cos x$의 값을 구하여라.

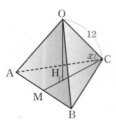

**18** 오른쪽 그림의 직각삼각형 ABC에서 $\overline{CD} \perp \overline{AB}$, $\overline{DE} \perp \overline{BC}$이고 $\overline{AC} = 20$, $\angle B = 30°$일 때, $\overline{BE}$의 길이를 구하여라.

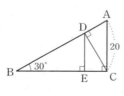

**19** 오른쪽 그림에서 $\angle ACB = 150°$, $\overline{AC} = \overline{BC}$, $\overline{BC} = 8$일 때, $\tan 15°$의 값은?

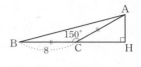

① $2+\sqrt{3}$　　② $2-\sqrt{3}$　　③ $4+\sqrt{3}$

④ $4-\sqrt{3}$　　⑤ $8-4\sqrt{3}$

**20** 다음 삼각비의 값을 큰 것부터 차례로 나열하면?

| ㄱ. $\sin 45°$ | ㄴ. $\cos 0°$ | ㄷ. $\cos 30°$ |
|---|---|---|
| ㄹ. $\sin 75°$ | ㅁ. $\tan 50°$ | ㅂ. $\tan 65°$ |

① ㄱ−ㄷ−ㄹ−ㅁ−ㅂ−ㄴ

② ㄴ−ㅂ−ㄹ−ㄷ−ㄱ−ㅁ

③ ㄹ−ㅂ−ㄱ−ㄷ−ㅁ−ㄴ

④ ㅂ−ㄴ−ㅁ−ㄹ−ㄷ−ㄱ

⑤ ㅂ−ㅁ−ㄴ−ㄹ−ㄷ−ㄱ

**21** $0° < A < 90°$이고 $\tan A = \dfrac{1}{3}$일 때, $\sqrt{(\cos A - 1)^2} - \sqrt{(1 + \cos A)^2}$의 값을 구하여라.

**22** 오른쪽 그림의 직각삼각형 ABC에서 $\overline{AC}=2$ cm, $\overline{BC}=3$ cm일 때, $\sin B \times \cos A$의 값을 구하여라. [7점]

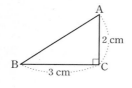

**1단계** $\overline{AB}$의 길이 구하기 [2점]

_____

_____

**2단계** $\sin B$, $\cos A$의 값을 각각 구하기 [3점]

_____

_____

**3단계** $\sin B \times \cos A$의 값 구하기 [2점]

_____

_____

_____

**23** 오른쪽 그림의 △ABC에서 $\overline{AB}=4$, ∠B$=60°$, ∠C$=45°$일 때, $\overline{BC}$의 길이를 구하여라. (단, 점 H는 꼭짓점 A에서 $\overline{BC}$에 내린 수선의 발 이다.) [7점]

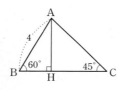

**1단계** $\overline{BH}$의 길이 구하기 [2점]

_____

_____

**2단계** $\overline{AH}$의 길이 구하기 [2점]

_____

_____

_____

**3단계** $\overline{CH}$의 길이 구하기 [2점]

_____

_____

_____

**4단계** $\overline{BC}$의 길이 구하기 [1점]

_____

_____

**24** 오른쪽 그림과 같이 ∠C$=90°$인 직각삼각형 ABC에서 $\overline{AB}=17$ cm, $\overline{AC}=8$ cm, $\overline{AB}\perp\overline{CD}$일 때, $\tan x \div \cos y$의 값을 구하여라. [8점]

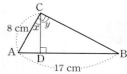

**25** 오른쪽 그림과 같이 한 모서리의 길이가 2인 정육면체에서 ∠AGE$=x$라 할 때, $\sqrt{6}\cos x - \sqrt{2}\tan x$의 값을 구하여라. [7점]

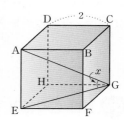

### 01 직각삼각형의 변의 길이(삼각비)

∠B＝90°인 직각삼각형 ABC에서

(1) ∠A의 크기와 빗변의 길이 $b$를 알 때,
   $a=b \sin A$, $c=b \cos A$

(2) ∠A의 크기와 이웃하는 변의 길이 $c$를 알 때, $a=c \tan A$, $b=\dfrac{c}{\cos A}$

(3) ∠A의 크기와 대변의 길이 $a$를 알 때, $b=\dfrac{a}{\sin A}$, $c=\dfrac{a}{\tan A}$

- 공식으로 암기하기보다는 $\sin A=\dfrac{a}{b}$, $\cos A=\dfrac{c}{b}$, $\tan A=\dfrac{a}{c}$임을 이용하여 식을 세운 다음, 변의 길이를 구하도록 한다.

### 02 일반 삼각형의 변의 길이(1)

두 변의 길이와 그 끼인각의 크기를 알 때, 나머지 한 변의 길이 구하기
① $\overline{AH}$의 길이를 구한다. ➡ $\overline{AH}=c \sin B$
② $\overline{BH}=c \cos B$임을 이용하여 $\overline{CH}$의 길이를 구한다.
③ 피타고라스 정리를 이용하여 $\overline{AC}$의 길이를 구한다.

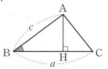

### 03 일반 삼각형의 변의 길이(2)

한 변의 길이와 그 양 끝각의 크기를 알 때, 다른 한 변의 길이 구하기
① 한 꼭짓점에서 수선을 긋는다. ➡ $\overline{AC} \perp \overline{BH}$
② 나머지 한 각의 크기와 $\overline{BH}$의 길이를 구한다.
   ➡ ∠A의 크기, $\overline{BH}=a \sin C$
③ 삼각비를 이용하여 $\overline{AB}$의 길이를 구한다. ➡ $\overline{AB}=\dfrac{\overline{BH}}{\sin A}$

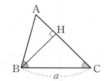

### 04 삼각형의 높이(1)

삼각형 ABC에서 한 변의 길이 $a$와 그 양 끝각 ∠B, ∠C
(∠B, ∠C는 예각)의 크기가 주어질 때
① $\overline{BH}$의 길이를 구한다. ➡ $\overline{BH}=h \tan x$
② $\overline{CH}$의 길이를 구한다. ➡ $\overline{CH}=h \tan y$
③ $\overline{BH}+\overline{CH}=a$임을 이용하여 $h$의 값을 구한다.

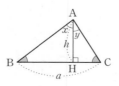

**예제 1**

오른쪽 그림과 같은 직각삼각형 ABC에서 $\overline{AB}=100$, ∠A＝37° 일 때, $x$, $y$의 값을 각각 구하여라.
(단, $\cos 37°=0.80$, $\tan 37°=0.75$로 계산한다.)

**예제 2**

오른쪽 그림과 같은 △ABC에서 $\overline{AC}$의 길이를 구하여라.

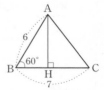

**예제 3**

오른쪽 그림과 같은 △ABC에서 $\overline{AB}$의 길이를 구하여라.

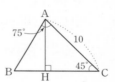

**예제 4**

오른쪽 그림과 같은 △ABC에서 $\overline{AH}=h$라 할 때, $h$의 값을 구하여라.

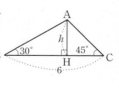

## 05 삼각형의 높이(2)

삼각형 ABC에서 한 변의 길이 $a$와 그 양 끝각 $\angle B$, $\angle C$ ($\angle C$는 둔각)의 크기가 주어질 때
① $\overline{BH}$의 길이를 구한다. ➡ $\overline{BH}=h\tan x$
② $\overline{CH}$의 길이를 구한다. ➡ $\overline{CH}=h\tan y$
③ $\overline{BH}-\overline{CH}=a$임을 이용하여 $h$의 값을 구한다.

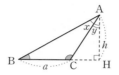

## 06 삼각형의 넓이(1)

두 변의 길이 $a$, $c$와 그 끼인각 $\angle B$($\angle B$는 예각)의 크기를 알 때, 이 삼각형의 넓이 $S$는

$$S=\frac{1}{2}\times\overline{BC}\times\overline{AH}=\frac{1}{2}ac\sin B$$

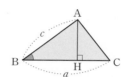

## 07 삼각형의 넓이(2)

두 변의 길이 $a$, $c$와 그 끼인각 $\angle B$($\angle B$는 둔각)의 크기를 알 때, 이 삼각형의 넓이 $S$는

$$S=\frac{1}{2}\times\overline{BC}\times\overline{AH}=\frac{1}{2}ac\sin(180°-B)$$

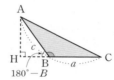

## 08 평행사변형의 넓이

평행사변형 ABCD에서 이웃하는 두 변의 길이 $a$, $b$와 그 끼인각 $\angle B$의 크기를 알 때, 이 평행사변형의 넓이 $S$는

(1) $\angle B$가 예각일 때,

$$S=ab\sin B$$

(2) $\angle B$가 둔각일 때,

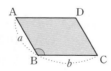

$$S=ab\sin(180°-B)$$

## 09 사각형의 넓이

사각형 ABCD에서 두 대각선의 길이 $a$, $b$와 두 대각선이 이루는 예각의 크기 $x$를 알 때, 이 사각형의 넓이 $S$는

$$S=\frac{1}{2}ab\sin x$$

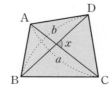

### 포인트개념

- 다각형의 넓이는 삼각형 또는 사각형으로 적당히 나누어 구할 수 있다.

예제 5

오른쪽 그림과 같은 △ABC에서 $\overline{AH}=h$라 할 때, $h$의 값을 구하여라.

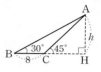

예제 6

오른쪽 그림과 같이 $\overline{AB}=8$, $\overline{BC}=10$, $\angle B=45°$인 △ABC의 넓이를 구하여라.

예제 7

오른쪽 그림과 같이 $\overline{AC}=8$, $\overline{BC}=6$, $\angle C=120°$인 △ABC의 넓이를 구하여라.

예제 8

오른쪽 그림의 평행사변형 ABCD의 넓이를 구하여라.

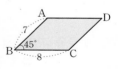

예제 9

오른쪽 그림의 사각형 ABCD의 넓이를 구하여라.

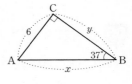

**대표 유형** 직각삼각형의 변의 길이(삼각비)

**01** 오른쪽 그림의 직각삼각형 ABC에서 $\overline{BC}=100$, $\angle C=42°$일 때, $\overline{AC}$의 길이를 구하여라.
(단, $\sin 42°=0.6691$, $\cos 42°=0.7431$, $\tan 42°=0.9004$로 계산한다.)

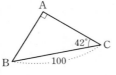

**02** 오른쪽 그림의 직각삼각형 ABC에서 $x$, $y$의 값을 각각 구하면?
(단, $\sin 50°=0.77$, $\cos 50°=0.64$로 계산한다.)

출제율 95%

① $x=0.77$, $y=0.64$
② $x=3.85$, $y=0.64$
③ $x=3.85$, $y=6.4$
④ $x=7.7$, $y=3.2$
⑤ $x=7.7$, $y=6.4$

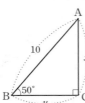

**03** 오른쪽 그림과 같은 직각삼각형 ABC에서 다음 중 $\overline{AB}$의 길이를 나타내는 식은?

출제율 95%

① $5\sin 28°$
② $\dfrac{5}{\sin 28°}$
③ $5\cos 28°$
④ $\dfrac{5}{\cos 28°}$
⑤ $5\tan 28°$

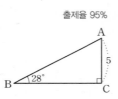

출제율 90%

**04** 오른쪽 그림의 직각삼각형 ABC에서 $x+y$의 값은?
(단, $\sin 37°=0.60$, $\tan 37°=0.75$로 계산한다.)

① 12  ② 15  ③ 18
④ 21  ⑤ 24

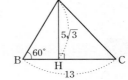

출제율 90%

**05** 오른쪽 그림과 같이 △ABC의 꼭짓점 A에서 $\overline{BC}$에 내린 수선의 발을 H라 할 때, $\overline{AC}$의 길이는?

① 11  ② $\sqrt{123}$
③ 12  ④ $\sqrt{139}$
⑤ 13

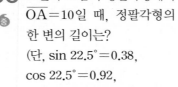

출제율 85%

**06** 오른쪽 그림의 정팔각형에서 $\overline{OA}=10$일 때, 정팔각형의 한 변의 길이는?
(단, $\sin 22.5°=0.38$, $\cos 22.5°=0.92$, $\tan 22.5°=0.41$로 계산한다.)

① 6.4  ② 7.6  ③ 7.9
④ 8.2  ⑤ 9.2

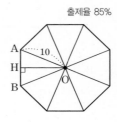

**07** 오른쪽 그림에서 나무의 높이를 구하여라.
(단, sin 50°=0.77, cos 50°=0.64로 계산한다.)

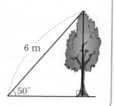

출제율 95%

**10** 오른쪽 그림과 같이 간격이 50 m인 두 건물 A, B가 있다. A 건물 옥상에서 B 건물을 올려다 본 각의 크기는 30°이고 내려다 본 각의 크기는 45°일 때, B 건물의 높이는?

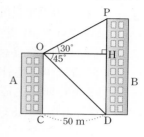

① $\dfrac{50\sqrt{3}}{3}$ m  ② $\dfrac{50}{3}$ m  ③ $(50+\sqrt{3})$ m

④ $\dfrac{50+\sqrt{3}}{3}$ m  ⑤ $\left(50+\dfrac{50\sqrt{3}}{3}\right)$ m

출제율 95%

**08** 오른쪽 그림과 같이 바다의 수면과 수직으로 만나는 절벽으로부터 30 m 떨어진 지점에서 절벽의 꼭대기를 올려다 본 각의 크기가 30°일 때, 절벽의 높이는?

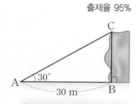

① 10 m  ② $10\sqrt{2}$ m  ③ $10\sqrt{3}$ m
④ $15\sqrt{2}$ m  ⑤ $15\sqrt{3}$ m

출제율 95%

**11** 오른쪽 그림은 산의 높이 CH를 측정하기 위하여 수평면 위에 $\overline{AB}$의 길이를 500 m가 되도록 잡고, 필요한 부분을 측량한 것이다. 이 산의 높이는?

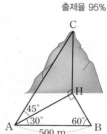

① 250 m  ② $250\sqrt{2}$ m
③ $250\sqrt{3}$ m  ④ 500 m
⑤ 750 m

출제율 95%

**09** 똑바로 서 있던 나무가 오른쪽 그림과 같이 쓰러졌다. ∠BAC=90°일 때, 이 나무가 쓰러지기 전의 높이를 구하여라. (단, sin 57°=0.84, cos 57°=0.54, tan 57°=1.54로 계산한다.)

출제율 95%

**12** 오른쪽 그림과 같이 길이가 12 cm인 실에 추를 달아 점 O를 고정시키고, 추를 늘어뜨려 A 지점에 오도록 하였다. 추를 잡아당겨 B 지점에 오도록 했을 때, A 지점과 B 지점에서의 추의 높이의 차는? (단, 추의 크기는 무시한다.)

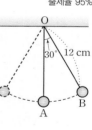

① $(6+6\sqrt{2})$ cm  ② $(6+6\sqrt{3})$ cm
③ $(12-6\sqrt{2})$ cm  ④ $(12-6\sqrt{3})$ cm
⑤ $(12+3\sqrt{2})$ cm

**13** 중 출제율 90%

오른쪽 그림과 같이 준휘가 어느 건물로부터 10 m 떨어진 위치에서 건물의 꼭대기를 올려다 본 각의 크기가 61°였다. 준휘의 눈의 높이가 1.5 m일 때, 이 건물의 높이는?
(단, sin 61°=0.87, cos 61°=0.48, tan 61°=1.80으로 계산한다.)

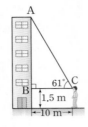

① 10.2 m    ② 15 m    ③ 19.5 m
④ 20 m    ⑤ 21.9 m

**14** 중 출제율 90%

오른쪽 그림과 같이 실의 길이가 50 m, 올려다본 각이 37°이고, 사람의 눈높이가 1.6 m일 때, 지면에서부터 연까지의 높이는?
(단, sin 37°=0.6018, cos 37°=0.7986으로 계산한다.)

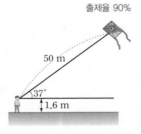

① 31.69 m    ② 32 m    ③ 32.15 m
④ 33.2 m    ⑤ 35.3 m

**15** 중 출제율 85%

오른쪽 그림은 건물의 옥상 위에 설치되어 있는 대형 광고판의 높이를 알아보기 위하여 측량한 결과를 나타낸 것이다.
∠ABD=90°, $\overline{AB}$=40 m, ∠CAB=45°, ∠DAC=5°일 때, 대형 광고판의 높이를 구하여라.
(단, sin 50°=0.77, cos 50°=0.64, tan 50°=1.19로 계산한다.)

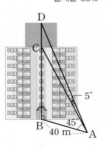

**대표 유형** **일반 삼각형의 변의 길이(1) − 두 변과 끼인각**

**16**

오른쪽 그림의 △ABC에서 $\overline{AB}$=4√2, $\overline{BC}$=10, ∠B=45°일 때, $\overline{AC}$의 길이를 구하여라.

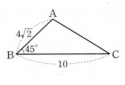

**17** 중 출제율 95%

오른쪽 그림의 △ABC에서 $\overline{AB}$=3, $\overline{AC}$=2, ∠A=60°일 때, $\overline{BC}$의 길이는?

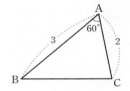

① √3    ② √7
③ √21    ④ 3√3
⑤ 2√7

**18** 중 출제율 90%

오른쪽 그림의 △ABC에서 $\overline{AB}$=12, $\overline{BC}$=15, $\cos B = \dfrac{3}{4}$일 때, $\overline{AC}$의 길이는?

① 6    ② 3√7
③ 9    ④ 3√11
⑤ 12

**19** <sub>(중)</sub> 오른쪽 그림에서 B에서 A, C지점을 바라본 각도가 50°, $\overline{AB}=120$ m, $\overline{BC}=100$ m일 때, 호수의 폭은 몇 m인지 구하면? (단, sin 50°=0.8, cos 50°=0.6으로 계산한다.)

출제율 90%

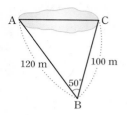

① 90 m     ② 100 m     ③ 120 m
④ 150 m     ⑤ 180 m

**20** <sub>(중)</sub> 세 마을 A, B, C가 오른쪽 그림과 같이 있다. 두 마을 B, C 사이의 거리는?

출제율 90%

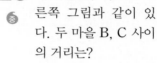

① 14 km
② $4\sqrt{13}$ km
③ $4\sqrt{15}$ km
④ $8\sqrt{5}$ km
⑤ 20 km

**21** <sub>(상)</sub> 두 지점 A, B 사이의 거리를 구하기 위하여 오른쪽 그림과 같이 측량하였다. 이때 A, B 사이의 거리를 구하여라.
(단, sin 66°=0.9, cos 66°=0.4, tan 66°=2.2로 계산한다.)

출제율 90%

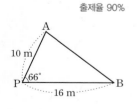

**22** <sub>(상)</sub> 오른쪽 그림과 같이 지나가는 열차를 바라본 각도가 113°이고, $\overline{AC}=160$ m, $\overline{BC}=80$ m일 때, 열차의 길이는 몇 m인지 구하여라. (단, sin 67°=0.9, cos 67°=0.4로 계산한다.)

출제율 80%

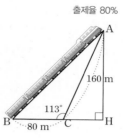

대표 유형 **일반 삼각형의 변의 길이(2) – 한 변과 양 끝각**

**23** 오른쪽 그림의 △ABC에서 $\overline{AB}=12$, ∠A=75°, ∠B=60°일 때, $\overline{AC}$의 길이를 구하여라.

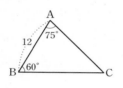

**24** <sub>(중)</sub> 오른쪽 그림의 △ABC에서 $\overline{AB}=20$, ∠A=45°, ∠B=105°일 때, $\overline{BC}$의 길이를 구하여라.

출제율 95%

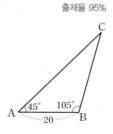

**25** 두 지점 A, B 사이의 거리를 구하기 위하여 오른쪽 그림과 같이 측량하였다. 이때 A, B 사이의 거리를 구하여라.

출제율 95%

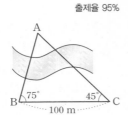

**26** 오른쪽 그림의 △ABC에서 $\overline{AB}=10$, $\angle A=75°$, $\angle B=60°$일 때, $\overline{BC}$의 길이는?

출제율 85%

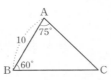

① 5
② $5\sqrt{3}$
③ $5+5\sqrt{3}$
④ $5+\dfrac{50\sqrt{3}}{2}$
⑤ 8

**27** 오른쪽 그림의 △ABC에서 $\overline{AC}=\sqrt{2}$, $\angle A=75°$, $\angle B=60°$일 때, △ABC의 둘레의 길이는?

출제율 80%

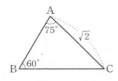

① $1+\sqrt{2}+\sqrt{3}$
② $1+\sqrt{2}+2\sqrt{3}$
③ $2+\sqrt{2}+\sqrt{3}$
④ $2+2\sqrt{2}+\sqrt{3}$
⑤ $2+2\sqrt{2}+2\sqrt{3}$

**28** 오른쪽 그림의 △ABC에서 $\angle B=45°$, $\angle C=75°$, $\overline{BC}=8$일 때, △ABC의 둘레의 길이는 $a+b\sqrt{2}+c\sqrt{6}$이다. 상수 $a$, $b$, $c$에 대하여 $a+b+c$의 값을 구하여라.

출제율 80%

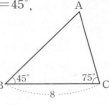

---

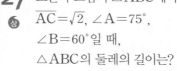

**대표유형** **삼각형의 높이(1)**

**29** 오른쪽 그림에서 $\overline{AH}\perp\overline{BC}$이고, $\overline{BC}=8$, $\angle B=60°$, $\angle C=45°$일 때, $\overline{AH}$의 길이를 구하여라.

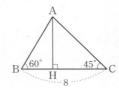

**30** 오른쪽 그림의 △ABC에서 $\overline{AH}$의 길이를 구하는 식은?

출제율 90%

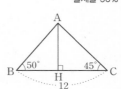

① $\dfrac{12}{\tan 50°+\tan 45°}$
② $\dfrac{12}{\tan 50°-\tan 45°}$
③ $\dfrac{12}{\tan 40°+\tan 45°}$
④ $\dfrac{12}{\tan 45°-\tan 40°}$
⑤ $12(\tan 50°-\tan 45°)$

**31**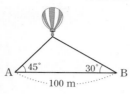
오른쪽 그림과 같이 100 m 떨어져 있는 지면 위의 두 지점 A, B에서 기구를 올려다 본 각의 크기가 각각 45°, 30°였다. 지면으로부터 기구까지의 높이를 구하여라.

출제율 95%

**32**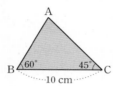
오른쪽 그림의 △ABC에서 $\overline{BC}=10$ cm, ∠B=60°, ∠C=45°일 때, △ABC의 넓이는?

출제율 80%

① $25(\sqrt{3}-1)\text{cm}^2$
② $25(\sqrt{3}+1)\text{cm}^2$
③ $25(3-\sqrt{2})\text{cm}^2$
④ $25(3-\sqrt{3})\text{cm}^2$
⑤ $25(3+\sqrt{3})\text{cm}^2$

**33**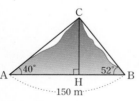
오른쪽 그림과 같이 A, B 두 사람이 산의 반대 방향에서 산꼭대기를 바라본 각도가 각각 40°, 52°이고, $\overline{AB}=150$ m일 때, 산의 높이는? (단, tan 38°=0.8, tan 50°=1.2로 계산한다.)

출제율 80%

① 68 m　② 75 m　③ 76 m
④ 80 m　⑤ 84 m

---

대표유형 **삼각형의 높이(2)**

**34**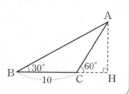
오른쪽 그림의 △ABC에서 $\overline{BC}=10$, ∠B=30°, ∠ACH=60°일 때, $\overline{AH}$의 길이를 구하여라.

**35**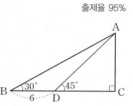
오른쪽 그림에서 $\overline{BD}=6$, ∠B=30°, ∠ADC=45°, ∠C=90°일 때, $\overline{AC}$의 길이는?

출제율 95%

① $3(\sqrt{2}+\sqrt{3})$
② $3(3+\sqrt{3})$
③ $3(3-\sqrt{3})$
④ $3(2-\sqrt{3})$
⑤ $3(1+\sqrt{3})$

**36**
다음 그림의 △ABC에서 $\overline{BC}=6$ m, ∠B=13°, ∠ACH=37°일 때, $\overline{AH}$의 길이를 구하여라.
　　(단, tan 53°=1.3, tan 77°=4.3으로 계산한다.)

출제율 95%

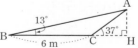

출제율 90%

**37**
(중) 오른쪽 그림과 같이 B 지점과 C 지점에서 동시에 올려다 본 각의 크기가 각각 60°, 45°이었다. 이때 나무의 높이를 구하면?

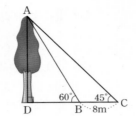

① $4(3+\sqrt{3})$ m
② $4(3-\sqrt{3})$ m
③ $8(1+\sqrt{3})$ m
④ $8(2-\sqrt{3})$ m
⑤ $8(3+\sqrt{3})$ m

출제율 95%

**38**
(상) 오른쪽 그림과 같이 하늘에 떠 있는 인공위성을 두 관측소 A, B에서 동시에 올려다 본 각의 크기가 각각 30°, 45°이었다. 이때 인공위성의 높이를 구하여라.

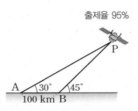

출제율 85%

**39**
(상) 오른쪽 그림과 같은 △ABC에서 $\overline{BC}=2$ cm, ∠B=45°, ∠C=120°일 때, △ABC의 넓이를 구하여라.

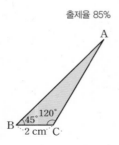

---

대표유형 **삼각형의 넓이(1)**

**40** 오른쪽 그림과 같이 $\overline{AB}=5$, $\overline{BC}=12$, ∠B=60°인 △ABC의 넓이를 구하여라.

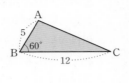

출제율 95%

**41**
(하) 오른쪽 그림에서 $\overline{AB}=7$, $\overline{BC}=8$, ∠ABC=60°일 때, △ABC의 넓이는?

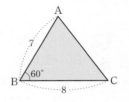

① $10\sqrt{2}$  ② $12\sqrt{3}$
③ $13\sqrt{2}$  ④ $14\sqrt{3}$
⑤ 24

출제율 95%

**42**
(중) 오른쪽 그림과 같이 $\overline{AB}=\overline{AC}=6$, ∠B=75°인 이등변삼각형 ABC의 넓이는?

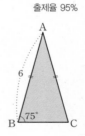

① 7  ② 8
③ 9  ④ 10
⑤ 12

출제율 95%

**43**
(중) 오른쪽 그림에서 △ABC의 넓이가 27일 때, $\overline{BC}$의 길이는?

① $7\sqrt{2}$  ② 8
③ $7\sqrt{3}$  ④ 9
⑤ $9\sqrt{2}$

출제율 95%

**44** 오른쪽 그림과 같이 $\overline{AB}=8$, $\overline{BC}=12$인 $\triangle ABC$의 넓이가 $24\sqrt{2}$일 때, $\angle B$의 크기는? (단, $\angle B$는 예각이다.)

중

① $15^\circ$ ② $30^\circ$ ③ $45^\circ$
④ $60^\circ$ ⑤ $75^\circ$

출제율 90%

**45** 오른쪽 그림의 $\triangle ABC$에서 $\overline{AC}=9$ cm, $\overline{BC}=12$ cm, $\tan C=\frac{\sqrt{3}}{3}$일 때, $\triangle ABC$의 넓이는? (단, $\angle C$는 예각이다.)

중

① $27\text{ cm}^2$ ② $18\sqrt{3}\text{ cm}^2$ ③ $27\sqrt{3}\text{ cm}^2$
④ $54\text{ cm}^2$ ⑤ $54\sqrt{3}\text{ cm}^2$

출제율 85%

**46** 오른쪽 그림의 □ABCD는 한 변의 길이가 6 cm인 정사각형이다. $\angle C$의 삼등분선과 $\overline{AD}$, $\overline{AB}$가 만나는 점을 각각 E, F라 할 때, $\triangle CEF$의 넓이를 구하여라.

중

출제율 85%

**47** 오른쪽 그림의 $\triangle ABC$에서 $\angle A$, $\angle B$, $\angle C$의 비가 $2:3:1$이고, $\overline{AB}=8$, $\overline{AC}=16$일 때, $\triangle ABC$의 넓이는?

중

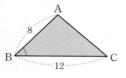

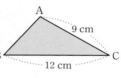

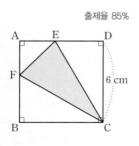

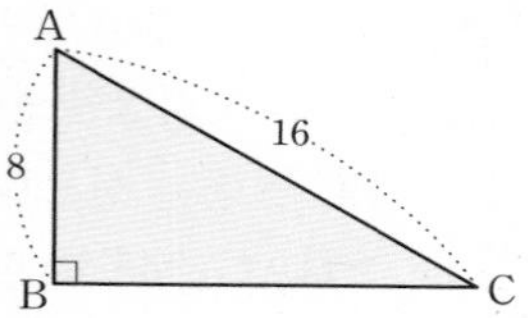

① $24\sqrt{2}$ ② $30\sqrt{2}$ ③ $30\sqrt{3}$
④ $32\sqrt{3}$ ⑤ $36\sqrt{2}$

출제율 85%

**48** 오른쪽 그림의 $\triangle ABC$에서 $\cos A=\frac{3}{4}$, $\overline{AB}=8$, $\overline{AC}=14$일 때, $\triangle ABC$의 넓이는?

상

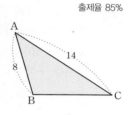

① $7\sqrt{2}$ ② $7\sqrt{3}$
③ $7\sqrt{7}$ ④ $14\sqrt{2}$
⑤ $14\sqrt{7}$

출제율 85%

**49** 오른쪽 그림의 $\triangle ABC$에서 $\angle BAD=\angle DAC=30^\circ$, $\overline{AB}=10$, $\overline{AC}=8$일 때, $\overline{AD}$의 길이는?

상

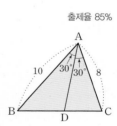

① $6$ ② $6\sqrt{3}$
③ $8\sqrt{3}$ ④ $\frac{10\sqrt{3}}{3}$
⑤ $\frac{40\sqrt{3}}{9}$

출제율 85%

**50** 오른쪽 그림과 같이 폭이
4 cm로 일정한 종이테이프를
$\overline{BC}$를 접는 선으로 접었더니
∠BAC=45°라 할 때,
△ABC의 넓이는?

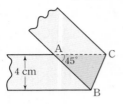

① $4\sqrt{2}$ cm² ② $4\sqrt{3}$ cm² ③ 8 cm²

④ $8\sqrt{2}$ cm² ⑤ 12 cm²

---

**대표유형** 삼각형의 넓이(2)

**51** 오른쪽 그림과 같이
$\overline{AB}$=14 cm, $\overline{BC}$=6 cm,
∠B=135°인 △ABC의
넓이를 구하여라.

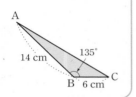

---

출제율 95%

**52** 오른쪽 그림의 △ABC에서
$\overline{BC}$=5, $\overline{AC}$=10,
∠C=120°일 때, △ABC의
넓이를 구하여라.

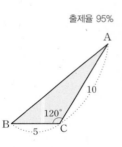

---

출제율 95%

**53** 오른쪽 그림과 같이
$\overline{AB}$=$\overline{BC}$=$2\sqrt{7}$ cm,
∠B=150°인 이등변삼각형
ABC의 넓이는?

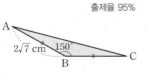

① 7 cm² ② 10 cm² ③ $7\sqrt{2}$ cm²

④ 14 cm² ⑤ $14\sqrt{7}$ cm²

---

출제율 95%

**54** 오른쪽 그림에서
$\overline{AB}$=$\overline{BC}$이고
∠CAB=22.5°일 때,
△ABC의 넓이는?

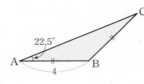

① $3\sqrt{2}$ ② $3\sqrt{3}$

③ $4\sqrt{2}$ ④ $4\sqrt{3}$

⑤ 8

---

출제율 95%

**55** 다음 그림에서 △ABC의 넓이가 9 cm²일 때, $x$의 값을 구하여라.

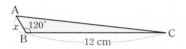

---

출제율 95%

**56** 다음 그림과 같이 $\overline{AC}$=6 cm, $\overline{BC}$=8 cm인
△ABC의 넓이가 12 cm²일 때, ∠C의 크기를 구하여라. (단, ∠C는 둔각이다.)

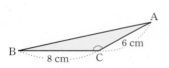

---

출제율 85%

**57** 오른쪽 그림과 같이
$\overline{AB}$=8, $\overline{AC}$=5,
∠A=120°인 △ABC
에서 ∠A의 이등분선과
$\overline{BC}$의 교점을 D라 할 때, $\overline{AD}$의 길이는?

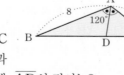

① $\dfrac{8}{3}$ ② 3 ③ $\dfrac{40}{13}$

④ $\dfrac{13}{4}$ ⑤ 4

## 대표유형 다각형의 넓이

**58** 오른쪽 그림의 □ABCD에서 $\overline{AB}=6$, $\overline{BC}=12$, $\overline{CD}=8$, $\angle BAC=90°$, $\angle ABC=60°$, $\angle ACD=30°$일 때, □ABCD의 넓이를 구하여라.

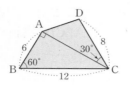

**내신 UP POINT**
다각형의 넓이는 보조선을 그어 여러 개의 삼각형으로 나누어 삼각형의 넓이의 합으로 구한다.

**59** (중) 오른쪽 그림의 □ABCD에서 $\overline{AD}=2$, $\overline{AB}=2\sqrt{3}$, $\overline{BC}=\overline{CD}=2\sqrt{7}$, $\angle BAD=150°$, $\angle BCD=60°$ 일 때, □ABCD의 넓이를 구하여라.

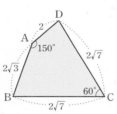

**60** (중) 오른쪽 그림과 같은 □ABCD의 넓이를 구하면?

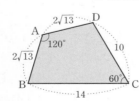

① $16\sqrt{2}$   ② 32
③ $24\sqrt{13}$   ④ 48
⑤ $48\sqrt{3}$

**61** (중) 오른쪽 그림의 오각형 OABCD에서 $\overline{OD}=6\sqrt{3}$, $3\angle x=90°$일 때, 오각형 OABCD의 넓이를 구하여라.

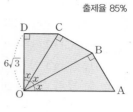

**62** (중) 오른쪽 그림과 같이 반지름의 길이가 2 cm인 원 O에 내접하는 정육각형의 넓이를 구하여라.

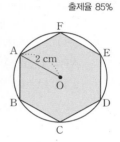

## 대표유형 평행사변형의 넓이

**63** 오른쪽 그림의 평행사변형 ABCD의 넓이를 구하여라.

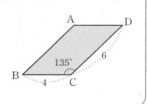

**64** (하) 오른쪽 그림의 평행사변형 ABCD의 넓이가 $30\sqrt{3}$ cm²일 때, $\overline{BC}$의 길이를 구하여라.

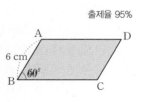

**65** 오른쪽 그림의 마름모 ABCD의 넓이가 $16\sqrt{2}$ cm²일 때, 마름모의 한 변의 길이를 구하여라.

출제율 95%

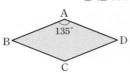

**66** 오른쪽 그림과 같이 평행사변형 ABCD에서 두 대각선의 교점을 P라 하자. $\overline{AB}=4$ cm, $\overline{AD}=6$ cm, ∠BCD=60°일 때, △APD의 넓이를 구하여라.

출제율 90%

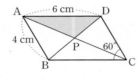

**67** 오른쪽 그림과 같이 평행사변형 ABCD에서 $\overline{BC}$의 중점을 M이라 하자. $\overline{AB}=10$ cm, $\overline{AD}=12$ cm, ∠D=45°일 때, △AMC의 넓이를 구하여라.

출제율 85%

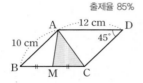

**68** 오른쪽 평행사변형 ABCD에서 ∠A=120°, $\overline{AD}=16$ cm이다. 두 대각선의 교점 M과 $\overline{CD}$의 삼등분점 Q와 점 D로 만들어진 △MQD의 넓이가 20 cm²일 때, $\overline{AB}$의 길이를 구하여라.

출제율 80%

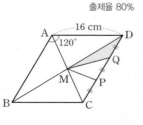

**대표 유형** **사각형의 넓이**

**69** 오른쪽 그림과 같은 사각형 ABCD의 넓이를 구하여라.

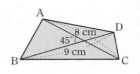

**70** 오른쪽 그림의 □ABCD에서 두 대각선이 이루는 예각의 크기가 60°이고, $\overline{BD}=2\overline{AC}$이다. □ABCD의 넓이가 $8\sqrt{3}$일 때, $\overline{BD}$의 길이는?

출제율 90%

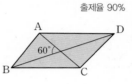

① $3\sqrt{3}$    ② 6    ③ $4\sqrt{3}$
④ 8    ⑤ $6\sqrt{2}$

**71** 오른쪽 그림의 평행사변형 ABCD에서 ∠ACB=36°, ∠DBC=24°, $\overline{AC}=10$ cm, $\overline{BD}=14$ cm일 때, □ABCD의 넓이를 구하여라.

출제율 85%

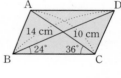

**72** 오른쪽 그림에서 $\overline{AC}$, $\overline{BD}$는 각각 ∠C, ∠B의 이등분선이고, ∠B=∠C, ∠BAC=∠CDB=90°, $\overline{BC}=16$일 때, □ABCD의 넓이를 구하여라.

출제율 85%

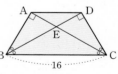

## 개념 UP · 01 직각삼각형의 변의 길이의 활용

직각삼각형의 변의 길이

(1) $a = b \sin A = c \tan A$

(2) $b = \dfrac{c}{\cos A} = \dfrac{a}{\sin A}$

(3) $c = b \cos A = \dfrac{a}{\tan A}$

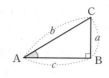

**73** <sub>중</sub>

출제율 80%

오른쪽 그림은 1초에 $10°$씩 회전하는 놀이 기구이고, A, B칸에 두 친구가 타고 있다. 서로 반대쪽에 있는 두 지점 A, B 사이의 거리가 $40\,\mathrm{m}$일 때, $\overline{AB}$가 지면과 평행한 때부터 6초 후에 한 친구는 다른 친구보다 얼마나 더 높은 곳에 있는가?

① $20\,\mathrm{m}$   ② $20\sqrt{2}\,\mathrm{m}$   ③ $20\sqrt{3}\,\mathrm{m}$

④ $40\,\mathrm{m}$   ⑤ $40\sqrt{3}\,\mathrm{m}$

**74** <sub>상</sub>

출제율 80%

오른쪽 그림과 같이 2개의 삼각형 ABC와 DBC를 겹쳐 놓았을 때, 겹쳐진 부분인 $\triangle$EBC의 넓이는?

① $6(1+\sqrt{2})\,\mathrm{cm}^2$

② $6(1+\sqrt{3})\,\mathrm{cm}^2$

③ $12(1+\sqrt{3})\,\mathrm{cm}^2$

④ $18(1+\sqrt{2})\,\mathrm{cm}^2$

⑤ $18(1+\sqrt{3})\,\mathrm{cm}^2$

## 개념 UP · 02 일반 삼각형의 변의 길이의 활용

적당한 보조선을 그은 후 피타고라스 정리와 삼각비를 이용하여 일반 삼각형의 변의 길이를 구할 수 있다.

**75** <sub>상</sub>

출제율 80%

오른쪽 그림의 $\triangle$ABC에서 $\overline{AB}=4$, $\overline{BC}=3$, $\angle B=120°$일 때, $\overline{AC}$의 길이를 구하여라.

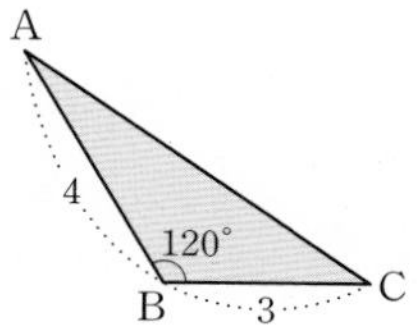

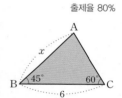

**76** <sub>상</sub>

출제율 80%

오른쪽 그림의 $\triangle$ABC에서 $\overline{BC}=6$, $\angle B=45°$, $\angle C=60°$일 때, $x$의 값을 구하여라.

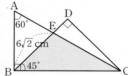

**77** <sub>상</sub>

출제율 80%

오른쪽 그림과 같이 $\overline{BC}=10\sqrt{3}\,\mathrm{cm}$, $\angle A=75°$, $\angle B=60°$인 $\triangle$ABC의 둘레의 길이를 구하여라.

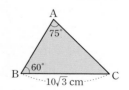

이것만 봐도 **70점!**

**01** 오른쪽 그림과 같이 $\overline{AC}=10$, $\angle A=50°$, $\angle B=90°$인 △ABC의 둘레의 길이를 구하여라. (단, $\sin 40°=0.64$, $\cos 40°=0.77$, $\tan 40°=0.84$ 로 계산한다.)

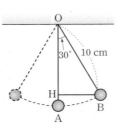

**02** 오른쪽 그림과 같이 길이가 10 cm인 실에 추를 달아 점 O를 고정시키고, 추를 늘어 뜨려 A 지점에 오도록 하였다. 추를 잡아 당겨 B 지점에 오도록 했을 때, A 지점과 B 지점에서의 추의 높이의 차는?

(단, 추의 크기는 무시한다.)

① $(5+5\sqrt{2})$ cm　　② $(5+5\sqrt{3})$ cm
③ $(10-5\sqrt{2})$ cm　　④ $(10-5\sqrt{3})$ cm
⑤ $(10+5\sqrt{2})$ cm

**03** 오른쪽 그림과 같이 은지가 어떤 건물로부터 20 m 떨어진 지점에서 그 건물의 꼭대기를 올려다 본 각의 크기가 58°이었다. 은지의 눈의 높이가 1.5 m일 때, 이 건물의 높이는? (단, $\sin 58°=0.85$, $\cos 58°=0.53$, $\tan 58°=1.60$으로 계산한다.)

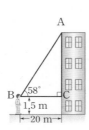

① 31.5 m　　② 32.4 m　　③ 32.5 m
④ 33 m　　⑤ 33.5 m

**04** 이집트의 피라미드 중에서 최대 규모라고 알려진 것은 쿠푸왕 때의 피라미드이다. 정사각뿔 모양의 이 피라미드의 옆면과 밑면이 이루는 경사각은 52°라 한다. 밑면인 정사각형의 한 변의 길이가 230일 때, 이 피라미드의 높이를 나타내는 식은?

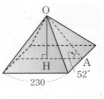

① $115\cos 38°$　　② $115\tan 52°$
③ $230\sin 52°$　　④ $230\cos 38°$
⑤ $230\tan 52°$

**05** 오른쪽 그림의 △ABC에서 $\angle C=60°$, $\overline{AC}=4$ cm, $\overline{BC}=5$ cm일 때, $\overline{AB}$의 길이는?

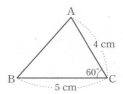

① $\sqrt{21}$ cm　　② $\dfrac{9}{2}$ cm
③ $\sqrt{17}$ cm　　④ $2\sqrt{3}$ cm
⑤ 3 cm

**06** 오른쪽 그림의 △ABC에서 $\angle A=75°$, $\angle B=45°$, $\overline{AB}=15$일 때, $x$의 값은?

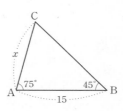

① $5\sqrt{3}$　　② $7\sqrt{2}$
③ $6\sqrt{3}$　　④ $5\sqrt{6}$
⑤ $6\sqrt{6}$

**07** 오른쪽 그림의 △ABC에서 $\overline{AH}$의 길이를 구하여라.

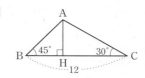

**08** 오른쪽 그림의 △ABC에서 $\overline{BC}=12$, ∠B=45°, ∠C=30°일 때, $x$의 값은?

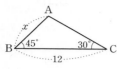

① $3(\sqrt{6}+\sqrt{2})$
② $6(\sqrt{6}-\sqrt{2})$
③ $6(\sqrt{6}+\sqrt{2})$
④ $12(\sqrt{3}-\sqrt{2})$
⑤ $12(\sqrt{3}+\sqrt{2})$

**09** 오른쪽 그림과 같이 ∠ABH=36°, ∠ACH=52°, $\overline{BC}=10$인 직각삼각형 ABH 에서 높이 AH의 길이를 구하 는 식은?

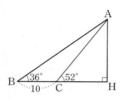

① $10(\tan 52°-\tan 36°)$
② $\dfrac{10}{\cos 36°-\cos 52°}$
③ $\dfrac{10}{\cos 38°-\cos 54°}$
④ $\dfrac{10}{\tan 52°-\tan 36°}$
⑤ $\dfrac{10}{\tan 54°-\tan 38°}$

**10** 오른쪽 그림에서 건물의 높이를 구하여라.
(단, $\tan 22°=0.4$, $\tan 40°=0.8$, $\tan 50°=1.2$, $\tan 68°=2.5$로 계산한다.)

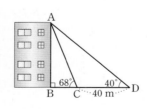

**11** 다음 그림과 같이 $\overline{BC}=8$ cm, ∠C=150°인 △ABC 의 넓이가 $10\sqrt{3}$ cm²일 때, $\overline{AC}$의 길이를 구하여라.

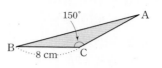

**12** 오른쪽 그림과 같은 □ABCD의 넓이를 구하 여라.

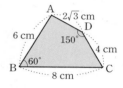

**13** 오른쪽 그림과 같은 평행사 변형 ABCD에서 $\overline{CD}$의 중 점을 M이라 하자. $\overline{AB}=4$ cm, $\overline{AD}=6$ cm, ∠D=60°일 때, △ACM의 넓이는?

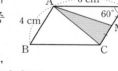

① $3$ cm²
② $3\sqrt{3}$ cm²
③ $6$ cm²
④ $6\sqrt{2}$ cm²
⑤ $6\sqrt{3}$ cm²

**14** 오른쪽 그림의 등변사다리꼴 ABCD에서 두 대각선이 이루 는 각의 크기가 60°이다. □ABCD=$12\sqrt{3}$ cm²일 때, $\overline{AC}$의 길이는?

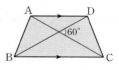

① $2$ cm
② $2\sqrt{3}$ cm
③ $4$ cm
④ $4\sqrt{3}$ cm
⑤ $4\sqrt{6}$ cm

**15** 오른쪽 그림과 같이 폭이 6 cm인 종이 테이프를 $\overline{AB}$를 접는 선으로 하여 접었다. $\angle CAB = 30°$일 때, $\triangle ACB$의 넓이를 구하여라.

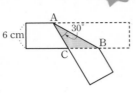

**16** 오른쪽 그림과 같은 $\triangle ABC$에서 $\overline{AB} = 6$ cm, $\overline{BC} = 8$ cm, $\tan B = \sqrt{2}$일 때, $\triangle ABC$의 넓이를 구하여라.

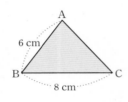

**17** 오른쪽 그림과 같이 $\angle BAC = 90°$, $\overline{AB} = 6$ cm, $\overline{AC} = 4$ cm인 $\triangle ABC$가 있다. $\angle A$의 이등분선이 $\overline{BC}$와 만나는 점을 D라 할 때, $\overline{AD}$의 길이는?

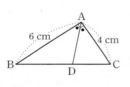

① $24\sqrt{2}$ cm  ② $12\sqrt{2}$ cm  ③ $24\sqrt{3}$ cm

④ $\dfrac{12\sqrt{2}}{5}$ cm  ⑤ $\dfrac{24\sqrt{2}}{5}$ cm

**18** 오른쪽 그림의 □ABCD에서 두 대각선의 길이가 각각 9, 12일 때, □ABCD의 넓이의 최댓값은?

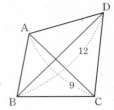

① 27  ② $27\sqrt{2}$
③ $27\sqrt{3}$  ④ 54
⑤ $54\sqrt{2}$

**19** 오른쪽 그림과 같이 2개의 삼각형 ABC와 DBC를 겹쳐 놓았을 때, 겹쳐진 부분인 $\triangle EBC$의 넓이를 구하여라.

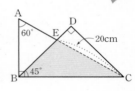

**20** 오른쪽 그림의 $\triangle ABC$에서 $\overline{AB} = 6$ cm, $\overline{BC} = 4\sqrt{2}$ cm, $\angle B = 135°$일 때, $\overline{AC}$의 길이는?

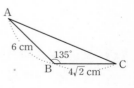

① $5\sqrt{3}$ cm  ② 10 cm  ③ $2\sqrt{29}$ cm
④ $5\sqrt{5}$ cm  ⑤ $5\sqrt{6}$ cm

**단계형**

**21** 오른쪽 그림과 같이 지면에 수직으로 서 있던 나무가 부러졌다. ∠BCA＝30°일 때 처음 나무의 높이를 구하여라.

[6점]

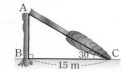

**1단계** $\overline{AB}$의 길이 구하기 [2점]

_____

_____

**2단계** $\overline{AC}$의 길이 구하기 [2점]

_____

_____

**3단계** 처음 나무의 높이 구하기 [2점]

_____

_____

**단계형**

**22** 오른쪽 그림의 □ABCD의 넓이를 구하여라. [8점]

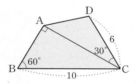

**1단계** $\overline{AC}$의 길이 구하기 [2점]

_____

_____

**2단계** △ABC의 넓이 구하기 [2점]

_____

_____

**3단계** △ACD의 넓이 구하기 [2점]

_____

_____

**4단계** □ABCD의 넓이 구하기 [2점]

_____

_____

**사고력**

**23** 오른쪽 그림과 같이 아파트의 이층 창에서 철탑을 올려다 본 각의 크기와 내려다 본 각의 크기가 각각 15°, 10°이었다. 아파트에서 철탑까지의 거리가 100 m일 때, 이 철탑의 높이를 다음 삼각비의 표를 이용하여 구하여라. [8점]

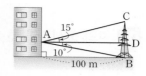

| 각도 삼각비 | sin | cos | tan |
|---|---|---|---|
| 10° | 0.1736 | 0.9848 | 0.1763 |
| 15° | 0.2588 | 0.9659 | 0.2679 |

**사고력**

**24** 오른쪽 그림에서 연못의 양 끝의 두 지점 A, B 사이의 거리를 구하여라.
(단, sin 54°＝0.8,
cos 54°＝0.6, tan 54°＝1.4로 계산한다.) [8점]

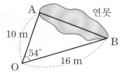

시험에 꼭 나오는 **핵심개념**

## 01 원의 중심각과 호, 현

한 원에서

(1) 크기가 같은 두 중심각에 대한 호의 길이와 현의 길이는 각각 같다.

즉, $\angle AOB = \angle COD$이면 $\overarc{AB} = \overarc{CD}$, $\overline{AB} = \overline{CD}$

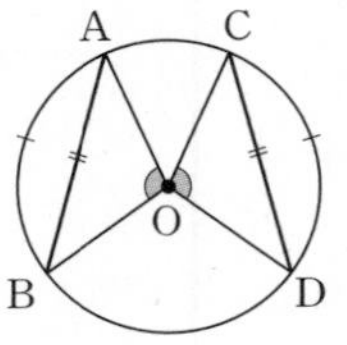

(2) 길이가 같은 두 호 또는 두 현에 대한 중심각의 크기는 각각 같다.

즉, $\overarc{AB} = \overarc{CD}$ 또는 $\overline{AB} = \overline{CD}$이면 $\angle AOB = \angle COD$

(3) 중심각의 크기와 호의 길이는 정비례하지만 중심각의 크기와 현의 길이는 정비례하지 않는다.

**포인트개념**

- 오른쪽 그림의 원 O에서
  $\angle AOC = 2\angle AOB$일 때,
  ① $\overarc{AC} = 2\overarc{AB}$
  ② $\overline{AC} < 2\overline{AB}$

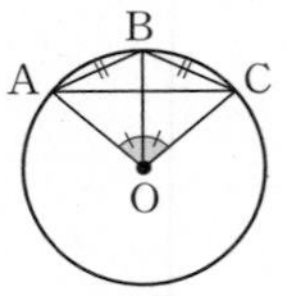

## 02 현의 수직이등분선

(1) 원의 중심에서 현에 내린 수선은 그 현을 이등분한다.

즉, $\overline{OM} \perp \overline{AB}$이면 $\overline{AM} = \overline{BM}$

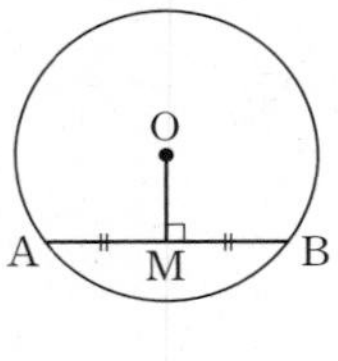

**설명** △OAB는 $\overline{OA} = \overline{OB}$인 이등변삼각형이므로
수선 OM은 $\overline{AB}$를 이등분한다.

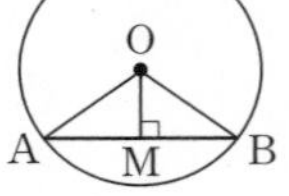

(2) 현의 수직이등분선은 그 원의 중심을 지난다.

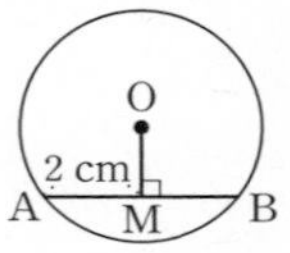

## 03 현의 길이

(1) 한 원에서 원의 중심으로부터 같은 거리에 있는 두 현의 길이는 서로 같다. 즉, $\overline{OM} = \overline{ON}$이면 $\overline{AB} = \overline{CD}$

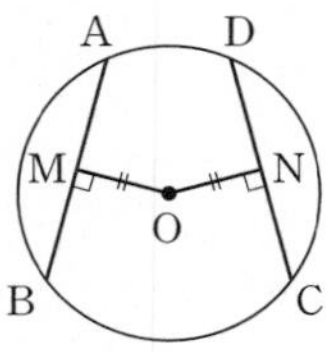

**설명** △OAM과 △ODN에서

$\angle OMA = \angle OND = 90° (\text{R})$ ⋯ ㉠
$\overline{OA} = \overline{OD}$ (반지름, H) ⋯ ㉡
$\overline{OM} = \overline{ON}$ (S) ⋯ ㉢

㉠, ㉡, ㉢에서 △OAM ≡ △ODN(RHS 합동)

∴ $\overline{AM} = \overline{DN}$ ∴ $\overline{AB} = 2\overline{AM} = 2\overline{DN} = \overline{CD}$

(2) 한 원에서 길이가 서로 같은 두 현은 원의 중심으로부터 같은 거리에 있다.

즉, $\overline{AB} = \overline{CD}$이면 $\overline{OM} = \overline{ON}$ (단, $\overline{OM} \perp \overline{AB}$, $\overline{ON} \perp \overline{CD}$)

**예제 1**

다음 그림에서 $x$의 값을 구하여라.

(1)
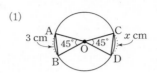

(2)
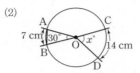

**예제 2**

오른쪽 그림과 같이
$\overline{OM} \perp \overline{AB}$이고
$\overline{AM} = 2$ cm일 때, $\overline{AB}$
의 길이를 구하여라.

**예제 3**

오른쪽 그림의 원 O에서
$x$의 값을 구하여라.

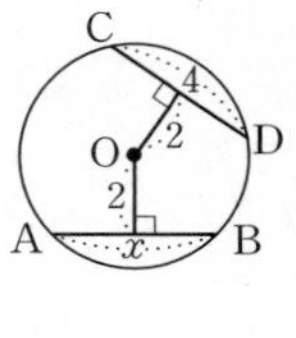

## 04 원의 접선의 길이

(1) 원의 접선 : 원과 한 점에서 만나는 직선

(2) 접점 : 원과 접선이 만나는 점

(3) 원의 접선은 그 접점을 지나는 반지름에 수직이다.

즉, $l \perp \overline{OA}$

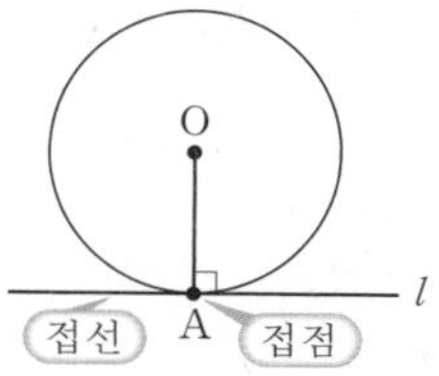

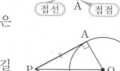

(4) 원의 외부에 있는 한 점 P에서 원에 그을 수 있는 접선은
2개이다.

(5) 원의 외부에 있는 한 점에서 그 원에 그은 두 접선의 길
이는 서로 같다.

즉, $\overline{PA} = \overline{PB}$

 △PAO과 △PBO에서

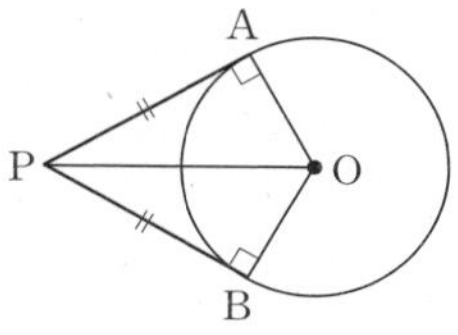

$\angle PAO = \angle PBO = 90° (R) \cdots$ ㉠

$\overline{PO}$는 공통 (H) $\cdots$ ㉡

$\overline{OA} = \overline{OB}$ (반지름, S) $\cdots$ ㉢

㉠, ㉡, ㉢에서 △PAO≡△PBO(RHS 합동) ∴ $\overline{PA} = \overline{PB}$

**포인트개념**

• 오른쪽 그림에서 $\overline{PA}$, $\overline{PB}$는 원 O의 접선이고 두 점 A, B가 접점
일 때, □APBO에서 $\angle APB + \angle AOB = 180°$

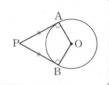

## 05 삼각형의 내접원

오른쪽 그림과 같이 원 O가 △ABC에 내접하고 내접원의
반지름의 길이가 $r$일 때,

(1) $\overline{AD} = \overline{AF}$, $\overline{BD} = \overline{BE}$, $\overline{CE} = \overline{CF}$

(2) (△ABC의 둘레의 길이)

$= a + b + c = (y+z) + (x+z) + (x+y) = 2(x+y+z)$

(3) (△ABC의 넓이) $= \triangle OBC + \triangle OCA + \triangle OAB$

$= \dfrac{1}{2}ar + \dfrac{1}{2}br + \dfrac{1}{2}cr = \dfrac{1}{2}r(a+b+c)$

## 06 원에 외접하는 사각형의 성질

(1) 원 O에 외접하는 사각형 ABCD에서 두 쌍의 대변의
길이의 합은 서로 같다.

즉, $\overline{AB} + \overline{CD} = \overline{AD} + \overline{BC}$

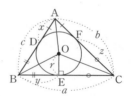

 오른쪽 그림과 같이 네 접점을 각각 P, Q, R, S라 하면

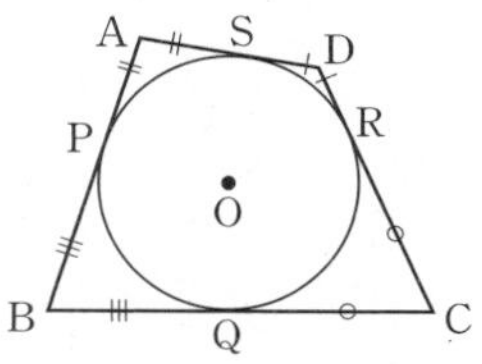

$\overline{AB} + \overline{CD} = (\overline{AP} + \overline{BP}) + (\overline{CR} + \overline{DR})$

$= (\overline{AS} + \overline{BQ}) + (\overline{CQ} + \overline{DS})$

$= (\overline{AS} + \overline{DS}) + (\overline{BQ} + \overline{CQ})$

$= \overline{AD} + \overline{BC}$

(2) 대변의 길이의 합이 서로 같은 사각형은 원에 외접한다.

**주의** '대변의 길이의 합'을 '이웃하는 변의 길이의 합'으로 착각하지 않도록 한다.

---

**예제 4**

아래의 그림에서 $\overrightarrow{PA}$, $\overrightarrow{PB}$는 원 O의 접선
이고 $\overline{PA} = 7$ cm, $\angle APB = 40°$일 때, 다음
을 구하여라. (단, 두 점 A, B는 접점이다.)

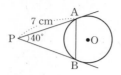

(1) $\overline{PB}$의 길이

(2) $\angle PAB$의 크기

**예제 5**

오른쪽 그림에서
원 O가 △ABC
의 내접원이고 세
점 D, E, F는 그
접점일 때, $x$, $y$, $z$
의 값을 각각 구하여라.

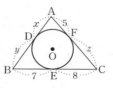

**예제 6**

오른쪽 그림에서
□ABCD가 원 O에
외접할 때, $x$의 값을
구하여라.

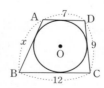

 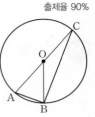

 대표유형 **원의 중심각과 호, 현**

**01** 오른쪽 그림의 원 O에서
∠AOB=30°,
∠COD=120°이고
$\overparen{CD}$=16일 때, $\overparen{AB}$의 길이
는?

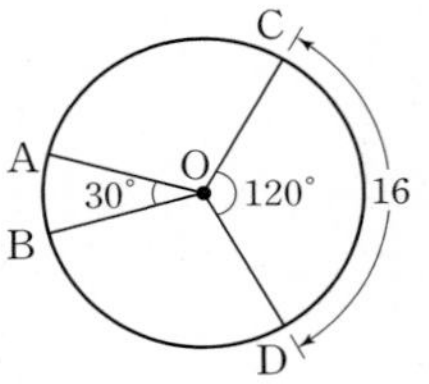

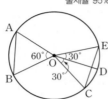

① 3.5     ② 4     ③ 4.5

④ 5     ⑤ 5.5

출제율 95%

**02** 오른쪽 그림의 원 O에서
∠AOB=60°,
∠COD=∠DOE=30°일 때,
다음 중 옳지 <u>않은</u> 것은?

① $\overparen{AB}=\overparen{CE}$    ② $\overline{AB}=\overline{CE}$

③ $\overparen{AB}=2\overparen{CD}$    ④ $\overline{AB}=2\overline{DE}$

⑤ △OAB≡△OCE

출제율 95%

 **03** 오른쪽 그림의 원 O에서 ∠$x$의 크
기는?

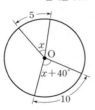

① 35°     ② 40°

③ 45°     ④ 50°

⑤ 55°

출제율 90%

**04** 오른쪽 그림과 같이 원 O 위에
$\overparen{AB}:\overparen{BC}:\overparen{CDA}$=1:2:6이
되게 세 점 A, B, C를 잡는다.
이때 ∠BOC의 크기는?

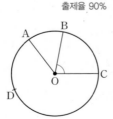

① 80°     ② 60°

③ 55°     ④ 40°

⑤ 30°

출제율 90%

**05** 오른쪽 그림에서 $\overparen{AB}$=2π,
$\overparen{BC}$=6π일 때, 다음 보기 중에서
옳은 것을 모두 골라라.
(단, $\overline{AC}$는 지름이다.)

보기

ㄱ. ∠AOB=60°     ㄴ. ∠BOC=3∠AOB

ㄷ. $\overparen{AC}=4\overparen{AB}$     ㄹ. $\overline{BC}=3\overline{AB}$

ㅁ. $\frac{1}{3}$△OBC=△OAB

ㅂ. (부채꼴 AOB의 넓이)=$\frac{1}{3}$(부채꼴 BOC의 넓이)

대표유형 **중심각의 크기에 대한 호의 길이**

**06** 오른쪽 그림에서 $\overline{AB}$는
원 O의 지름이고,
$\overline{AD}/\!/\overline{OC}$이다.
∠BOC=40°,
$\overparen{BC}$=6 cm일 때,
$\overparen{AD}$의 길이는?

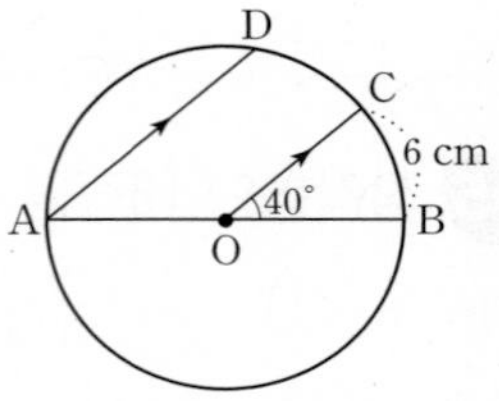

① 10 cm     ② 13 cm     ③ 15 cm

④ 17 cm     ⑤ 18 cm

내신 UP POINT

중심각의 크기와 호의 길이의 관계에
대한 문제는 다음 성질을 이용하는 경
우가 많다.

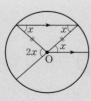

(1) 평행한 두 직선과 다른 한 직선이
만나서 생기는 동위각과 엇각의 크
기는 각각 서로 같다.

(2) 이등변삼각형의 두 밑각의 크기는 서로 같다.

(3) 삼각형에서 한 외각의 크기는 그와 이웃하지 않은 두 내각
의 크기의 합과 같다.

**07** 오른쪽 그림에서 부채꼴 OCD의 둘레의 길이를 구하여라.

출제율 95%

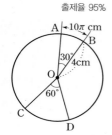

**08** 오른쪽 그림에서 $\overline{AB}$는 원 O의 지름이고 $\overline{AB} /\!/ \overline{CD}$이다. $\angle BOC=20°$, $\overparen{BC}=2\,cm$일 때, $\overparen{CD}$의 길이를 구하여라.

출제율 95%

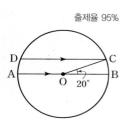

**09** 오른쪽 그림에서 $\overline{AB}$는 원 O의 지름이고, $\overline{AB} /\!/ \overline{CD}$, $\angle BOC=30°$, $\overparen{CD}=24\,cm$일 때, $\overparen{BC}$의 길이를 구하여라.

출제율 90%

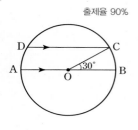

**10** 오른쪽 그림과 같이 반지름의 길이가 6 cm인 원 O에서 지름 AB의 연장선과 현 CD의 연장선의 교점을 P라 하자. $\overline{DO}=\overline{DP}$, $\angle P=30°$일 때, $\overparen{CD}$의 길이를 구하여라.

출제율 85%

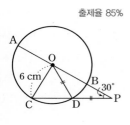

---

**대표유형** **현의 수직이등분선(1) – 원의 중심에서 현에 내린 수선**

**11** 오른쪽 그림의 원 O에서 $\overline{OH}\perp\overline{AB}$이고 $\overline{OA}=6$, $\overline{AB}=10$일 때, $\overline{OH}$의 길이는?

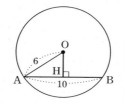

① 3
② $\sqrt{10}$
③ $\sqrt{11}$
④ $2\sqrt{3}$
⑤ 4

**내신 UP POINT**

현의 수직이등분선(1) – 원의 중심에서 현에 내린 수선
원의 중심에서 현에 내린 수선은 그 현을 이등분하므로
(1) $\overline{AM}=\overline{BM}$
(2) △OAM에서 피타고라스 정리를 적용한다. 즉,
$$\overline{AM}^2+\overline{OM}^2=\overline{OA}^2$$

**12** 오른쪽 그림의 원 O에서 $\overline{OC}\perp\overline{AB}$일 때, $x$의 값은?

출제율 95%

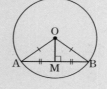

① 3
② 5
③ 7
④ 8
⑤ 9

**13** 오른쪽 그림과 같은 원 O에서 지름 BC의 길이는?

출제율 90%

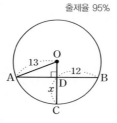

① 7
② 8
③ 9
④ 10
⑤ 11

**14**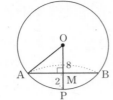

출제율 95%

오른쪽 그림의 원 O에서 $\overline{AB}\perp\overline{OP}$이고 $\overline{AB}=8$, $\overline{MP}=2$일 때, 원 O의 둘레의 길이는?

① $10\pi$　　② $12\pi$

③ $14\pi$　　④ $15\pi$

⑤ $20\pi$

**15**

출제율 85%

오른쪽 그림의 원 O에서 $\overline{OC}\perp\overline{AB}$이고 $\overline{AM}=8$, $\overline{CM}=6$일 때, △OAB의 넓이는?

① $18$　　② $\dfrac{56}{3}$

③ $20$　　④ $\dfrac{43}{2}$

⑤ $21$

**16**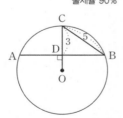

출제율 90%

오른쪽 그림의 원 O에서 $\overline{AB}\perp\overline{CO}$이고 $\overline{CD}=3$, $\overline{BC}=5$일 때, 원 O의 지름의 길이는?

① $8$　　② $\dfrac{25}{3}$

③ $9$　　④ $\dfrac{28}{3}$

⑤ $10$

---

대표유형 **현의 수직이등분선(2) – 원의 일부분이 주어진 경우**

**17**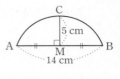

오른쪽 그림은 어느 원의 일부분이다. $\overline{AB}=14$ cm, $\overline{CM}=5$ cm일 때, 이 원의 반지름의 길이는?

① $\dfrac{37}{5}$ cm　　② $7$ cm　　③ $\dfrac{33}{5}$ cm

④ $6$ cm　　⑤ $\dfrac{29}{5}$ cm

내신 **UP** POINT

현의 수직이등분선(2) – 원의 일부분이 주어진 경우

(1) 원의 중심을 찾아 반지름의 길이를 $r$로 놓는다.

(2) 피타고라스 정리를 이용하여 식을 세운다. 즉,
$$b^2+(r-a)^2=r^2$$

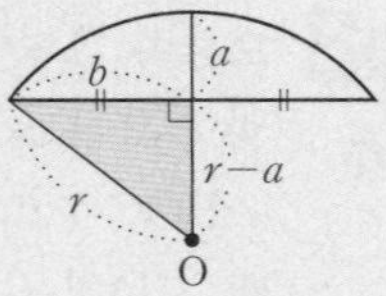

**18**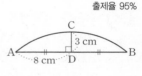

출제율 95%

오른쪽 그림에서 $\overarc{AB}$는 원의 일부분이다. 이 원의 반지름의 길이를 구하여라.

**19**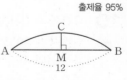

출제율 95%

오른쪽 그림에서 $\overarc{AB}$는 반지름의 길이가 10인 원의 일부분이다. $\overline{AB}=12$이고 $\overline{CM}$의 연장선이 원의 중심을 지날 때, $\overline{CM}$의 길이를 구하여라.

**20** 오른쪽 그림은 수레바퀴의 일부를 그린 것이다. 이 바퀴의 지름의 길이를 구하여라.

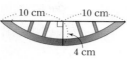

10 cm   10 cm

4 cm

**21** 민호는 북한산으로 소풍을 갔다가 보물찾기 도중 땅 속에서 원 모양으로 짐작되는 깨진 접시를 발견하였다. 접시의 일부분이 오른쪽 그림과 같을 때, 깨지기 전의 원래 접시의 넓이를 구하여라.

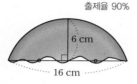

6 cm

16 cm

**대표유형** **현의 수직이등분선(3) – 원의 일부분이 접힌 경우**

**22** 오른쪽 그림과 같이 반지름의 길이가 6 cm인 원 O의 원주 위의 한 점이 원의 중심 O에 겹쳐지도록 $\overline{AB}$를 접는 선으로 하여 접었을 때, 현 AB의 길이는?

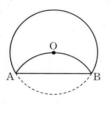

① $3\sqrt{5}$ cm    ② $5\sqrt{5}$ cm    ③ $5\sqrt{6}$ cm
④ $6\sqrt{2}$ cm    ⑤ $6\sqrt{3}$ cm

**내신 UP POINT**

현의 수직이등분선(3) – 원의 일부분이 접힌 경우
원주 위의 한 점이 원의 중심에 오도록 원의 일부가 접힌 경우
(1) $\overline{AM}=\overline{BM}$
(2) $\overline{OM}=\overline{CM}=\dfrac{1}{2}\overline{OA}$

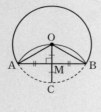

(3) △OAM에서 피타고라스 정리를 적용한다. 즉,
$$\overline{AM}^2+\overline{OM}^2=\overline{OA}^2$$

**23** 오른쪽 그림과 같이 반지름의 길이가 4 cm인 원 O의 원주 위의 한 점이 원의 중심 O에 겹쳐지도록 $\overline{AB}$를 접는 선으로 하여 접었을 때, $\overparen{AB}$의 길이를 구하여라.

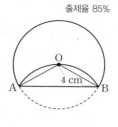

4 cm

A   B

**24** 원 모양의 종이를 오른쪽 그림과 같이 원주 위의 한 점 Q가 원의 중심 O에 겹치도록 접었다. $\overline{AB}=10\sqrt{3}$일 때, $\overline{AO}$의 길이는?

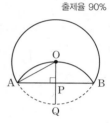

① 10    ② $10\sqrt{2}$    ③ 12
④ $12\sqrt{3}$    ⑤ 15

**25** 오른쪽 그림과 같이 원 모양의 종이를 원주 위의 한 점이 원의 중심 O에 겹쳐지도록 접었다. $\overline{AB}\perp\overline{OM}$이고 $\overline{AM}=2\sqrt{6}$일 때, △OAB의 넓이는?

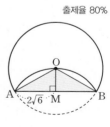

$2\sqrt{6}$ M

① $4\sqrt{2}$    ② 8    ③ $4\sqrt{3}$
④ $8\sqrt{3}$    ⑤ $8\sqrt{6}$

**대표 유형** 현의 길이(1) – 두 현이 주어진 경우

**26** 오른쪽 그림의 원 O에서 $x$의 값을 구하여라.

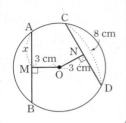

**27** 오른쪽 그림의 원 O에서 $x$의 값을 구하여라.

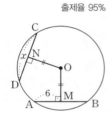

**28** 오른쪽 그림과 같은 원 O에서 $\overline{AB}=6$, $\overline{AB}\perp\overline{OM}$, $\overline{CD}\perp\overline{ON}$, $\overline{OM}=\overline{ON}=3$일 때, $x$의 값을 구하여라.

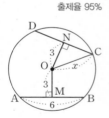

**29** 오른쪽 그림의 원 O에서 $\overline{AB}=\overline{AC}=12$, $\overline{OD}=3$일 때, △ABO의 넓이는?

① 16    ② 17
③ 18    ④ 19
⑤ 20

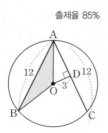

**30** 오른쪽 그림의 원 O에서 $\overline{AB}\perp\overline{OM}$, $\overline{AB}=\overline{CD}$, $\overline{CO}=3\sqrt{5}$, $\overline{OM}=3$일 때, △OCD의 넓이는?

① 6    ② $6\sqrt{5}$
③ 9    ④ $9\sqrt{3}$
⑤ 18

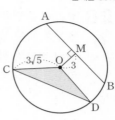

**31** 오른쪽 그림의 원 O에서 $\overline{AB}\perp\overline{OM}$, $\overline{CD}\perp\overline{ON}$이고 $\overline{OM}=\overline{ON}$이다. $\overline{CD}=4\sqrt{3}$, $\angle OAM=30°$일 때, 원 O의 지름의 길이는?

① 4    ② $4\sqrt{3}$
③ 8    ④ $8\sqrt{2}$
⑤ $8\sqrt{3}$

**32** 오른쪽 그림의 원 O에서 $\overline{AB}/\!/\overline{CD}$이고, $\overline{BC}$는 지름이다. $\overline{OB}=5$, $\overline{AB}=\overline{CD}=8$일 때, 두 현 AB, CD 사이의 거리를 구하여라.

**33** 오른쪽 그림에서 ∠A=40°이고 $\overline{OM}=\overline{ON}$일 때, ∠ABC의 크기는?

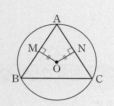

① 40° ② 50°
③ 60° ④ 70°
⑤ 80°

**내신 UP POINT**

현의 길이 – 삼각형이 주어진 경우
오른쪽 그림의 원 O에서
$\overline{OM}=\overline{ON}$이면
➡ $\overline{AB}=\overline{AC}$
➡ △ABC는 이등변삼각형
➡ ∠ABC=∠ACB

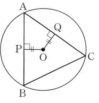

**34** 오른쪽 그림과 같이 원 O에 내접하는 △ABC가 있다. 원의 중심 O에서 현 AB, AC에 이르는 거리가 서로 같을 때, △ABC의 모양을 말하여라.

출제율 85%

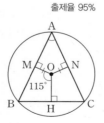

**35** 오른쪽 그림에서 ∠MOH=115°, $\overline{OM}=\overline{ON}$일 때, ∠A의 크기는?

출제율 95%

① 45° ② 50°
③ 55° ④ 60°
⑤ 65°

**36** 오른쪽 그림에서 ∠A=46°이고 △ABC의 외접원의 중심 O에서 두 변 AB와 AC에 이르는 거리가 서로 같을 때, ∠B의 크기는?

출제율 95%

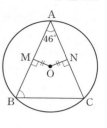

① 50° ② 54°
③ 60° ④ 64°
⑤ 67°

**37** 오른쪽 그림에서 $\overline{OL}=\overline{OM}=\overline{ON}$이고 $\overline{OB}=5$, $\overline{OM}=3$일 때, △ABC의 둘레의 길이를 구하여라.

출제율 95%

**38** 오른쪽 그림에서 $\overline{OM}=\overline{ON}$이고 ∠MON=120°, $\overline{BN}=9$일 때, $\overline{AC}$의 길이를 구하여라.

출제율 90%

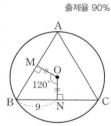

**39** 오른쪽 그림에서 $\overline{OD}=\overline{OE}=\overline{OF}$이고 $\overline{AB}=3$ cm일 때, 원 O의 넓이는?

출제율 85%

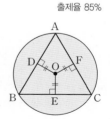

① $3\pi$ cm² ② $6\pi$ cm²
③ $9\pi$ cm² ④ $12\pi$ cm²
⑤ $15\pi$ cm²

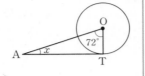

### 대표유형 원의 접선과 반지름

**40** 오른쪽 그림에서 선분 AT는 원 O의 접선이고, 점 T는 접점이다. ∠AOT=72°일 때, ∠x의 크기는?

① 18°  ② 20°  ③ 22°
④ 28°  ⑤ 32°

**41** (하) 오른쪽 그림에서 $\overline{PA}$는 원 O의 접선이고 점 A는 접점이다. $\overline{PA}=12$, $\overline{PO}=13$일 때, $x$의 값은?

출제율 95%

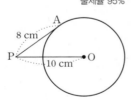

① 3  ② 4  ③ 5
④ 6  ⑤ 7

**42** (하) 오른쪽 그림에서 $\overline{PA}$는 원 O의 접선이다. $\overline{PA}=8$ cm, $\overline{OP}=10$ cm일 때, 원 O의 반지름의 길이를 구하여라.

출제율 95%

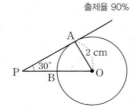

**43** (중) 오른쪽 그림에서 $\overrightarrow{PA}$는 원 O의 접선이고 ∠APO=30°, $\overline{AO}=2$ cm일 때, $\widehat{AB}$의 길이를 구하여라.

출제율 90%

**44** (상) 오른쪽 그림에서 $\overrightarrow{PT}$는 반지름의 길이가 3 cm인 원 O의 접선이다. ∠POT=60°일 때, 색칠한 부분의 넓이를 구하여라.

출제율 85%

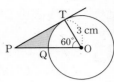

### 대표유형 원의 접선의 길이(1) – 각의 크기가 주어진 경우

**45** 오른쪽 그림에서 $\overline{PT}$와 $\overline{PT'}$은 원 O의 접선이다. ∠TOT′=135°일 때, ∠TPT′의 크기는?

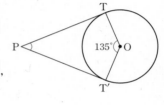

① 45°  ② 50°  ③ 55°
④ 60°  ⑤ 65°

**46** (하) 오른쪽 그림에서 $\overline{PA}$, $\overline{PB}$는 원 O의 접선이고 ∠APB=40°일 때 ∠AOB의 크기는?

출제율 95%

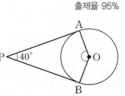

① 100°  ② 110°
③ 120°  ④ 130°
⑤ 140°

**47**
중

오른쪽 그림에서 두 점 A, B는 원 O의 접점이다. $\overline{OB}=3\ cm$, $\angle APB=60°$일 때, 다음 중 옳지 <u>않은</u> 것은?

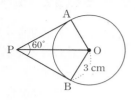

① $\overline{PA}=4\ cm$
② $\overline{PO}=6\ cm$
③ $\angle PAO=\angle PBO$
④ $\triangle PAO\equiv\triangle PBO$
⑤ $\angle APO+\angle POA=90°$

출제율 95%

**48**
중

오른쪽 그림에서 두 반직선 PA, PB는 원 O의 접선이다. $\angle P=42°$일 때, $\angle OBA$의 크기는?

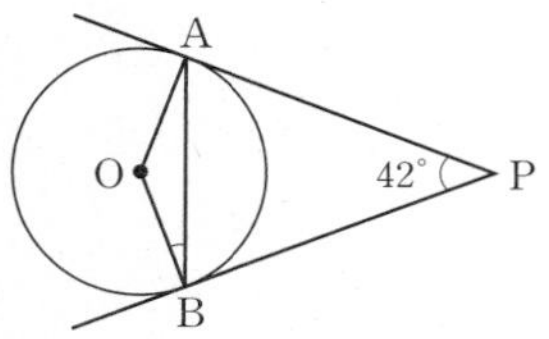

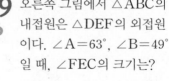

① $20°$          ② $21°$          ③ $22°$
④ $23°$          ⑤ $24°$

출제율 90%

**49**
중

오른쪽 그림에서 △ABC의 내접원은 △DEF의 외접원이다. $\angle A=63°$, $\angle B=49°$일 때, $\angle FEC$의 크기는?

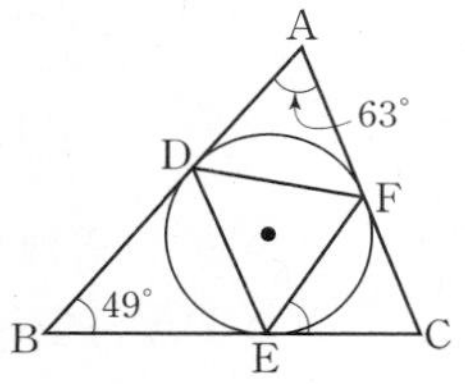

① $50°$          ② $52°$
③ $54°$          ④ $56°$
⑤ $60°$

출제율 85%

**50**
중

오른쪽 그림에서 점 D, E, F는 삼각형 ABC의 내접원의 접점이고, $\angle A=84°$, $\angle B=56°$일 때, $\overparen{DE}:\overparen{EF}:\overparen{DF}$를 가장 간단한 자연수의 비로 나타내어라.

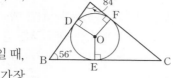

출제율 85%

대표
유형 **원의 접선의 길이(2) − 한 접선이 주어진 경우**

**51**

오른쪽 그림에서 $\overline{PA}$가 원 O의 접선이고, 원 O의 반지름의 길이가 4 cm이다. $\overline{PQ}=6\ cm$일 때, $\overline{AP}$의 길이는?

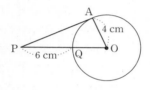

① 8 cm          ② $6\sqrt{2}\ cm$          ③ $4\sqrt{5}\ cm$
④ 9 cm          ⑤ $2\sqrt{21}\ cm$

**52**
하

오른쪽 그림과 같이 점 P는 반지름의 길이가 4 cm인 원 O의 중심에서 6 cm 떨어진 점이다. 점 P에서 원 O에 그은 접선의 접점을 T라 할 때, △PTO의 넓이를 구하여라.

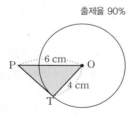

출제율 90%

**53** 출제율 85%
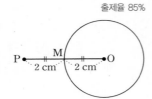
오른쪽 그림에서 $\overline{PM}=\overline{OM}=2$ cm일 때, 점 P에서 원 O에 그은 접선의 길이는?

① $\sqrt{5}$ cm  ② $\sqrt{6}$ cm
③ $2\sqrt{2}$ cm  ④ 3 cm
⑤ $2\sqrt{3}$ cm

**54** 출제율 80%
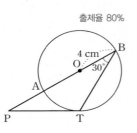
오른쪽 그림과 같이 점 P에서 반지름의 길이가 4 cm인 원 O에 그은 접선의 접점을 T라 하자. ∠PBT=30°일 때, $\overline{PT}$의 길이를 구하여라.

**55** 출제율 85%
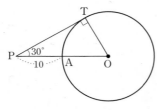
오른쪽 그림에서 $\overrightarrow{PT}$는 원 O의 접선이고 점 T는 접점이다. ∠TPA=30°, $\overline{PA}=10$일 때, $\overline{PT}$의 길이는?

① 10  ② $10\sqrt{2}$  ③ $10\sqrt{3}$
④ 15  ⑤ $15\sqrt{3}$

---

대표
유형 **원의 접선의 길이(3) – 두 접선이 주어진 경우**

**56**
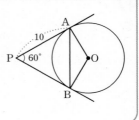
오른쪽 그림에서 $\overrightarrow{PA}$, $\overrightarrow{PB}$는 원 O의 접선이다. $\overline{PA}=10$이고 ∠APB=60°일 때, $\overline{AB}$의 길이를 구하여라.

**57** 출제율 95%
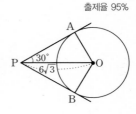
오른쪽 그림에서 두 반직선 PA, PB는 원 O의 접선이다. ∠APO=30°, $\overline{PO}=6\sqrt{3}$일 때, □APBO의 둘레의 길이를 구하여라.

**58** 출제율 90%
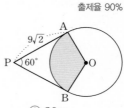
오른쪽 그림에서 $\overline{PA}$, $\overline{PB}$는 원 O의 접선이다. ∠APB=60°, $\overline{PA}=9\sqrt{2}$일 때, 부채꼴 AOB의 넓이는?

① $18\pi$  ② $19\pi$  ③ $20\pi$
④ $21\pi$  ⑤ $22\pi$

**59** 출제율 80%
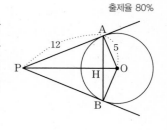
오른쪽 그림에서 두 반직선 PA, PB는 반지름의 길이가 5인 원 O의 접선이고, 두 점 A, B는 접점이다. $\overline{PA}=12$일 때, $\overline{AB}$의 길이를 구하여라.

**대표유형** 원의 접선의 활용

**60** 오른쪽 그림에서 $\overrightarrow{AD}$, $\overrightarrow{AE}$, $\overline{BC}$는 모두 원 O의 접선이다. $\overline{AB}=8$, $\overline{BC}=6$, $\overline{CA}=9$일 때, $\overline{AE}$의 길이는?

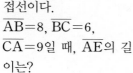

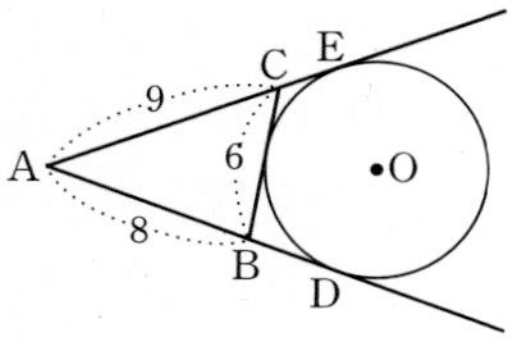

① 9.5     ② 10     ③ 10.5

④ 11     ⑤ 11.5

**내신 UP POINT**

오른쪽 그림에서 $\overrightarrow{AD}$, $\overrightarrow{AE}$, $\overline{BC}$가 원 O의 접선이고, 세 점 D, E, F가 접점이면

(1) $\overline{BD}=\overline{BF}$, $\overline{CE}=\overline{CF}$

(2) ($\triangle$ABC의 둘레의 길이)
$=\overline{AD}+\overline{AE}$
$=2\overline{AD}$

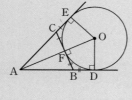

**61** 오른쪽 그림에서 $\overrightarrow{AD}$, $\overrightarrow{AE}$, $\overline{BC}$는 모두 원 O의 접선이고, 세 점 D, E, F는 접점이다. $\overline{AB}=9$, $\overline{AC}=10$, $\overline{AD}=13$일 때, $\overline{BC}$의 길이를 구하여라.

출제율 95%

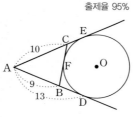

**62** 오른쪽 그림에서 $\overrightarrow{AE}$, $\overrightarrow{AF}$, $\overline{BC}$는 원 O의 접선이다. 다음 중 옳지 <u>않은</u> 것은?

출제율 95%

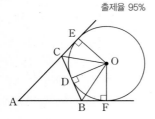

① $\overline{OE}=\overline{OD}=\overline{OF}$

② ($\triangle$ABC의 둘레의 길이)$=2\overline{AE}$

③ $\angle$OCD$=\angle$OCE

④ $\overline{AE}=\overline{AF}$

⑤ $\triangle$OCD$\equiv\triangle$OBD

**63** 오른쪽 그림에서 $\overrightarrow{AT}$, $\overrightarrow{AT'}$, $\overline{BC}$는 원 O의 접선이고 $\overline{AO}=17$ cm, $\overline{OT}=8$ cm일 때, $\triangle$ABC의 둘레의 길이는?

출제율 95%

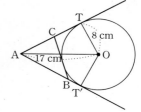

① 20 cm     ② 24 cm

③ 30 cm     ④ 34 cm

⑤ 48 cm

**64** 오른쪽 그림에서 점 D, E, F는 각각 $\overrightarrow{AB}$, $\overline{BC}$, $\overrightarrow{AC}$와 원 O의 접점이다. $\overline{AB}=\overline{AC}=6$ cm, $\overline{BC}=4$ cm일 때, 원 O의 반지름의 길이를 구하여라.

출제율 80%

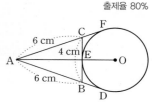

**대표유형** 반원에서 접선으로 이루어진 도형

**65** 오른쪽 그림에서 두 점 C, D는 원 O의 지름 AB의 양 끝점에서 그은 접선과 원 O 위의 한 점 P에서 그은 접선이 만나는 점이다. $\overline{AC}=4$ cm, $\overline{BD}=9$ cm일 때, $\overline{CD}$의 길이는?

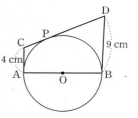

① 8 cm     ② 12 cm     ③ 13 cm

④ 15 cm     ⑤ 18 cm

**내신 UP POINT**

오른쪽 그림과 같이 $\overline{AB}$, $\overline{DC}$, $\overline{AD}$가 반원 O의 접선일 때,

(1) 원의 접선의 성질에서 $\overline{AB}=\overline{AE}$, $\overline{DC}=\overline{DE}$이므로 $\overline{AB}+\overline{DC}=\overline{AD}$

(2) 점 A에서 $\overline{CD}$에 내린 수선의 발을 H라 하면 직각삼각형 AHD에서 $\overline{BC}=\overline{AH}=\sqrt{\overline{AD}^2-\overline{DH}^2}$

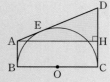

출제율 95%

**66** 오른쪽 그림에서 $\overline{AC}$, $\overline{CD}$, $\overline{BD}$는 반원 O의 접선이고, $\overline{AC}=4$ cm, $\overline{CD}=12$ cm 일 때, $\overline{BD}$의 길이를 구하여라.

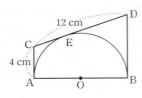

출제율 95%

**67** 오른쪽 그림에서 $\overline{BC}$는 원 O의 지름이고, $\overline{AB}$, $\overline{AD}$, $\overline{CD}$는 접선이다. $\overline{AB}=4$, $\overline{CD}=9$일 때, 원 O의 반지름의 길이를 구하여라.

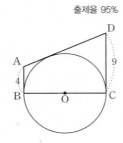

출제율 95%

**68** 오른쪽 그림에서 $\overline{AB}$는 반원 O의 지름이고, $\overline{AD}$, $\overline{BC}$, $\overline{CD}$는 반원 O의 접선이다. $\overline{AD}=6$ cm, $\overline{CD}=10$ cm일 때, $\overline{AB}$의 길이를 구하여라.

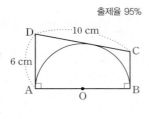

출제율 85%

**69** 오른쪽 그림과 같이 원 O의 지름의 양 끝점 A, B에서 그은 접선과 점 P에서 그은 접선의 교점을 각각 C, D라 할 때, ∠COD의 크기를 구하여라.

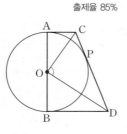

출제율 80%

**70** 오른쪽 그림에서 $\overline{AB}$는 원 O의 지름이고, $\overline{AC}$, $\overline{CD}$, $\overline{BD}$는 각각 A, P, B 를 접점으로 하는 원 O의 접선이다. $\overline{AB}=8$ cm, $\overline{CD}=10$ cm일 때, □ABDC의 넓이를 구하여라.

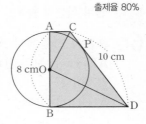

**대표유형** 중심이 같은 두 원과 접선

**71** 오른쪽 그림과 같이 중심이 같은 두 원의 반지름의 길이가 각각 3, 6이다. 작은 원의 접선이 큰 원과 만나는 두 점을 각각 A, B라 할 때, $\overline{AB}$의 길이는?

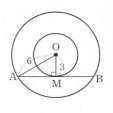

① $3\sqrt{3}$    ② $4\sqrt{3}$    ③ $5\sqrt{3}$

④ $6\sqrt{3}$    ⑤ $7\sqrt{3}$

출제율 95%

**72** 오른쪽 그림과 같이 점 O를 같은 중심으로 하고 반지름의 길이가 각각 5 cm, 7 cm인 두 원에서 작은 원 위의 점 P에서 접선을 그어 큰 원과 만나는 점을 각각 A, B라 할 때, $\overline{AB}$의 길이는?

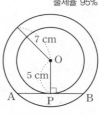

① $2\sqrt{6}$ cm    ② $3\sqrt{2}$ cm    ③ $4\sqrt{6}$ cm

④ 5 cm    ⑤ $5\sqrt{2}$ cm

**73** 오른쪽 그림과 같이 중심이 같은 두 원에서 작은 원에 접하는 $\overline{AB}$의 길이는?

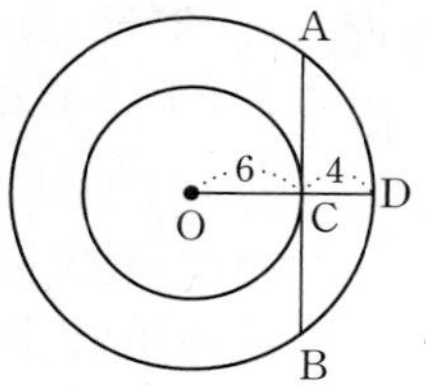

출제율 90%

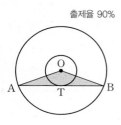

① 16 　② 15
③ 14 　④ 13
⑤ 12

**74** 오른쪽 그림과 같이 반지름의 길이가 각각 1, 3이고 중심이 같은 두 원이 있다. 작은 원에 접하는 직선이 큰 원과 만나는 두 점을 각각 A, B라 할 때, △OAB의 넓이를 구하여라.

출제율 90%

**75** 오른쪽 그림과 같이 점 A, B는 중심이 점 O로 같은 두 원에서 작은 원 위의 점 D에서 그은 접선이 큰 원과 만나는 점이다. $\overline{OD}=5$ cm, $\overline{CD}=8$ cm일 때, △AOB의 넓이는?

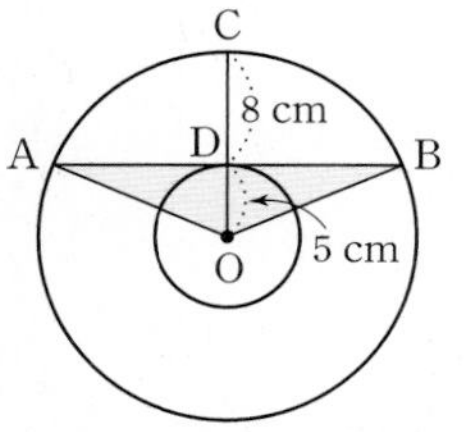

출제율 90%

① 45 cm² 　② 50 cm² 　③ 56 cm²
④ 60 cm² 　⑤ 64 cm²

**76** 오른쪽 그림과 같이 중심이 같은 두 원에서 작은 원의 접선이 큰 원과 두 점 A, B에서 만난다. $\overline{AB}=12$ cm일 때, 색칠한 부분의 넓이를 구하여라.

출제율 90%

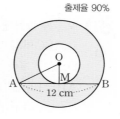

대표유형 일반 삼각형의 내접원

**77** 원 O는 △ABC의 내접원이고, 각 변과 점 D, E, F에서 접한다.
$\overline{AB}=6$ cm, $\overline{BC}=7$ cm, $\overline{AC}=5$ cm일 때, $\overline{AD}$의 길이는?

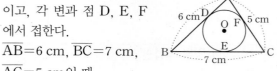

① 2 cm 　② 2.5 cm 　③ 3 cm
④ 3.5 cm 　⑤ 4 cm

**78** 오른쪽 그림에서 원 O는 △ABC의 내접원이고, 세 점 D, E, F는 접점이다. △ABC의 둘레의 길이가 30일 때, $x$의 값을 구하여라.

출제율 95%

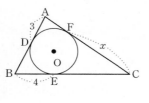

**79** 오른쪽 그림에서 원 O는 △ABC의 내접원이고, 점 D, E, F는 접점이다. $\overline{AB}=9$ cm, $\overline{AC}=8$ cm, $\overline{AD}=5$ cm일 때, △ABC의 둘레의 길이를 구하여라.

출제율 85%

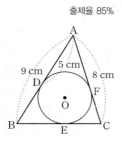

**80** 오른쪽 그림에서 원 I는 △ABC의 내접원이고, 세 점 D, E, F에서 접하고 있다. $\overline{AB}=10$, $\overline{BC}=12$, $\overline{AC}=6$이고 △ABC의 넓이가 28일 때, $\overline{BI}$의 길이는?

출제율 85%

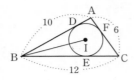

① 7      ② 8      ③ $\sqrt{65}$
④ $2\sqrt{17}$      ⑤ $6\sqrt{2}$

---

**대표 유형** 직각삼각형의 내접원

**81** 오른쪽 그림과 같이 $\overline{BC}=4$, $\overline{AC}=3$, $\angle C=90°$ 인 직각삼각형 ABC에 내접하는 원 O의 반지름의 길이를 구하여라.

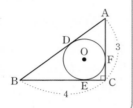

---

**82** 오른쪽 그림과 같이 $\angle C=90°$인 직각삼각형 ABC에서 $\angle B=30°$이고 $\overline{BC}=2\sqrt{3}$ cm일 때, 내접원 I의 반지름의 길이를 구하여라.

출제율 90%

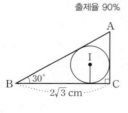

---

**83** 오른쪽 그림에서 원 O는 직각삼각형 ABC의 내접원이고, 세 점 P, Q, R는 접점이다. $\overline{BR}=6$, $\overline{RC}=4$일 때, 원 O의 넓이를 구하여라.

출제율 85%

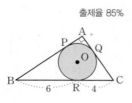

---

**84** 오른쪽 그림에서 △ABC의 외접원의 반지름의 길이는 5이고 내접원의 반지름의 길이는 2이다. $\overline{BC}$는 외접원의 지름이고 세 점 D, E, F는 접점일 때, △ABC의 넓이를 구하여라.

출제율 85%

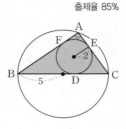

---

**대표 유형** 원에 외접하는 사각형의 성질

**85** 오른쪽 그림에서 원 O가 □ABCD와 네 점 E, F, G, H에서 접하고 $\overline{AB}=7$ cm, $\overline{BC}=8$ cm, $\overline{DA}=4$ cm일 때, $\overline{CD}$의 길이를 구하여라.

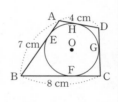

---

**86** 오른쪽 그림과 같이 □ABCD가 원 O에 외접할 때, $x$의 값은?

출제율 95%

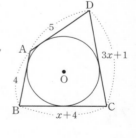

① 1      ② 2
③ 3      ④ 4
⑤ 5

---

**87** 오른쪽 그림과 같이 □ABCD가 원 O에 외접하고, 네 점 P, Q, R, S는 접점이다. $\overline{BC}=13$ cm, $\overline{CD}=12$ cm, $\overline{OS}=5$ cm, $\angle B=90°$일 때, $\overline{DQ}$의 길이를 구하여라.

출제율 85%

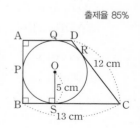

---

## 개념 UP ▶ 01 접선의 활용

피타고라스 정리와 원의 외부에 있는 한 점에서 그 원에 그은
두 접선의 길이는 서로 같음을 이용하여 문제를 해결한다.

**88** 오른쪽 그림에서 $\overline{AB}$는 원
ⓒ O의 지름이고, 세 점 A,
B, T는 접점이다.
$\overline{AD}=6$ cm, $\overline{BC}=3$ cm
일 때, $\overline{AC}$의 길이는?

출제율 80%

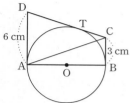

① 7 cm      ② 8 cm
③ 9 cm      ④ 10 cm
⑤ 11 cm

**89** 오른쪽 그림과 같이 가로,
ⓢ 세로의 길이가 각각
13 cm, 12 cm인 직사각형
ABCD에서 점 B를 중심으
로 하고 $\overline{AB}$를 반지름으로
하는 원의 일부를 그렸다.
점 C에서 이 원에 접선을 그어 $\overline{AD}$와 만나는 점을 E
라 할 때, $\overline{AE}$의 길이는?

출제율 80%

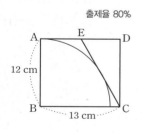

① 8 cm      ② 8.2 cm      ③ 8.5 cm
④ 9 cm      ⑤ 9.5 cm

## 개념 UP ▶ 02 원에 외접하는 사각형의 성질 – 직사각형

원 O는 직사각형 ABCD의 세 변
및 $\overline{DF}$와 접하고, 세 점 E, G, H가
접점이면

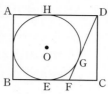

(1) $\overline{DH}=\overline{DG}$, $\overline{FE}=\overline{FG}$이므로
$\overline{DF}=\overline{DH}+\overline{EF}$
(2) □ABFD가 원 O에 외접하는
사각형이므로 $\overline{AB}+\overline{DF}=\overline{AD}+\overline{BF}$
(3) △DFC에서 $\overline{CF}^2+\overline{CD}^2=\overline{DF}^2$

**90** 오른쪽 그림에서 □ABCD
ⓢ 는 한 변의 길이가 10 cm인
정사각형이다. $\overline{DE}$가 $\overline{BC}$를
지름으로 하는 반원과 점 P
에서 접할 때, $\overline{DE}$의 길이를
구하여라.

출제율 80%

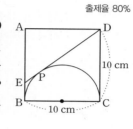

**91** 오른쪽 그림에서 □ABCD
ⓢ 는 직사각형이며 원 O는 사
각형 ABED에 내접하고,
네 점 F, G, H, I는 접점이
다. $\overline{CD}=8$, $\overline{DE}=10$일 때,
$\overline{BE}$의 길이는?

출제율 80%

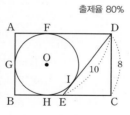

① 4          ② 5          ③ 6
④ 7          ⑤ 8

**92** 오른쪽 그림에서 □ABCD는
ⓢ 직사각형이며 원 O는 사각형
ABED에 내접하고, 네 점 F,
G, H, I는 접점이다.
$\overline{CD}=12$, $\overline{DE}=13$일 때,
$\overline{DI}$의 길이를 구하여라.

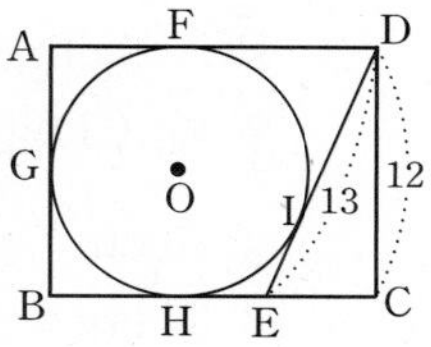

**01** 다음 중 옳지 <u>않은</u> 것은?

① 한 원에서 길이가 같은 두 호에 대한 중심각의 크기는 서로 같다.

② 한 원에서 길이가 같은 두 호에 대한 현의 길이는 서로 같다.

③ 한 원에서 중심에서 같은 거리에 있는 두 현의 길이는 서로 같다.

④ 원의 중심에서 현에 내린 수선은 그 현을 이등분한다.

⑤ 한 원에서 중심각의 크기와 호의 길이, 현의 길이는 각각 정비례한다.

**02** 오른쪽 그림의 원 O에서 $\angle AOB=45°$, $\angle COD=90°$, $\angle EOF=45°$ 일 때, 다음 보기 중 옳은 것을 모두 고른 것은?

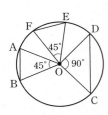

보기
ㄱ. $2\widehat{AB}=\widehat{CD}$          ㄴ. $2\overline{AB}=\overline{CD}$
ㄷ. $\triangle OCD=2\triangle OAB$          ㄹ. $\overline{AB}=\overline{EF}$

① ㄱ              ② ㄴ              ③ ㄱ, ㄹ
④ ㄴ, ㄷ          ⑤ ㄱ, ㄴ, ㄷ, ㄹ

**03** 오른쪽 그림에서 $\overline{AB}$는 원 O의 지름이고 $\overline{AB}\,/\!/\,\overline{CD}$이다. $\widehat{BC}=5$ cm, $\angle BOC=30°$일 때, $\widehat{CD}$의 길이는?

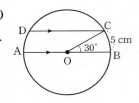

① 10 cm          ② 20 cm
③ 30 cm          ④ 40 cm
⑤ 50 cm

**04** 오른쪽 그림의 원 O에서 $x$의 값은?

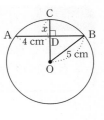

① 2 cm            ② $2\sqrt{2}$ cm
③ 3 cm            ④ $2\sqrt{3}$ cm
⑤ 4 cm

**05** 오른쪽 그림은 원의 일부분이다. $\overline{AD}=\overline{BD}=4$ cm, $\overline{CD}=2$ cm일 때, 이 원의 지름의 길이는?

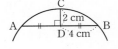

① 6 cm            ② 8 cm            ③ 10 cm
④ 12 cm           ⑤ 14 cm

**06** 오른쪽 그림의 원 O에서 $\overline{AB}\perp\overline{OM}$, $\overline{CD}\perp\overline{ON}$, $\overline{OM}=\overline{ON}$이다. $\overline{AM}=3$ cm일 때, $\overline{CD}$의 길이는?

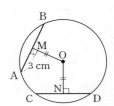

① 4 cm            ② 5 cm
③ 6 cm            ④ 7 cm
⑤ 8 cm

**07** 오른쪽 그림의 원 O에서 $\overline{OM}=\overline{ON}$이다. $\angle MON=110°$일 때, $\angle B$의 크기는?

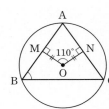

① 50°             ② 55°
③ 60°             ④ 65°
⑤ 70°

**08** 오른쪽 그림에서 $\overline{PA}$, $\overline{PB}$는 원 O의 접선이다. ∠APB=50°일 때, ∠AOB의 크기는?

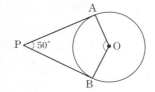

① 110°　　② 120°
③ 130°　　④ 140°
⑤ 150°

**09** 오른쪽 그림에서 두 직선 AP, AQ는 원 O의 접선이고, 두 점 P, Q는 접점이다. $\overline{AP}$=7 cm, ∠PAQ=60°일 때, $\overline{PQ}$의 길이는?

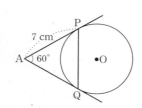

① 5 cm　　② 6 cm　　③ 7 cm
④ 8 cm　　⑤ 9 cm

**10** 오른쪽 그림에서 $\overrightarrow{PA}$, $\overrightarrow{PB}$는 원 O의 접선이다. ∠APB=45°, $\overline{OA}$=4 cm일 때, $\widehat{AB}$의 길이는?

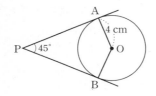

① $2\pi$ cm　　② $3\pi$ cm　　③ $4\pi$ cm
④ $6\pi$ cm　　⑤ $8\pi$ cm

**11** 오른쪽 그림에서 $\overrightarrow{AE}$, $\overrightarrow{AF}$, $\overline{BC}$는 원 O의 접선이다. $\overline{AB}$=7 cm, $\overline{AC}$=6 cm, $\overline{BC}$=5 cm일 때, $\overline{AE}$의 길이는?

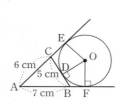

① 8.5 cm　　② 9 cm　　③ 9.5 cm
④ 10 cm　　⑤ 10.5 cm

**12** 오른쪽 그림에서 세 점 A, B, T는 지름이 $\overline{AB}$인 반원 O의 접점이다. $\overline{AC}$=8 cm, $\overline{BD}$=6 cm일 때, 반원 O의 넓이는?

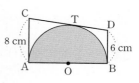

① $20\pi$ cm$^2$　　② $24\pi$ cm$^2$　　③ $32\pi$ cm$^2$
④ $40\pi$ cm$^2$　　⑤ $48\pi$ cm$^2$

**13** 오른쪽 그림과 같이 원 O는 삼각형 ABC의 내접원이고 각 변과 점 P, Q, R에서 접한다. $\overline{AB}$=10, $\overline{BC}$=12, $\overline{AC}$=8일 때, $x-y+z$의 값을 구하여라.

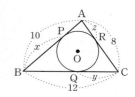

**14** 오른쪽 그림과 같이 ∠C=90°, ∠B=30°인 직각삼각형 ABC에서 $\overline{BC}$=$4\sqrt{3}$ cm일 때, 내접원 I의 반지름의 길이를 구하여라.

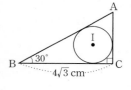

**15** 오른쪽 그림과 같이 반지름의 길이가 3 cm인 원 O에 외접하는 사다리꼴 ABCD의 넓이는?

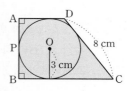

① 40 cm$^2$　　② 42 cm$^2$
③ 48 cm$^2$　　④ 52 cm$^2$
⑤ 60 cm$^2$

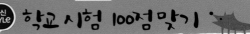

꼭! 맞고 상위권 진입 **90점!**

**16** 오른쪽 그림에서 △ABC는 원 O 에 내접하는 삼각형이다. $\overline{OM}=\overline{ON}$, $\overline{OH}=3$, $\overline{BC}=8$일 때, $\overline{OM}$의 길이는?

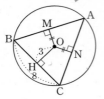

① $\sqrt{3}$　　　② $\sqrt{5}$
③ $2\sqrt{3}$　　　④ $3\sqrt{2}$
⑤ $\dfrac{3\sqrt{5}}{2}$

**17** 오른쪽 그림과 같이 중심이 같은 두 원이 있다. 색칠한 부분의 넓이가 $64\pi$ cm²일 때, 작은 원에 접하는 $\overline{AB}$의 길이는?
(단, T는 접점이다.)

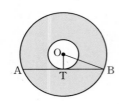

① 8 cm　　　② 10 cm　　　③ 12 cm
④ 14 cm　　　⑤ 16 cm

**18** 오른쪽 그림과 같이 일차방정식 $\dfrac{1}{5}x-\dfrac{1}{12}y=-1$의 그래프가 $x$축, $y$축과 만나는 점을 각각 A, B라 하자. 원 I가 △AOB의 내접원일 때, 원 I의 반지름의 길이를 구하여라.

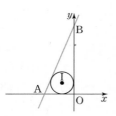

**19** 오른쪽 그림과 같이 □ABCD가 원 O에 외접하고, 두 대각선은 서로 직교한다. $\overline{BC}=6$, $\overline{CD}=3$일 때, $x+y$의 값은?

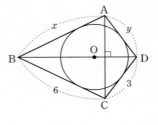

① 9　　　② 10　　　③ 11
④ 12　　　⑤ 13

1등급 만점도전 **100점!**

**20** 오른쪽 그림과 같이 반원 O 위의 점 P를 접점으로 하는 접선이 이 반원의 지름 AB의 양 끝점을 지나는 접선과 만나는 점을 각각 C, D라 하자. $\overline{AC}=4$, $\overline{BD}=10$일 때, 색칠한 부분의 넓이를 구하여라.

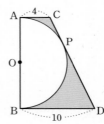

**21** 오른쪽 그림에서 사각형 ABCD는 직사각형이고, 사각형 ABED는 원에 외접한다. $\overline{CD}=4$, $\overline{ED}=5$일 때, $\overline{AD}$의 길이는?

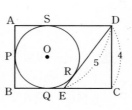

① 5.5　　　② 6　　　③ 6.5
④ 7　　　⑤ 7.5

**단계형**

**22** 원 모양의 종이를 오른쪽 그림과 같이 원주 위의 한 점 Q가 원의 중심 O에 겹치도록 접었다. $\overline{AB}=12$일 때, $\overline{OA}$의 길이를 구하여라. [6점]

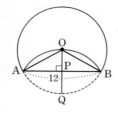

**1단계** 반지름의 길이를 $r$로 놓고 $\overline{OA}$, $\overline{OP}$의 길이를 $r$로 나타내기 [2점]

_____

_____

**2단계** $\overline{AP}$의 길이 구하기 [2점]

_____

_____

**3단계** $\overline{OA}$의 길이 구하기 [2점]

_____

_____

_____

**단계형**

**23** 오른쪽 그림에서 $\overrightarrow{PT}$는 반지름의 길이가 6 cm인 원 O의 접선이다. $\angle TPO=30°$일 때, 색칠한 부분의 넓이를 구하여라. [7점]

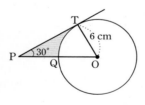

**1단계** $\angle PTO$, $\angle POT$의 크기 각각 구하기 [2점]

_____

_____

**2단계** $\overline{TP}$, $\overline{PO}$의 길이 각각 구하기 [3점]

_____

_____

**3단계** 색칠한 부분의 넓이 각각 구하기 [2점]

_____

_____

_____

**사고력**

**24** 오른쪽 그림의 △ABC에서 $\angle A=60°$이고, 점 O는 △ABC의 외접원의 중심이다. $\overline{OP}\perp\overline{AB}$, $\overline{OQ}\perp\overline{AC}$이고 $\overline{OP}=\overline{OQ}$, $\overline{AB}=8\sqrt{3}$일 때, 원 O의 반지름의 길이를 구하여라. [7점]

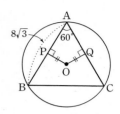

**사고력**

**25** 오른쪽 그림에서 $\overrightarrow{PT}$, $\overrightarrow{PT'}$은 원 O의 접선이다. $\angle TPT'=60°$, $\overline{PT}=6$ cm일 때, 색칠한 부분의 넓이를 구하여라. (단, T, T'은 접점이다.) [8점]

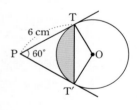

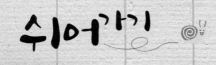

# 친구의 배려

'씨뿌리는 사람', '이삭줍기', '만종' 등을 그린 프랑스의 대표적인 화가 밀레와 그의 친구인 같은 시기의 화가 루소에 관한 다음과 같은 일화가 있습니다.

작품이 팔리지 않아 가난에 허덕이던 밀레에게 어느 날 루소가 찾아왔습니다.
"여보게, 드디어 자네의 그림을 사려는 사람이 나타났네."
밀레는 친구 루소의 말에 기뻐하면서도 한편으로는 의아하게 생각하였습니다.
왜냐하면 그때까지 밀레는 작품을 팔아본 적이 별로 없는 무명화가였기 때문이었습니다.

얼마 후 루소는 다시 밀레를 찾아왔습니다.
"여보게, 좋은 소식이 있네. 내가 화랑에 자네의 그림을 소개했더니 적극적으로 구입 의사를 밝히더군. 이것 봐, 나한테 선금을 맡기더라니까."
루소는 이렇게 말하며 밀레에게 300프랑을 건네주었습니다.
입에 풀칠할 길이 없어 막막하던 밀레에게 그 돈은 생명줄이었습니다.
또, 자신의 그림이 인정받고 있다는 희망도 안겨주었습니다.

그 이후 밀레는 생활에 안정을 찾게 되었고 보다 그림에 몰두할 수 있게 되었습니다.
몇 년 후 밀레의 작품은 화단의 호평을 받아 비싼 값에 팔리기 시작하였고, 그리하여 경제적인 여유를 찾게 된 밀레는 친구 루소를 찾아갔습니다.
그런데 루소를 찾아간 밀레는 깜짝 놀랐습니다.
왜냐하면 몇 년 전에 루소가 남의 부탁이라면서 사간 그 그림이 그의 집의 거실 벽에 걸려있었기 때문입니다.
밀레는 그제서야 친구 루소의 깊은 배려의 마음을 알고 그 고마움에 눈물을 글썽였습니다.
가난한 친구의 자존심을 지켜주기 위하여 사려 깊은 루소는 남의 이름을 빌려 밀레의 그림을 사주었던 것입니다.

이렇듯 젊은 날의 이런 소중한 우정은 인생을 아름답게 사는 밑거름이 됩니다.
우리도 친구에 대하여 조금씩 배려하는 마음을 가져보는 것은 어떨까요?

중학 수학

# Part II

싹쓸이 핵심 기출문제

싹쓸이 핵심 예상문제

실전 모의고사

**01** 직각삼각형의 변의 길이(피타고라스 정리)

오른쪽 그림과 같이 ∠C＝90°인
직각삼각형 ABC에서 $\overline{AB}$의 길이
를 구하여라.

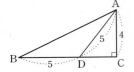

**02** 삼각비 구하기

오른쪽 그림의 직각삼각형 ABC에
서 $\sin A + \cos A$의 값을 구하여라.

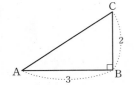

**03** 삼각비가 주어지는 경우 다른 삼각비의 값 구하기

오른쪽 그림의 직각삼각형 ABC에서
$\overline{AC}=10$ cm, $\cos A = \dfrac{\sqrt{5}}{5}$일 때, $\sin A$,
$\tan A$의 값을 각각 구하여라.

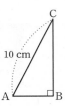

**04** 닮음을 이용한 삼각비의 값 구하기

오른쪽 그림의 직각삼각형 ABC에서
∠BAC＝90°, $\overline{AD} \perp \overline{BC}$일 때,
$\sin x + \cos x$의 값을 구하여라.

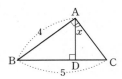

**05** 입체도형에서의 삼각비

오른쪽 그림과 같은 직육면체에서
$\overline{AB}=3$ cm, $\overline{AD}=6$ cm,
$\overline{BF}=5$ cm이고 ∠AGE＝$x$일 때,
$\cos x$의 값을 구하여라.

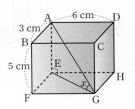

**06** 특수한 각의 삼각비의 값

다음 중 계산 결과가 옳은 것은?

① $\dfrac{1}{2}\tan 45° + \sqrt{3}\cos 30° - 3\cos 45° = -1$

② $(1+\tan 30°)(1-\tan 30°) = \dfrac{2}{3}$

③ $(\cos 30°)^2 + (\sin 60°)^2 = 1$

④ $\sin 60° \times \cos 45° \times \tan 60° = \dfrac{3\sqrt{3}}{4}$

⑤ $\sin 90° + \cos 0° = 1$

**07** 특수한 각의 삼각비의 값을 이용하여 변의 길이 구하기

오른쪽 그림의 △ABC에서 $x$, $y$의
값을 각각 구하여라.

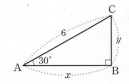

**08** 임의의 예각의 삼각비의 값

오른쪽 그림은 반지름의 길이가 1인 사분원이다. 다음 삼각비의 값을 변의 길이로 나타낸 것 중 옳지 <u>않은</u> 것은?

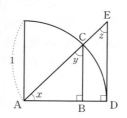

① $\sin x = \overline{BC}$　　② $\cos y = \overline{BC}$
③ $\cos x = \overline{AD}$　　④ $\sin z = \overline{AB}$
⑤ $\tan x = \overline{DE}$

**09** 삼각비의 대소 관계

다음 중 대소 관계가 옳지 <u>않은</u> 것은?

① $\tan 0° = \cos 90°$　　② $\cos 50° < \tan 50°$
③ $\sin 70° < \sin 60°$　　④ $\cos 60° < \sin 45°$
⑤ $\tan 46° > \sin 90°$

**10** 삼각비의 표

다음 삼각비의 표를 이용하여 $\tan 83° + \cos 85° - \sin 84°$의 값을 구하여라.

| 각도 | 사인(sin) | 코사인(cos) | 탄젠트(tan) |
|------|-----------|-------------|-------------|
| 82° | 0.9903 | 0.1392 | 7.1154 |
| 83° | 0.9925 | 0.1219 | 8.1443 |
| 84° | 0.9945 | 0.1045 | 9.5144 |
| 85° | 0.9962 | 0.0872 | 11.4301 |

**11** 실생활에서의 직각삼각형의 변의 길이

오른쪽 그림과 같이 간격이 60 m인 두 건물 A, B가 있다. A 건물 옥상에서 B 건물을 올려다 본 각의 크기는 30°이고 내려다 본 각의 크기는 45°일 때, B 건물의 높이를 구하여라.

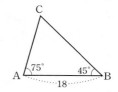

**12** 일반 삼각형의 변의 길이

오른쪽 그림의 △ABC에서 ∠A=75°, ∠B=45°, $\overline{AB}=18$일 때, $\overline{AC}$의 길이를 구하여라.

**13** 일반 삼각형의 높이

오른쪽 그림과 같이 ∠ABC=30°, ∠ACH=45°, $\overline{BC}=10$인 삼각형 ABC에서 높이 AH의 길이를 구하여라.

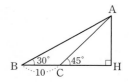

### 14 사각형의 넓이(1)

오른쪽 그림과 같은 □ABCD의 넓이는?

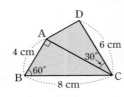

① $7\sqrt{3}$ cm²       ② $10\sqrt{3}$ cm²
③ $12\sqrt{3}$ cm²     ④ $14\sqrt{3}$ cm²
⑤ $28\sqrt{3}$ cm²

### 15 사각형의 넓이(2)

오른쪽 그림의 평행사변형 ABCD에서 $\overline{AB}=9$, $\overline{BC}=12$, $\angle C=150°$일 때, □ABCD의 넓이를 구하여라.

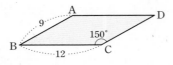

### 16 원의 중심각, 호, 현

오른쪽 그림에서 $x$의 값을 구하여라.

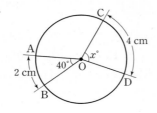

### 17 현의 수직이등분선

오른쪽 그림은 어느 원의 일부분이다. $\overline{AB}=12$ cm, $\overline{CD}=2$ cm일 때, 이 원의 반지름의 길이를 구하여라.

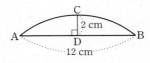

### 18 현의 수직이등분선 – 원의 일부분이 접힌 경우

오른쪽 그림과 같이 반지름의 길이가 8인 원 위의 점 P를 원의 중심 O에 겹치도록 접었을 때, 접은 선 AB의 길이는?

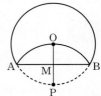

① $4\sqrt{3}$        ② $5\sqrt{3}$
③ $6\sqrt{3}$        ④ $7\sqrt{3}$
⑤ $8\sqrt{3}$

### 19 현의 길이

오른쪽 그림에서 $\overline{OD}\perp\overline{AB}$, $\overline{OE}\perp\overline{AC}$, $\overline{OD}=\overline{OE}$일 때, △ABC의 둘레의 길이는?

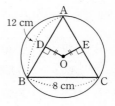

① 28 cm       ② 30 cm
③ 32 cm       ④ 34 cm
⑤ 36 cm

**20** 원의 접선과 반지름

오른쪽 그림에서 두 반직선 PT, PT′이 원 O의 접선일 때, 다음 중 옳지 <u>않은</u> 것은?

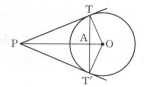

① $\overline{PO} \perp \overline{TT'}$
② $\overline{PT} = \overline{PT'}$
③ $\overline{PT} = \overline{PA}$
④ $\angle TT'P = \angle T'TP$
⑤ $\angle PTO = \angle PT'O = 90°$

**21** 원의 접선의 길이

오른쪽 그림에서 $\overline{PA}$, $\overline{PB}$는 원 O의 접선이고, 두 점 A, B는 그 접점이다. $\overline{PA} = 10$, $\angle APB = 60°$일 때, $\overline{AB}$의 길이를 구하여라.

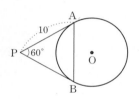

**22** 원의 접선의 활용

오른쪽 그림에서 원 O는 △AED의 내접원이고, $\overline{BC}$는 원 O의 접선이다. $\overline{AD} = 8$, $\overline{AE} = 9$, $\overline{DE} = 7$일 때, △ABC의 둘레의 길이를 구하여라.

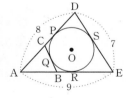

**23** 반원에서 접선으로 이루어진 도형

오른쪽 그림과 같이 $\overparen{AB}$ 위의 한 점 T에서 그은 접선이 지름 AB의 양 끝점에서 그은 접선과 만나는 점을 각각 C, D라 한다. $\overline{AC} = 8$ cm, $\overline{BD} = 3$ cm일 때, □ABDC의 넓이를 구하여라.

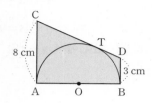

**24** 삼각형의 내접원

오른쪽 그림과 같이 △ABC와 내접원 O는 세 점 D, E, F에서 접하고 있다. 이때 △ABC의 둘레의 길이를 구하여라.

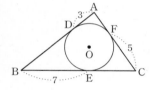

**25** 원에 외접하는 사각형의 성질

오른쪽 그림과 같이 반지름의 길이가 8인 원 O와 □ABCD가 네 점 E, F, G, H에서 접하고 있다. $\overline{BC} = 18$일 때, □ABCD의 둘레의 길이는?

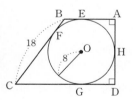

① 60
② 62
③ 64
④ 66
⑤ 68

**01** 직각삼각형의 변의 길이(피타고라스 정리)

오른쪽 그림과 같이 $\angle B=90°$인 직각
삼각형 ABC에서 $y-x$의 값을 구하
여라.

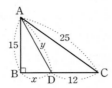

**02** 삼각비 구하기

오른쪽 그림의 직각삼각형 ABC
에서 $\sin B \times \cos B$의 값을 구하
여라.

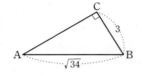

**03** 삼각비가 주어지는 경우 다른 삼각비의 값 구하기

$\cos A=\dfrac{1}{2}$일 때, $\sin A$의 값은?

① $\dfrac{1}{2}$      ② $\sqrt{3}$      ③ $\dfrac{\sqrt{5}}{5}$

④ $\dfrac{\sqrt{5}}{2}$      ⑤ $\dfrac{\sqrt{3}}{2}$

**04** 닮음을 이용한 삼각비의 값 구하기

오른쪽 그림의 직각삼각형 ABC
에서 $\overline{AH}\perp\overline{BC}$일 때,
$\sin x + \cos y$의 값은?

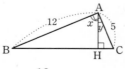

① $\dfrac{24}{13}$      ② $\dfrac{17}{13}$      ② $\dfrac{19}{12}$

④ $\dfrac{7}{12}$      ⑤ $\dfrac{27}{5}$

**05** 입체도형에서의 삼각비

오른쪽 그림과 같은 직육면체에서
$\overline{FG}=8$, $\overline{GH}=8$, $\overline{BH}=2\sqrt{57}$이고
$\angle FBH=x$일 때, $\tan x$의 값을 구하
여라.

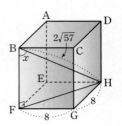

**06** 특수한 각의 삼각비의 값

$\sin 45° \div \cos 45° - \tan 30° \times \cos 30°$를 계산하여라.

**07** 특수한 각의 삼각비의 값을 이용하여 변의 길이 구하기

오른쪽 그림에서 $\angle ABC=90°$
$\angle BCD=90°$, $\angle BAC=60°$,
$\angle BDC=45°$, $\overline{AB}=\sqrt{3}$일 때,
$\overline{BD}$의 길이는?

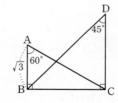

① $3\sqrt{2}$      ② $4\sqrt{2}$

③ $2\sqrt{3}$      ④ $3\sqrt{3}$

⑤ $4\sqrt{3}$

## 08 임의의 예각의 삼각비의 값

오른쪽 그림과 같이 반지름의 길이가 1인 사분원에서
$\sin x + \cos x - \tan x$의 값은?

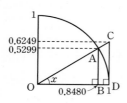

① 0  　　　　② 0.3068

③ 0.753 　　　④ 0.943

⑤ 2

## 09 삼각비의 대소 관계

다음 중 대소 관계가 옳은 것은?

① $\sin 60° < \sin 50°$ 　　② $\tan 45° = \sin 45°$

③ $\cos 65° > \sin 65°$ 　　④ $\sin 70° > \tan 50°$

⑤ $\cos 60° > \cos 90°$

## 10 삼각비의 표

다음 삼각비의 표를 이용하여 $\cos x = 0.4848$,
$\tan y = 2.0503$을 만족하는 $x$, $y$의 크기에 대하여
$\sin x + \cos y$의 값을 구하여라.

| 각도 | 사인(sin) | 코사인(cos) | 탄젠트(tan) |
|------|-----------|-------------|-------------|
| 61°  | 0.8746    | 0.4848      | 1.8040      |
| 62°  | 0.8829    | 0.4695      | 1.8807      |
| 63°  | 0.8910    | 0.4540      | 1.9626      |
| 64°  | 0.8988    | 0.4384      | 2.0503      |

## 11 실생활에서의 직각삼각형의 변의 길이

오른쪽 그림과 같이 실을 80 m 풀어 연을 띄운 후 연을 올려다본 각의 크기는 28°이었다. 사람의 눈높이가 1.4 m일 때, 지면에서 연까지의 높이는? (단, 실은 팽팽하고, $\sin 28° = 0.47$, $\cos 28° = 0.88$, $\tan 28° = 0.53$으로 계산한다.)

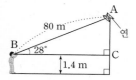

① 36.8 m 　　② 37.6 m 　　③ 39 m

④ 70.4 m 　　⑤ 71.8 m

## 12 일반삼각형의 변의 길이

오른쪽 그림의 △ABC에서
$\overline{AB} = 3\sqrt{2}$, $\overline{BC} = 5$, $\angle B = 45°$일 때,
$\overline{AC}$의 길이를 구하여라.

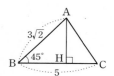

## 13 일반 삼각형의 높이

오른쪽 그림에서 $\overline{AH} \perp \overline{BC}$이고
$\overline{BC} = 6$, $\angle B = 45°$, $\angle C = 30°$일 때, $\overline{AH}$의 길이는?

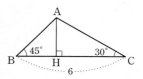

① $2(\sqrt{3}-1)$ 　　② $2(\sqrt{3}+1)$

③ $3(\sqrt{3}-1)$ 　　④ $3(\sqrt{3}+1)$

⑤ $6(\sqrt{3}-1)$

**14** 사각형의 넓이(1)

오른쪽 그림과 같은 □ABCD의 넓이를 구하여라.

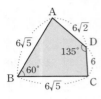

**15** 사각형의 넓이(2)

오른쪽 그림의 평행사변형 ABCD에서 $\overline{AB}=7$, $\overline{BC}=8$, $\angle B=45°$일 때, □ABCD의 넓이를 구하여라.

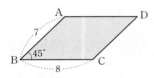

**16** 원의 중심각, 호, 현

오른쪽 그림에서 $\angle x$의 크기를 구하여라.

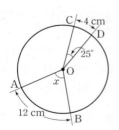

**17** 현의 수직이등분선

오른쪽 그림에서 $\overline{AB}\perp\overline{OC}$일 때, $x$의 값은?

① $\dfrac{3}{2}$ cm      ② $\dfrac{8}{3}$ cm

③ $\dfrac{25}{6}$ cm      ④ $\dfrac{9}{2}$ cm

⑤ 5 cm

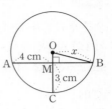

**18** 현의 수직이등분선 – 원의 일부분이 접힌 경우

원 모양의 종이를 오른쪽 그림과 같이 원주 위의 한 점 Q가 원의 중심 O에 겹치도록 접었다. $\overline{AB}=6\sqrt{3}$일 때, $\overline{AO}$의 길이를 구하여라.

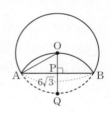

**19** 현의 길이

오른쪽 그림의 원 O에서 $\overline{OM}=\overline{ON}$이고 $\overline{AB}=12$ cm, $\angle A=50°$일 때, $\angle B$의 크기를 구하여라.

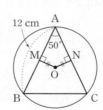

### 20 원의 접선과 반지름

오른쪽 그림에서 $\overline{PT}$, $\overline{PT'}$는 원 O의 접선이고 ∠TPT′=60°, $\overline{PT}=4\sqrt{3}$일 때, 다음 중 옳지 않은 것은?

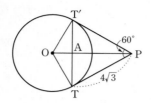

① ∠PTO=∠PT′O=90°
② ∠TOT′=120°
③ $\overline{OT}=\overline{OT'}=4$
④ ∠TT′P=∠T′TP
⑤ $\overline{AT'}=2$

### 21 원의 접선의 길이

오른쪽 그림에서 $\overline{PA}$, $\overline{PB}$는 원 O의 접선이고 두 점 A, B는 그 접점일 때, $\overline{PB}$의 길이를 구하여라.

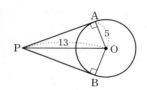

### 22 원의 접선의 활용

오른쪽 그림에서 $\overrightarrow{AD}$, $\overrightarrow{AE}$, $\overrightarrow{BC}$는 모두 원 O의 접선이다.
$\overline{AB}=12$, $\overline{BC}=11$, $\overline{CA}=14$일 때, $\overline{AE}$의 길이는?

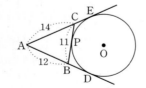

① 16.5 　　② 17
③ 17.5 　　④ 18
⑤ 18.5

### 23 반원에서 접선으로 이루어진 도형

오른쪽 그림에서 $\overline{AB}$는 반원 O의 지름이다. $\overline{AD}=4$ cm, $\overline{BC}=9$ cm일 때, $\overline{AB}$의 길이는?

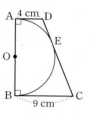

① 10 cm 　　② 11 cm
③ 12 cm 　　④ 13 cm
⑤ 14 cm

### 24 삼각형의 내접원

오른쪽 그림과 같이 △ABC의 내접원 O가 △ABC의 각 변과 세 점 D, E, F에서 각각 접할 때, △ABC의 넓이를 구하여라.

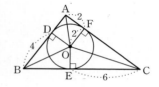

### 25 원에 외접하는 사각형의 성질

오른쪽 그림과 같이 원 O는 직사각형 ABCD의 세 변과 삼각형 ABE의 빗변에 접하고 있다.
$\overline{AB}=6$ cm, $\overline{AD}=8$ cm일 때, △ABE의 둘레의 길이는?

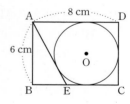

① 14 cm 　　② 15 cm 　　③ 16 cm
④ 17 cm 　　⑤ 18 cm

**01** 오른쪽 그림과 같은 직각삼각형 ABC에서 $\cos B$의 값은?

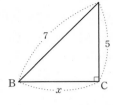

① $\dfrac{2\sqrt{6}}{7}$   ② $\dfrac{3\sqrt{2}}{7}$

③ $\dfrac{2\sqrt{6}}{5}$   ④ $\dfrac{3\sqrt{2}}{5}$

⑤ $\dfrac{5}{7}$

**02** 오른쪽 그림의 직각삼각형 ABC에서 $\tan A - \cos C$ 의 값은?

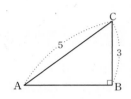

① $-\dfrac{1}{20}$   ② $-\dfrac{1}{12}$

③ $\dfrac{3}{20}$   ④ $\dfrac{8}{15}$

⑤ $\dfrac{25}{12}$

**03** 오른쪽 그림의 $\triangle ABC$에서 $\angle C = 90°$이고 $\overline{AD} = 17$, $\overline{BD} = 12$, $\overline{DC} = 8$일 때, $\sin B$의 값은?

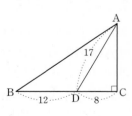

① $\dfrac{8}{17}$   ② $\dfrac{15}{17}$

③ $\dfrac{3}{5}$   ④ $\dfrac{5}{12}$

⑤ $\dfrac{17}{25}$

**04** $0° < A < 90°$이고 $3\sin A - 2 = 0$일 때, $\cos A \times \tan A$의 값은?

① $\dfrac{2}{5}$   ② $\dfrac{2}{3}$   ③ $\dfrac{4}{5}$

④ $\dfrac{5}{6}$   ⑤ $\dfrac{6}{5}$

**05** 오른쪽 그림과 같은 한 모서리의 길이가 5인 정육면체에서 $\overline{AG}$와 $\overline{EG}$가 이루는 각의 크기를 $x$라 할 때, $\sin x + \cos x$의 값은?

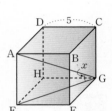

① $\sqrt{3} + \sqrt{6}$   ② $\sqrt{2} + \sqrt{3}$

③ $\dfrac{\sqrt{3} + \sqrt{6}}{3}$   ④ $\dfrac{\sqrt{2} + \sqrt{3}}{3}$

⑤ $\dfrac{\sqrt{3} + 1}{3}$

**06** 다음 ◀보기▶ 중 옳은 것을 모두 고른 것은?

┌─◀보기▶─────────────────────────┐
ㄱ. $\sin 45° \div \cos 45° = \tan 45°$

ㄴ. $\sin 30° + \cos 60° + \tan 30° \times \tan 60° = 2$

ㄷ. $(\cos 30° + \sin 30°) \times (\sin 60° - \cos 60°) = 1$
└──────────────────────────────┘

① ㄱ   ② ㄱ, ㄴ   ③ ㄱ, ㄷ

④ ㄴ, ㄷ   ⑤ ㄱ, ㄴ, ㄷ

**07** 오른쪽 그림과 같이 ∠B=90°인 직각삼각형 ABC에서 $\overline{AD}=\overline{CD}$, ∠BDC=30°이다. $\overline{BC}=2$일 때, tan 15°의 값은?

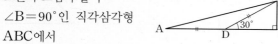

① $2-\sqrt{3}$    ② $2+\sqrt{3}$    ③ $4-2\sqrt{3}$
④ $2+2\sqrt{3}$    ⑤ $4+2\sqrt{3}$

**08** 오른쪽 그림과 같이 $x$절편이 $-\sqrt{3}$이고, $x$축의 양의 방향과 이루는 각의 크기가 30°인 직선의 방정식은?

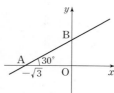

① $y=\dfrac{1}{2}x+1$    ② $y=\dfrac{\sqrt{3}}{3}x+1$

③ $y=\dfrac{\sqrt{3}}{3}x+\sqrt{3}$    ④ $y=\dfrac{1}{2}x+2$

⑤ $y=\sqrt{3}x+3$

**09** 오른쪽 그림과 같이 반지름의 길이가 1인 사분원에서 $4(\cos 32°+\tan 58°)$의 값을 구하면?

① 9.6    ② 9.8
③ 10    ④ 10.4
⑤ 10.6

**10** $x=65°$일 때, sin $x$, cos $x$, tan $x$의 대소 관계를 바르게 나타낸 것은?

① sin $x<$ cos $x<$ tan $x$
② cos $x<$ tan $x<$ sin $x$
③ cos $x<$ sin $x<$ tan $x$
④ tan $x<$ cos $x<$ sin $x$
⑤ tan $x<$ sin $x<$ cos $x$

**11** 다음 중 삼각비의 값이 두 번째로 작은 것은?

① sin 75°    ② tan 50°    ③ tan 70°
④ sin 45°    ⑤ cos 0°

**12** 오른쪽 그림의 직각삼각형 ABC에서 $\overline{AC}=12$, ∠A=53°일 때, $x+y$의 값은?
(단, sin 37°=0.60, tan 37°=0.75로 계산한다.)

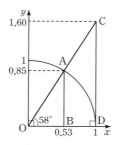

① 32    ② 36    ③ 40
④ 42    ⑤ 45

**13** 오른쪽 그림의 △ABC에서 $\overline{AB}=8$, $\overline{BC}=10$, ∠B=60°일 때, $\overline{AC}$의 길이를 구하여라.

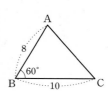

**14** 오른쪽 그림의 △ABC에서
∠B=60°, ∠C=45°,
$\overline{AC}=4\sqrt{6}$일 때, $\overline{BC}$의 길이는?

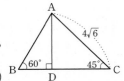

① $2(1+\sqrt{3})$  ② $2(\sqrt{3}-1)$

③ $4(\sqrt{3}-1)$  ④ $4(1+\sqrt{3})$

⑤ $4(\sqrt{3}-\sqrt{2})$

**15** 오른쪽 그림의 △CHA에서
$\overline{AB}=10$, ∠CAH=30°,
∠CBH=45°일 때, $x$의 값
은?

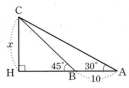

① 5  ② $5(\sqrt{3}-1)$

③ $5(\sqrt{3}+1)$  ④ $10(\sqrt{3}-1)$

⑤ $10(\sqrt{3}+1)$

**16** 오른쪽 그림에서 점 G가
△ABC의 무게중심이고
∠A=60°, $\overline{AB}=6$, $\overline{BC}=8$
일 때, △GAC의 넓이는?

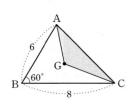

① 4  ② $4\sqrt{2}$

③ $4\sqrt{3}$  ④ 6

⑤ $8\sqrt{3}$

**17** 오른쪽 그림과 같은
□ABCD의 넓이를 구하여
라.

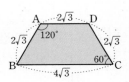

**18** 오른쪽 그림의 원 O에서 $x$의 값
은?

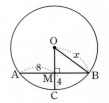

① $4\sqrt{3}$  ② 7

③ $6\sqrt{3}$  ④ 9

⑤ 10

**19** 오른쪽 그림의 원 O에서
$\overline{OM}=\overline{ON}$일 때, $\overline{AB}+\overline{CD}$의
길이는?

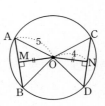

① 9  ② 10

③ 11  ④ 12

⑤ 13

**20** 오른쪽 그림에서 $\overline{AB}$는 반원 O의 지름이고 $\overline{AD}$, $\overline{BC}$, $\overline{CD}$는 반원 O의 접선이다. $\overline{AD}=12$, $\overline{CD}=20$일 때, 반원 O의 넓이는?

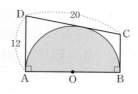

① $36\pi$    ② $40\pi$    ③ $42\pi$
④ $45\pi$    ⑤ $48\pi$

**21** 오른쪽 그림에서 원 O는 직각삼각형 ABC에 내접하고 세 점 D, E, F는 접점이다. $\overline{BD}=2$ cm, $\overline{DC}=3$ cm일 때, 원 O의 반지름의 길이는?

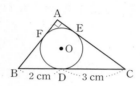

① 1 cm    ② 2 cm    ③ 3 cm
④ 4 cm    ⑤ 5 cm

**22** 오른쪽 그림과 같이 □ABCD가 원에 외접하고 $\angle ABC = \angle BAD = 90°$, $\overline{AB}=6$ cm, $\overline{CD}=9$ cm일 때, □ABCD의 넓이는?

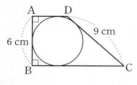

① 27 cm²    ② 32 cm²    ③ 40 cm²
④ 45 cm²    ⑤ 54 cm²

**23** 오른쪽 그림의 직각삼각형 ABC에서 $\cos x$의 값을 구하여라. [8점]

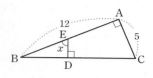

**24** 오른쪽 그림과 같이 정삼각형 3개가 겹쳐져 있다. △ABC의 한 변의 길이가 4일 때, △AFG의 넓이를 구하여라. [7점]

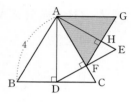

**25** 오른쪽 그림과 같이 원 O에 외접하는 사각형 ABCD의 네 접점 E, F, G, H 중 두 점 H, F가 원 O의 지름의 양 끝점이다. $\overline{CD}=7$ cm, $\overline{DH}=5$ cm일 때, 원 O의 넓이를 구하여라. [8점]

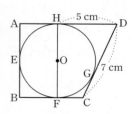

**01** 오른쪽 그림의 직각삼각형 ABC에서 $\sin x$의 값은?

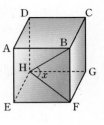

① $\dfrac{3}{5}$      ② $\dfrac{4}{5}$

③ $\dfrac{3}{4}$      ④ $\dfrac{5}{4}$

⑤ $\dfrac{4}{3}$

**02** $\angle B = 90°$인 $\triangle ABC$에서 $\sin A = \dfrac{\sqrt{5}}{3}$일 때, $\sin C$의 값은?

① $\dfrac{2}{3}$      ② $\dfrac{2\sqrt{5}}{5}$      ③ $\dfrac{\sqrt{5}}{3}$

④ $\dfrac{4}{5}$      ⑤ $\dfrac{\sqrt{70}}{14}$

**03** 오른쪽 직각삼각형 ABC에서 $\overline{AB}=5$, $\overline{BC}=4$일 때, $\cos x + \sin y$의 값은?

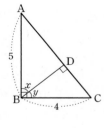

① $\dfrac{\sqrt{10}}{10}$      ② $\dfrac{4\sqrt{41}}{41}$

③ $\dfrac{3\sqrt{10}}{10}$      ④ $\dfrac{8\sqrt{41}}{41}$

⑤ $\dfrac{\sqrt{10}}{2}$

**04** 오른쪽 그림과 같은 정육면체에서 $\angle BHF = x$라 할 때, $\tan x$의 값은?

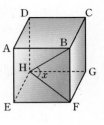

① $\dfrac{\sqrt{2}}{2}$      ② $\dfrac{\sqrt{3}}{3}$

③ $\dfrac{2}{3}$      ④ $\dfrac{\sqrt{6}}{3}$

⑤ $\dfrac{4}{3}$

**05** $\dfrac{1}{2}\tan 45° + 3\sqrt{2}\cos 45° - \sqrt{3}\sin 60°$를 계산하면?

① $\dfrac{2}{3}$      ② $\dfrac{2\sqrt{3}}{3}$      ③ 0

④ 2      ⑤ 3

**06** $\tan x = \sqrt{3}$일 때, $\cos(x-15°)$의 값은?

(단, $0° < x < 90°$)

① $\dfrac{1}{2}$      ② $\dfrac{\sqrt{2}}{2}$      ③ $\dfrac{\sqrt{3}}{2}$

④ $\dfrac{\sqrt{3}}{3}$      ⑤ 1

**07** 오른쪽 직각삼각형 ABC에서 $\overline{AB}=2\sqrt{2}$, $\overline{AC}=4$일 때, $x$의 크기는?

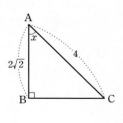

① 15°      ② 30°

③ 45°      ④ 60°

⑤ 75°

**08** 오른쪽 그림의 □ABCD에서 ∠B=∠D=90°, ∠DAC=45°, ∠ACB=60°, $\overline{AB}$=6일 때, $\overline{AD}$의 길이를 구하면?

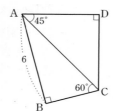

① $2\sqrt{6}$  ② $2\sqrt{10}$
③ $4\sqrt{3}$  ④ $2\sqrt{15}$
⑤ $6\sqrt{2}$

**09** 오른쪽 그림은 반지름의 길이가 1인 사분원이다. 삼각비의 값을 선분으로 나타낸 것 중 옳지 않은 것은?

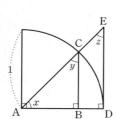

① $\sin x = \overline{BC}$
② $\cos y = \overline{BC}$
③ $\tan x = \overline{DE}$
④ $\sin z = \overline{AD}$
⑤ $\cos x = \overline{AB}$

**10** 오른쪽 그림의 직각삼각형 ABC에서 ∠B=51°, $\overline{BC}$=100일 때, $x$, $y$의 값을 각각 구하여라.
(단, $\sin 51°$=0.7771, $\cos 51°$=0.6293, $\tan 51°$=1.2349로 계산한다.)

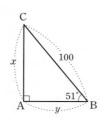

**11** 45°<$A$<90°일 때, $\sqrt{(\sqrt{2}\cos A-1)^2}+\sqrt{(\sqrt{2}\cos A+1)^2}$을 간단히 하면?

① $-2$  ② $2-\cos A$  ③ $0$
④ $2$  ⑤ $2\cos A-2$

**12** 오른쪽 그림의 △ABC에서 $\overline{AH}\perp\overline{BC}$이고 $\overline{BC}$=16, ∠B=45°, ∠C=30°일 때, $\overline{AH}$의 길이는?

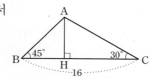

① $4(\sqrt{3}-1)$  ② $4(\sqrt{3}+1)$  ③ $8(\sqrt{3}-1)$
④ $8(\sqrt{3}+1)$  ⑤ $16(\sqrt{3}-1)$

**13** 오른쪽 그림과 같이 $\overline{AB}$=6, $\overline{BC}$=$5\sqrt{2}$, ∠B=45°인 △ABC의 넓이는?

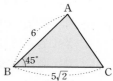

① 12  ② $12\sqrt{2}$
③ 15  ④ $15\sqrt{2}$
⑤ 18

**14** 오른쪽 그림의 평행사변형 ABCD의 넓이는?

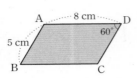

① 20 cm²

② 20√3 cm²

③ 32 cm²

④ 40 cm²

⑤ 40√3 cm²

**15** 오른쪽 그림은 원의 일부분이고 점 O는 원의 중심이다. 점 C는 $\overline{AB}$의 중점이고 $\overline{OC}\perp\overline{AB}$, $\overline{AB}$=8 cm, $\overline{CD}$=2 cm일 때, 이 원의 반지름의 길이는?

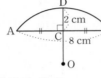

① 4 cm      ② 5 cm      ③ 6 cm

④ 7 cm      ⑤ 8 cm

**16** 오른쪽 그림과 같이 반지름의 길이가 12인 원 O의 원주 위의 한 점이 원의 중심 O에 겹치도록 접었을 때, $\overline{AB}$의 길이는?

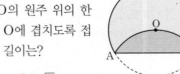

① 10      ② 6√2

③ 6√3      ④ 12

⑤ 12√3

**17** 오른쪽 그림과 같이 점 O를 중심으로 하고 반지름의 길이가 3√2, 5√2인 두 원이 있다. 큰 원의 현 AB가 작은 원에 접할 때, △OAB의 둘레의 길이를 구하여라.

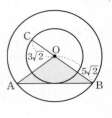

**18** 오른쪽 그림의 원 O에서 $\overline{OM}=\overline{ON}$이고 ∠A=30°일 때, ∠$x$의 크기는?

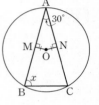

① 60°      ② 65°

③ 70°      ④ 75°

⑤ 80°

**19** 오른쪽 그림에서 $\overline{PA}$, $\overline{PB}$는 원 O의 접선이고 ∠APB=35°일 때, ∠AOB의 크기는?

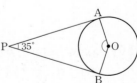

① 125°      ② 135°      ③ 145°

④ 155°      ⑤ 165°

**20** 오른쪽 그림에서 $\overline{PA}$, $\overline{PB}$ 는 원 O의 접선이고, $\overline{OA}=6$, ∠APB=60°일 때, 부채꼴 OAC의 넓이는? (단, 점 C는 $\overline{OP}$와 원 O의 교점이다.)

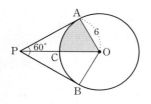

① 3π        ② 4π        ③ 5π
④ 6π        ⑤ 12π

**21** 오른쪽 그림에서 원 O는 △ABC의 내접원이고, 세 점 D, E, F는 그 접점이다. $\overline{AB}=14$, $\overline{BC}=16$, $\overline{CA}=8$일 때, $\overline{BD}$의 길이는?

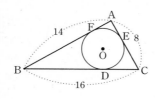

① 9        ② 9.5        ③ 10
④ 11        ⑤ 12

**22** 오른쪽 그림에서 원 O는 □ABCD에 내접하고 있다. $\overline{AB}=8$ cm, $\overline{BC}=13$ cm, $\overline{AD}=6$ cm일 때, $\overline{CD}$의 길이는?

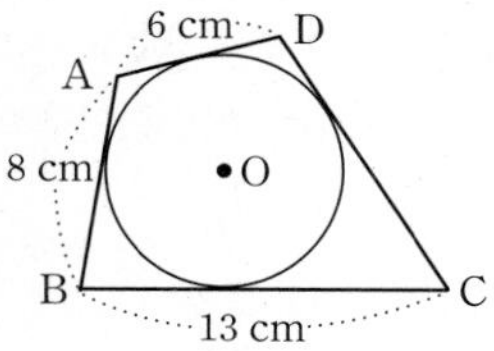

① 8 cm        ② 9 cm        ③ 10 cm
④ 11 cm        ⑤ 12 cm

**23** 오른쪽 그림의 △ABC에서 $\overline{AC}=4$, $\overline{BC}=5$, ∠C=60°일 때, $\overline{AB}$의 길이를 구하여라. [7점]

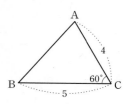

**24** 오른쪽 그림에서 $\overline{AB}=\overline{CD}=8$ cm, $\overline{BC}=15$ cm, ∠B=60°인 등변사다리꼴 ABCD의 넓이를 구하여라. [8점]

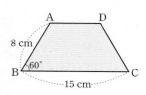

**25** 오른쪽 그림의 원 O에서 $\overrightarrow{AS}$, $\overrightarrow{AT}$, $\overline{BC}$가 원 O의 접선일 때, △ABC의 둘레의 길이를 구하여라. [8점]

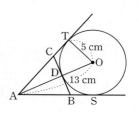

**01** 오른쪽 그림과 같은 직각삼각형 ABC에서 $\cos B$의 값을 구하면?

① $\dfrac{1}{4}$　　② $\dfrac{\sqrt{3}}{4}$

③ $\dfrac{2\sqrt{5}}{5}$　　④ $\dfrac{1}{3}$

⑤ $\dfrac{\sqrt{3}}{3}$

**02** 오른쪽 그림의 △ABC에서 $\overline{AB}=\overline{AC}=9$, $\overline{BC}=6$일 때, $\sin B$의 값은?

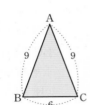

① $\dfrac{\sqrt{2}}{2}$　　② $\dfrac{\sqrt{2}}{3}$

③ $\dfrac{\sqrt{3}}{3}$　　④ $\dfrac{2\sqrt{2}}{3}$

⑤ $\sqrt{3}$

**03** 오른쪽 그림과 같이 $\angle BAC=90°$인 직각삼각형 ABC에서 $\overline{AD}\perp\overline{BC}$이다. $\angle BAD=x$, $\angle CAD=y$일 때, $\sin x+\cos y$의 값을 구하여라.

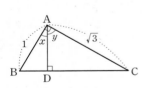

**04** 일차방정식 $\dfrac{x}{\sin 30°}+\dfrac{y}{\cos 30°}=\tan 45°$의 그래프와 $x$축, $y$축으로 둘러싸인 삼각형의 넓이는?

① $\dfrac{\sqrt{3}}{4}$　　② $\dfrac{\sqrt{3}}{8}$　　③ $\dfrac{\sqrt{2}}{5}$

④ $\dfrac{\sqrt{2}}{10}$　　⑤ $\dfrac{\sqrt{5}}{6}$

**05** 일차함수 $6x-3y=-12$의 그래프와 $x$축의 양의 방향이 이루는 각의 크기를 $\alpha$라 할 때, $\sin\alpha+\cos\alpha$의 값은?

① $\dfrac{\sqrt{5}}{5}$　　② $\dfrac{2\sqrt{5}}{5}$　　③ $\dfrac{3\sqrt{5}}{5}$

④ $\dfrac{4\sqrt{5}}{5}$　　⑤ $\sqrt{5}$

**06** 오른쪽 그림과 같이 정사각뿔에서 $\overline{CD}=\overline{DE}=4\text{ cm}$, $\overline{AE}=5\text{ cm}$이고 $\angle AEC=x$일 때, $\tan x$의 값은?

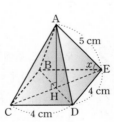

① $\dfrac{\sqrt{3}}{3}$　　② $\dfrac{\sqrt{17}}{2}$

③ $\dfrac{\sqrt{34}}{4}$　　④ $1$

⑤ $\sqrt{3}$

**07** 오른쪽 그림에서
∠ACB＝90°, ∠A＝45°,
∠BDC＝60°, $\overline{AB}$＝10일 때,
$\overline{CD}$의 길이를 구하여라.

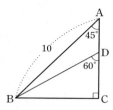

**08** 오른쪽 그림을 이용하여
10 tan 50°의 값을 구하여
라.

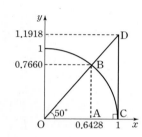

**09** 다음 식의 값은?

$$\sin 90° \times \cos 0° + \tan 0° \times \sin 30° - \cos 60°$$

① $-1$      ② $-\dfrac{1}{2}$      ③ $\dfrac{1}{2}$

④ $1$      ⑤ $2$

**10** 다음 중 삼각비의 값에 대한 설명으로 옳지 <u>않은</u> 것은?

① $0° \leq x \leq 90°$일 때, $0 \leq \sin x \leq 1$

② $\cos 0° = \tan 45° = \sin 90°$

③ $0° \leq x < 45°$일 때, $\sin x > \cos x$

④ $\cos 30° > \cos 50°$

⑤ $0° \leq x < 90°$일 때, $x$의 크기가 증가하면 $\tan x$의
값은 커진다.

**11** 아래의 삼각비의 표에 대하여 다음 중 옳지 <u>않은</u> 것은?

| 각도 | 사인(sin) | 코사인(cos) | 탄젠트(tan) |
|------|-----------|-------------|-------------|
| 11° | 0.1908 | 0.9816 | 0.1944 |
| 14° | 0.2419 | 0.9703 | 0.2493 |
| 44° | 0.6947 | 0.7193 | 0.9657 |

① $\sin 14° = 0.2419$

② $\tan 44° = 0.9657$

③ $\cos 11° = 0.9816$

④ $\cos x = 0.7193$일 때, $x = 14°$

⑤ $\tan x = 0.1944$일 때, $x = 11°$

**12** 오른쪽 그림과 같이 길이가
40 m인 실을 팽팽하게 풀
어 연을 띄우고 난 후 연을
올려다 본 각의 크기가 28°
이었다. 사람의 눈높이가
1.4 m일 때, 지면에서 연까지의 높이는?
(단, $\sin 28° = 0.47$, $\cos 28° = 0.88$로 계산한다.)

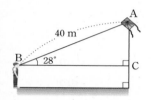

① 19.8 m      ② 20.2 m      ③ 20.6 m

④ 20.8 m      ⑤ 21.2 m

**13** 호수의 폭 $\overline{AB}$를 구하기 위하
여 오른쪽 그림과 같이 호수의
바깥쪽에 점 C를 정하고, 필요
한 부분을 측량하였더니
$\overline{AC} = 10$ m, ∠BAC＝75°,
∠ABC＝45°이었다. 이때
호수의 폭 $\overline{AB}$의 길이는?

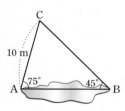

① $5\sqrt{3}$ m      ② $5\sqrt{6}$ m      ③ $(\sqrt{3} + \sqrt{6})$ m

④ $10\sqrt{3}$ m      ⑤ $10\sqrt{6}$ m

**14** 오른쪽 그림에서
$\overline{AH} \perp \overline{BC}$이고 $\overline{BC}=6$,
$\angle B=45°$, $\angle C=60°$일
때, $\overline{AH}$의 길이를 구하여라.

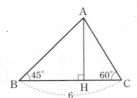

**15** 다음 그림의 △ABC에서 $\overline{BC}=8$ cm, $\angle ABC=150°$
이고 넓이가 $10$ cm²일 때, $x$의 값은?

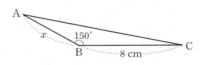

① 4 cm     ② 5 cm     ③ 6 cm
④ 7 cm     ⑤ 8 cm

**16** 오른쪽 그림의 □ABCD
에서 $\overline{AC}=14$, $\overline{BD}=16$,
$\angle DOC=45°$일 때,
□ABCD의 넓이는?

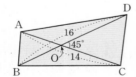

① $14\sqrt{2}$     ② $28\sqrt{2}$
③ $28\sqrt{3}$     ④ $56\sqrt{2}$
⑤ $56\sqrt{3}$

**17** 오른쪽 그림의 원 O에서
$\overline{OH} \perp \overline{AB}$이고 $\overline{OA}=9$,
$\overline{AB}=14$일 때, $\overline{OH}$의 길이는?

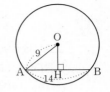

① $3\sqrt{2}$     ② 5
③ $4\sqrt{2}$     ④ 6
⑤ $\sqrt{42}$

**18** 오른쪽 그림의 원 O에서
$\overline{AB} \perp \overline{OM}$, $\overline{CD} \perp \overline{ON}$이다.
$\overline{CD}=10$, $\overline{AM}=5$, $\overline{OC}=7$일
때, $\overline{OM}$의 길이는?

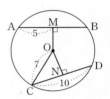

① $2\sqrt{6}$     ② $2\sqrt{7}$
③ $2\sqrt{10}$     ④ $2\sqrt{11}$
⑤ $2\sqrt{13}$

**19** 오른쪽 그림에서 $\overline{PA}$, $\overline{PB}$는
원 O의 접선이고
$\overline{PA}=7$ cm, $\angle APB=60°$
일 때, $\overline{AB}$의 길이를 구하여라.

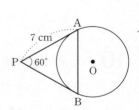

**20** 오른쪽 그림에서 $\overline{PA}$, $\overline{PB}$는 원 O의 접선이고 $\overline{OP}=13$, $\overline{OA}=5$일 때, △PBO의 넓이는?

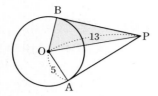

① 20      ② 26
③ 30      ④ 40
⑤ 52

**21** 오른쪽 그림과 같이 원 O가 △ABC에 내접한다. $\overline{PQ}$가 원 O에 접할 때, △BQP의 둘레의 길이는?

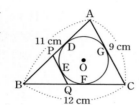

① 8 cm      ② 9 cm
③ 10 cm      ④ 12 cm
⑤ 14 cm

**22** 오른쪽 그림과 같이 □ABCD는 네 점 P, Q, R, S에서 원 O에 외접하고 $\overline{BC}=11$ cm, $\overline{CD}=10$ cm일 때, $\overline{AB}-\overline{AD}$의 길이는?

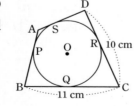

① 1 cm      ② 2 cm
③ 3 cm      ④ 4 cm
⑤ 5 cm

**23** 오른쪽 그림의 직각삼각형 ABC에서 $\overline{AC}=9$, $\sin A=\dfrac{2}{3}$일 때, $\tan C$의 값을 구하여라. [7점]

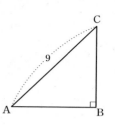

**24** 오른쪽 그림의 □ABCD에서 $\overline{AB}=\overline{BC}=3\sqrt{5}$, $\overline{CD}=3$, $\overline{AD}=3\sqrt{2}$이고 $\angle ABC=60°$, $\angle ADC=135°$일 때, □ABCD의 넓이를 구하여라. [8점]

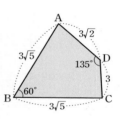

**25** 오른쪽 그림과 같이 중심이 점 O로 같은 두 원에서 작은 원에 접하는 큰 원의 현 AB의 길이가 16 cm일 때, 색칠한 부분의 넓이를 구하여라. [8점]

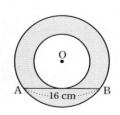

**01** 오른쪽 그림에서
$\overline{AG}=\overline{AB}=\overline{BC}=\overline{CD}$
$=\overline{DE}=\overline{EF}=1$이고
$\angle EGF=x$일 때,
$\cos x$의 값은?

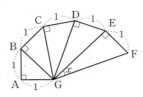

① $\dfrac{\sqrt{5}}{6}$   ② $\dfrac{2\sqrt{3}}{3}$   ③ $\dfrac{3\sqrt{2}}{3}$

④ $\dfrac{2\sqrt{6}}{3}$   ⑤ $\dfrac{\sqrt{30}}{6}$

**02** $\sin A=\dfrac{7}{25}$일 때, $\cos A$, $\tan A$의 값은?

(단, $0°<A<90°$)

① $\cos A=\dfrac{24}{25}$, $\tan A=\dfrac{7}{24}$

② $\cos A=\dfrac{24}{25}$, $\tan A=\dfrac{24}{7}$

③ $\cos A=\dfrac{14}{25}$, $\tan A=\dfrac{24}{25}$

④ $\cos A=\dfrac{18}{25}$, $\tan A=\dfrac{24}{25}$

⑤ $\cos A=\dfrac{7}{24}$, $\tan A=\dfrac{25}{7}$

**03** 오른쪽 그림의 직각삼각형
ABC에서 $5(\sin x+\cos y)$의
값을 구하여라.

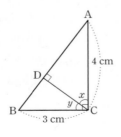

**04** 오른쪽 그림에서
$\angle CAB=\angle ABD=90°$,
$\angle ACB=60°$,
$\angle ADB=45°$, $\overline{AC}=2\sqrt{3}$일
때, $\overline{AD}$의 길이는?

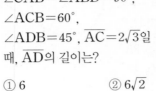

① 6   ② $6\sqrt{2}$

③ $6\sqrt{3}$   ④ 12

⑤ $12\sqrt{3}$

**05** 오른쪽 그림의 직육면체에서
$\overline{AB}=2$, $\overline{DH}=4$, $\overline{AG}=3\sqrt{5}$
이고 $\angle AGE=x$일 때,
$\cos x÷\sin x$의 값을 구하여라.

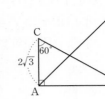

**06** 오른쪽 그림에서 부채꼴 EOD
는 반지름의 길이가 1인 사분원
이다. 다음 삼각비의 값을 선분
으로 나타낸 것 중 옳지 <u>않은</u> 것
은?

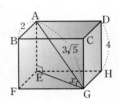

① $\sin x=\overline{AB}$   ② $\cos x=\overline{OB}$

③ $\sin y=\overline{OB}$   ④ $\cos y=\overline{OD}$

⑤ $\tan x=\overline{CD}$

**07** 다음 삼각비의 값을 큰 것부터 차례로 나열하여라.

| | | |
|---|---|---|
| ㄱ. $\sin 45°$ | ㄴ. $\cos 0°$ | ㄷ. $\cos 30°$ |
| ㄹ. $\sin 30°$ | ㅁ. $\tan 60°$ | |

**08** $0° < A < 90°$이고 $\sin A = \dfrac{1}{2}$일 때,

$\sqrt{(\cos A + 1)^2} - \sqrt{(\cos A - 1)^2}$의 값은?

① 0      ② $\dfrac{\sqrt{3}}{2}$      ③ 1

④ $\sqrt{3}$      ⑤ 2

**09** 오른쪽 그림과 같이 실의 길이를 100 m 풀어 연을 띄운 후 연을 올려다 본 각의 크기가 25°이었다. 사람의 눈높이가 1.6 m일 때, 지면에서 연까지의 높이는? (단, $\sin 25° = 0.42$, $\cos 25° = 0.91$, $\tan 25° = 0.47$로 계산한다.)

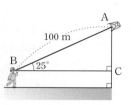

① 39 m      ② 40.2 m      ③ 41.4 m

④ 43.6 m      ⑤ 45.8 m

**10** 오른쪽 그림의 직각삼각형 ABC에서 $\overline{AB} = 20$, $\angle B = 55°$일 때, $\triangle ABC$의 둘레의 길이를 구하면? (단, $\sin 35° = 0.57$, $\cos 35° = 0.82$로 계산한다.)

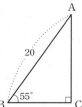

① 46      ② 47

③ 47.8      ④ 48

⑤ 48.4

**11** 오른쪽 그림에서 $\overline{AB} = 10$, $\overline{BC} = 10$, $\overline{AC} = 10\sqrt{3}$일 때, $\angle B$의 크기는?

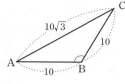

① 105°      ② 115°      ③ 120°

④ 135°      ⑤ 150°

**12** 오른쪽 그림과 같이 지름의 길이가 8 cm인 원에 내접하는 정육각형의 넓이는?

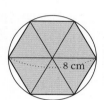

① $6\sqrt{3}$ cm$^2$      ② 12 cm$^2$

③ $12\sqrt{3}$ cm$^2$      ④ 24 cm$^2$

⑤ $24\sqrt{3}$ cm$^2$

**13** 오른쪽 그림의 □ABCD에서 넓이가 $30\sqrt{2}$ cm$^2$일 때, $x$의 값은?

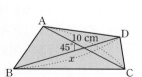

① 11 cm      ② 12 cm

③ 13 cm      ④ 14 cm

⑤ 15 cm

**14** 오른쪽 그림에서 □ABCD의 넓이는?

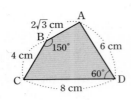

① 12 cm²　　② 10√3 cm²

③ 12√2 cm²　　④ 14√2 cm²

⑤ 14√3 cm²

**15** 오른쪽 그림과 같이 중심이 같은 두 원의 반지름의 길이가 각각 8, 4이다. 작은 원의 접선이 큰 원과 만나는 두 점을 각각 A, B라 할 때, $\overline{AB}$ 의 길이는?

① 4√3　　② 5√3　　③ 6√3

④ 7√3　　⑤ 8√3

**16** 수박을 자른 다음 다시 그 윗부분의 한 가운데를 자른 단면도가 오른쪽 아래 그림과 같을 때, 수박의 반지름의 길이는? (단, 수박의 모양은 구이다.)

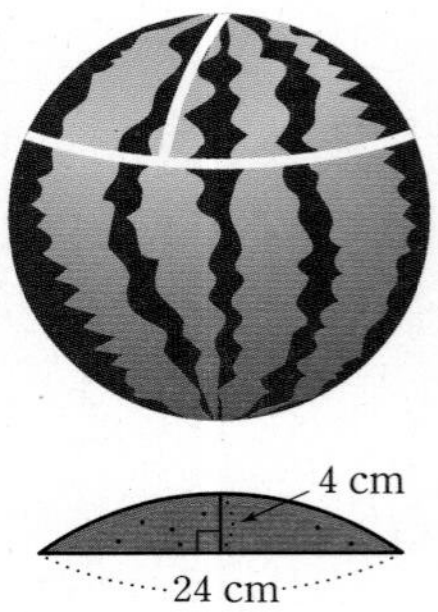

① 12 cm　　② 14 cm

③ 15 cm　　④ 20 cm

⑤ 24 cm

**17** 오른쪽 그림의 원 O에서 $\overline{AB} /\!/ \overline{CD}$이고 $\overline{BC}$는 지름이다. $\overline{OB}=6\sqrt{2}$, $\overline{AB}=\overline{CD}=12$일 때, 두 현 AB, CD 사이의 거리는?

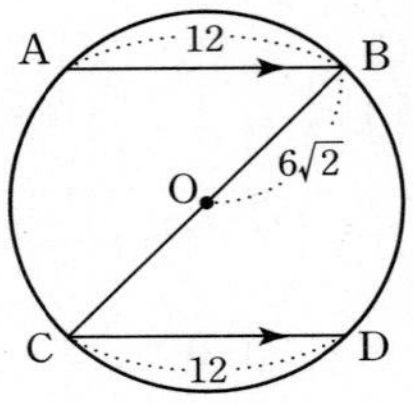

① 11　　　② 12

③ 13　　　④ 14

⑤ 15

**18** 오른쪽 그림에서 $\overline{OD}=\overline{OE}=\overline{OF}$이고 $\overline{AB}=6$일 때, 원 O의 넓이는?

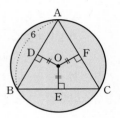

① 6π　　② 9π

③ 12π　　④ 15π

⑤ 18π

**19** 오른쪽 그림에서 $\overrightarrow{PA}$는 원 O의 접선이고 ∠APO=30°, $\overline{AO}=4$ cm 일 때, $\overarc{AB}$의 길이는?

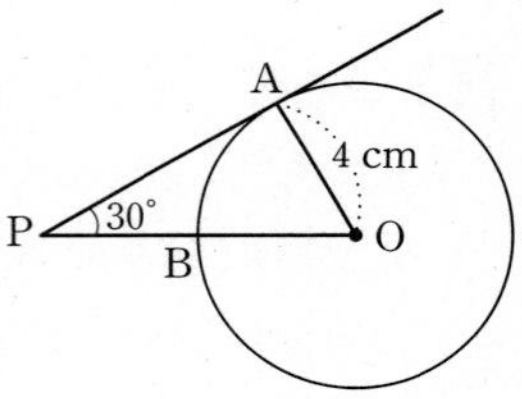

① $\frac{4}{3}\pi$ cm　　② $\frac{5}{3}\pi$ cm

③ 2π cm　　④ $\frac{7}{3}\pi$ cm

⑤ 3π cm

**20** 오른쪽 그림에서 점 D, E, F는 원 O의 접점이다. $\overline{AD}$=7 cm일 때, △ABC의 둘레의 길이는?

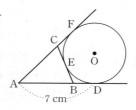

① 14 cm     ② 16 cm

③ 18 cm     ④ 20 cm

⑤ 21 cm

**21** 오른쪽 그림과 같이 원 O가 △ABC의 내접원이고 세 점 D, E, F가 접점일 때, $\overline{CF}$의 길이는?

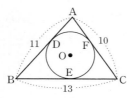

① 5     ② 5.5

③ 6     ④ 6.5

⑤ 7

**22** 오른쪽 그림에서 □ABCD는 한 변의 길이가 8 cm인 정사각형이다. $\overline{DE}$가 $\overline{BC}$를 지름으로 하는 반원 O에 접할 때, $\overline{DE}$의 길이는?

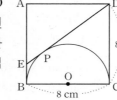

① 9 cm     ② 9.5 cm

③ 10 cm     ④ 10.5 cm

⑤ 11 cm

**23** 오른쪽 그림의 △ABC에서 ∠A=75°, ∠B=60°이고 $\overline{AC}$=$2\sqrt{2}$ cm일 때, △ABC의 둘레의 길이를 구하여라. [8점]

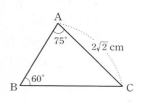

**24** 오른쪽 그림과 같이 반지름의 길이가 $4\sqrt{3}$ cm인 원 O의 원주 위의 한 점이 원의 중심 O에 겹쳐지도록 $\overline{AB}$를 접는 선으로 하여 접었을 때, 현 AB의 길이를 구하여라. [7점]

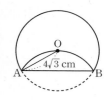

**25** 오른쪽 그림과 같이 $\overline{AB}$=6인 정사각형 ABCD 안에 $\overline{CD}$의 중점 M에서 반지름이 $\overline{AB}$인 사분원 A에 접선을 그었다. 이 때 접점을 E, 접선과 $\overline{BC}$의 교점을 N이라 할 때, $\overline{MN}$의 길이를 구하여라. [8점]

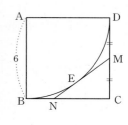

**01** 오른쪽 그림과 같은
직각삼각형 ABC에서
$\overline{AB}=10$ cm,
$\overline{AC}=26$ cm일 때,
$\sin A \times \tan C$의 값은?

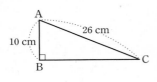

① $\dfrac{12}{13}$    ② $\dfrac{15}{13}$    ③ $\dfrac{13}{12}$

④ $\dfrac{7}{13}$    ⑤ $\dfrac{5}{13}$

**02** 오른쪽 직각삼각형 ABC에
서 $\cos C=\dfrac{4}{7}$, $\overline{AC}=16$이다.
$\sin B=\alpha$, $\cos B=\beta$일 때,
$\alpha^2+\beta^2$의 값은?

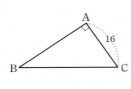

① $\dfrac{4}{7}$    ② $\dfrac{4\sqrt{2}}{7}$    ③ $\dfrac{\sqrt{33}}{7}$

④ $\dfrac{6}{7}$    ⑤ 1

**03** 일차방정식 $5x-12y+60=0$의 그래프가 $x$축과 이루
는 예각의 크기를 $a$라 할 때, $\cos a$의 값은?

① $\dfrac{1}{12}$    ② $\dfrac{1}{5}$    ③ $\dfrac{5}{12}$

④ $\dfrac{12}{13}$    ⑤ 1

**04** 오른쪽 그림과 같이 한 모서
리의 길이가 9인 정사면체에
서 $\overline{BC}$의 중점을 E라 하자.
$\angle AED=x$일 때,
$\cos x$의 값을 구하여라.

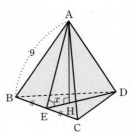

**05** 오른쪽 그림의 직각삼각형
ABC에서 $\angle B=30°$이고
$\overline{BD}=8$, $\angle BAD=\angle CAD$
일 때, $x$의 값은?

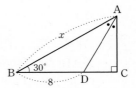

① 4    ② $4\sqrt{2}$

③ 8    ④ $8\sqrt{2}$

⑤ $8\sqrt{3}$

**06** 오른쪽 그림은 반지름의 길이가
1인 사분원이다.
$\angle AOB=50°$, $\angle OCD=40°$일
때, 점 A의 좌표인 것은?

① $(\sin 50°, \sin 40°)$
② $(\sin 50°, \cos 50°)$
③ $(\sin 40°, \sin 50°)$
④ $(\cos 40°, \sin 40°)$
⑤ $(\cos 40°, \tan 50°)$

**07** 다음 《보기》에서 삼각비의 값이 같은 것은 모두 몇 쌍인 지 구하여라.

《보기》

| ㄱ. tan 45° | ㄴ. cos 60° | ㄷ. sin 75° |
| ㄹ. cos 25° | ㅁ. cos 0° | ㅂ. sin 30° |

**08** 다음 삼각비의 값 중 그 값이 두 번째로 큰 것은?

① tan 0°　　② sin 20°　　③ cos 50°

④ sin 60°　　⑤ tan 45°

**09** 오른쪽 △ABC에서
$\overline{AB}=341$, $\overline{AC}=500$일 때,
삼각비의 표를 이용하여 $x$의
크기를 구하여라.

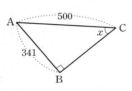

| 각도 | 사인(sin) | 코사인(cos) | 탄젠트(tan) |
|---|---|---|---|
| 42° | 0.6691 | 0.7431 | 0.9004 |
| 43° | 0.6820 | 0.7314 | 0.9325 |
| 44° | 0.6947 | 0.7193 | 0.9657 |
| 45° | 0.7071 | 0.7071 | 1.000 |

**10** 어느 건물로부터 50 m 떨어진
지점 A에서 건물 꼭대기인 C를
연결하였더니 ∠CAB=53°가
되었다. 이때 건물의 높이를 구
하여라. (단, tan 53°=1.3270,
cos 53°=0.6018로 계산한다.)

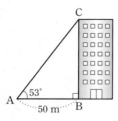

**11** 오른쪽 그림의 △ABC에서
∠B=60°, $\overline{AB}=10$,
$\overline{BC}=14$일 때, $\overline{AC}$의 길이를
구하여라.

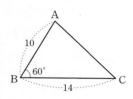

**12** 오른쪽 그림과 같이 C
지점과 D 지점에서 동
시에 올려다 본 각의 크
기가 각각 45°, 30°이었
다. 이때 나무의 높이를
구하면?

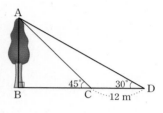

① $6(\sqrt{2}+\sqrt{3})$ m　　② $6(3+\sqrt{3})$ m
③ $6(3-\sqrt{3})$ m　　④ $6(2-\sqrt{3})$ m
⑤ $6(1+\sqrt{3})$ m

**13** 오른쪽 그림과 같은 직사각형
ABCD의 $\overline{AD}$ 위에
$2\overline{AE}=\overline{AD}$인 직각삼각형
ADE를 그릴 때, △CDE의
넓이는?

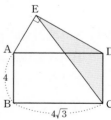

① $3\sqrt{3}$　　② $4\sqrt{3}$
③ $6\sqrt{2}$　　④ $6\sqrt{3}$
⑤ $12\sqrt{3}$

**14** 오른쪽 그림과 같이 평행
사변형 ABCD에서 두 대
각선의 교점을 P라 하자.
$\overline{AB}=8$, $\overline{AD}=12$,
$\angle BCD=60°$일 때,
△APB의 넓이는?

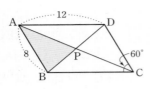

① 4      ② 6      ③ $6\sqrt{3}$

④ 12      ⑤ $12\sqrt{3}$

**15** 한 원에 대한 다음 설명 중 옳지 <u>않은</u> 것은?

① 크기가 같은 두 중심각에 대한 호의 길이는 같다.
② 중심에서 같은 거리에 있는 현의 길이는 같다.
③ 길이가 같은 두 현에 대한 중심각의 크기는 같다.
④ 현의 수직이등분선은 그 원의 중심을 지난다.
⑤ 현의 길이는 중심각의 크기에 비례한다.

**16** 오른쪽 그림의 원 O에서
$\overline{BM}=6$, $\overline{CM}=2$일 때,
$x$의 값은?

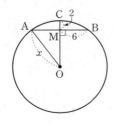

① 9      ② 10
③ 11      ④ 12
⑤ 15

**17** 오른쪽 그림에서 $\overline{OM}=\overline{ON}$이
고 $\overline{AB}=10$ cm, $\overline{ON}=4$ cm
일 때, $\overline{DN}$의 길이는?

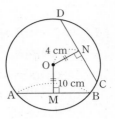

① 3 cm      ② 4 cm
③ 5 cm      ④ 5.5 cm
⑤ 6 cm

**18** 오른쪽 그림에서 $\overline{PA}$,
$\overline{PB}$는 원 O의 접선이고,
$\overline{PA}=7$, $\angle APB=40°$
일 때, $x+y$의 값은?

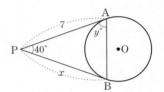

① 70      ② 73
③ 75      ④ 77
⑤ 80

**19** 오른쪽 그림과 같이 원 모양의 종
이를 원주 위의 한 점이 원의 중
심 O에 겹쳐지도록 접었다.
$\overline{AB}\perp\overline{OM}$이고 $\overline{AM}=4\sqrt{3}$일 때,
△OAB의 넓이는?

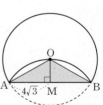

① $6\sqrt{2}$      ② 8      ③ $8\sqrt{3}$
④ $16\sqrt{3}$      ⑤ $16\sqrt{6}$

**20** 오른쪽 그림에서
$\overline{\text{PM}}=\overline{\text{OM}}=3$일 때,
점 P에서 원 O에 그은
접선의 길이는?

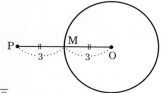

① $\sqrt{6}$      ② $2\sqrt{2}$

③ $2\sqrt{3}$      ④ $3\sqrt{3}$

⑤ $3\sqrt{6}$

**21** 오른쪽 그림에서 $\overrightarrow{\text{PX}}$, $\overrightarrow{\text{PY}}$는
점 X, Y를 각각 접점으로 하
는 원 O의 접선이고, 점 A,
B는 $\overset{\frown}{\text{XY}}$ 위의 점 C를 접점
으로 하는 원 O의 접선과
$\overrightarrow{\text{PX}}$, $\overrightarrow{\text{PY}}$와의 교점이다.
$\overline{\text{PA}}=7$ cm, $\overline{\text{PB}}=6$ cm, $\overline{\text{PX}}=10$ cm일 때, $\overline{\text{AB}}$의
길이를 구하여라.

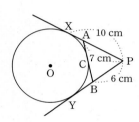

**22** 오른쪽 그림에서 □ABCD
는 원 O에 외접하고 점 E, F,
G, H는 접점이다.
$\overline{\text{AB}}=10$ cm, $\overline{\text{BC}}=12$ cm,
$\overline{\text{AH}}=2$ cm일 때,
□ABCD의 넓이는?

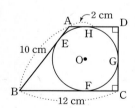

① 60 cm²      ② 64 cm²      ③ 72 cm²

④ 76 cm²      ⑤ 80 cm²

서술형 문제

**23** 이차방정식 $x^2-4x+3=0$의 근 중 작은 근이 $\tan A$,
이차방정식 $2x^2+3x-2=0$의 근 중 큰 근이 $\cos B$일
때, $\sin(2A-B)$의 값을 구하여라. (단, $\angle A$, $\angle B$는
예각이다.) [7점]

**24** 오른쪽 그림에서 $\overline{\text{PT}}$, $\overline{\text{PT}'}$
은 원 O의 접선이고,
$\overline{\text{OT}}=2\sqrt{3}$ cm,
$\angle \text{TPT}'=60°$일 때, 색칠
한 부분의 넓이를 구하여
라. [8점]

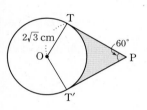

**25** 오른쪽 그림에서 원 O는 직각삼
각형 ABC의 내접원이고, 점 D,
E, F는 접점이다. $\overline{\text{BC}}=8$ cm,
$\overline{\text{AC}}=15$ cm일 때, 원 O의 원주
를 구하여라. [8점]

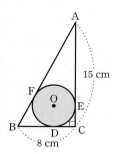

**01** 오른쪽 삼각형 ABC에서
점 M은 $\overline{AC}$의 중점이고,
$\angle MBC = \angle C$일 때,
$\cos C$의 값을 구하여라.

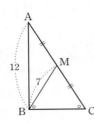

**02** 오른쪽 직각삼각형 ABC
에서 $\sin B = \dfrac{2}{3}$일 때,
$\cos A \times \tan A$의 값은?

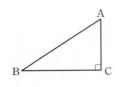

① $\dfrac{1}{3}$
② $\dfrac{\sqrt{2}}{3}$
③ $\dfrac{\sqrt{3}}{3}$

④ $\dfrac{\sqrt{5}}{3}$
⑤ $\sqrt{3}$

**03** 오른쪽 그림에서 $\overline{BD}$는 직사
각형 ABCD의 대각선이고
$\overline{AH} \perp \overline{BD}$이다.
$\angle DAH = x$라 할 때,
$\sin x - \cos x$의 값은?

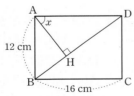
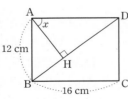

① $-\dfrac{1}{5}$
② $\dfrac{1}{5}$
③ $\dfrac{2}{5}$

④ $\dfrac{5}{12}$
⑤ $\dfrac{7}{12}$

**04** $\dfrac{\sqrt{3}\sin 30° \times \cos 45°}{\tan 60°} + \dfrac{\cos 30° \times \sin 45°}{\tan 30°}$의 값은?

① $\dfrac{1}{2}$
② $\dfrac{\sqrt{2}}{3}$
③ $\dfrac{\sqrt{2}}{2}$

④ $\dfrac{\sqrt{3}}{2}$
⑤ $\sqrt{2}$

**05** 오른쪽 그림에서 $a$의 크기와
$\sqrt{2}\sin a$의 값을 차례로 구
하여라.

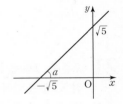

**06** 오른쪽 그림의 직각삼각형
ABC에서 $\overline{AC} = 20$,
$\sin x + \sin y = \dfrac{7}{5}$일 때,
$\overline{AB} + \overline{BC}$의 값은?

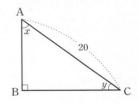

① 16
② 20
③ 24
④ 28
⑤ 32

**07** 오른쪽 그림과 같이 수직으로
서 있던 전신주가 폭풍에 의
해 부러져서 지면과 30°의 각
을 이루었을 때, 처음 전신주
의 높이를 구하여라.

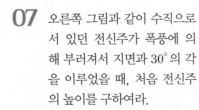

**08** 오른쪽 △ABC에서
∠A=105°, ∠C=45°일
때, $\dfrac{\overline{AC}}{\overline{AB}}$의 값은?

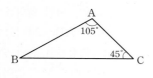

① $\dfrac{1}{2}$      ② $\dfrac{\sqrt{2}}{2}$      ③ $\dfrac{\sqrt{3}}{2}$

④ $\dfrac{\sqrt{3}}{3}$      ⑤ $\sqrt{3}$

**09** 오른쪽 그림에서
$\overline{AE}=\overline{DE}$, $\overline{BE}=\overline{CE}$이고,
$\overline{AB}=2\sqrt{6}$, $\overline{BC}=4\sqrt{6}$일
때, $x$의 크기는?

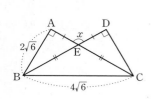

① 105°      ② 115°      ③ 120°

④ 135°      ⑤ 150°

**10** 오른쪽 그림의 직각삼각형
ABC에서 $x+y$의 값을 구
하여라. (단, cos 53°=0.60,
tan 53°=1.33으로 계산한
다.)

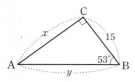

**11** 0°<$x$<90°일 때,
$\sqrt{(\sin x+\tan 45°)^2}-\sqrt{(\sin x-\tan 45°)^2}$
을 간단히 하면?

① $2-2\sin x$      ② $-2\sin x$      ③ $2$

④ $2\sin x$      ⑤ $2\sin x+2$

**12** 오른쪽 그림과 같이 실의 길
이가 8 cm인 추가 B 지점
에서 $\overline{OA}$와 45°의 각을 이
룰 때, 지면으로부터 B 지점
까지의 추의 높이는? (단, 추
의 크기는 고려하지 않는다.)

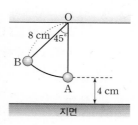

① $2(2-\sqrt{2})$ cm
② $2(3+\sqrt{2})$ cm
③ $4(3-\sqrt{2})$ cm
④ $4(4+\sqrt{2})$ cm
⑤ $8(2-\sqrt{2})$ cm

**13** 오른쪽 그림과 같은
△ABC에서
∠DAC=60°,
$\overline{AC}=6$이다. 이때
△ABC를 이용하여 tan 15°의 값을 구하여라.

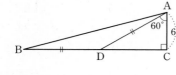

**14** 반지름의 길이가 4 cm인 원에 내접하는 정십이각형의 넓이는?

① 42 cm²     ② 45 cm²     ③ 48 cm²

④ 54 cm²     ⑤ 60 cm²

**15** 오른쪽 그림에서
□ABCD의 넓이가
30일 때, $x$의 값은?

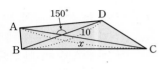

① 10     ② 12     ③ 14

④ 16     ⑤ 16

**16** 오른쪽 그림과 같이 반지름이
10인 원 O에서 $\overline{AB} /\!/ \overline{CD}$,
$\overline{AB} = \overline{CD} = 12$일 때,
△OCM의 넓이는?

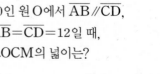

① 6     ② 8

③ 12     ④ 24

⑤ 30

**17** 오른쪽 그림은 반지름의
길이가 20인 원의 일부분
이다. $\overline{AB} = 24$이고 $\overline{CM}$
의 연장선이 원의 중심을
지날 때, $\overline{CM}$의 길이는?

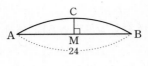

① 2     ② 3     ③ 4

④ 5     ⑤ 6

**18** 오른쪽 그림에서 ∠B=62°이고
△ABC의 외접원의 중심 O에서
두 변 AB와 AC에 이르는 거리
가 서로 같을 때, ∠A의 크기는?

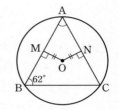

① 54°     ② 56°

③ 58°     ④ 62°

⑤ 64°

**19** 오른쪽 그림에서 점 D, E,
F는 원 O의 접점이다.
$\overline{AF} = 6$ cm, $\overline{OA} = 15$ cm
일 때, △ABC의 둘레의 길
이는?

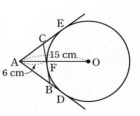

① 15 cm     ② 18 cm     ③ 20 cm

④ 24 cm     ⑤ 30 cm

**20** 오른쪽 그림과 같이 원 O와 △ABC의 접점이 각각 D, E, F이고, $\overline{AB}$=9 cm, $\overline{BC}$=10 cm, $\overline{CA}$=11 cm일 때, $\overline{AF}$의 길이는?

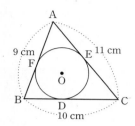

① 4 cm　　② 5 cm
③ 6 cm　　④ 7 cm
⑤ 8 cm

**21** 오른쪽 그림과 같이 거실의 모퉁이에 있는 직각삼각형 모양의 공간에 꼭 맞는 원형 화분을 놓으려고 할 때, 화분의 반지름의 길이는?

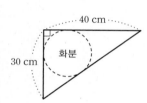

① 10 cm　　② 12 cm　　③ 14 cm
④ 16 cm　　⑤ 18 cm

**22** 가로, 세로의 길이가 각각 8 cm, 6 cm인 직사각형의 내부에 오른쪽 그림과 같이 두 원 O, O′이 접하고 있다. 점 P, Q가 두 원과 $\overline{AC}$의 접점일 때, $\overline{PQ}$의 길이를 구하여라.

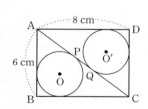

**23** 오른쪽 그림의 정사면체 A－BCD에서 $\overline{CM}=\overline{DM}$, $\overline{AD}$=12, ∠ABM=$x$일 때, tan $x$의 값을 구하여라. [8점]

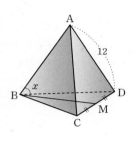

**24** 오른쪽 그림의 직각삼각형 ABC에서 ∠B와 ∠C의 크기의 비가 1 : 2일 때, △ABC의 둘레의 길이를 구하여라. [7점]

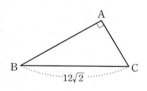

**25** 오른쪽 그림과 같이 원 O의 지름 AB의 양 끝점에서 그은 접선과 원 O 위의 한 점 P에서 그은 접선이 만나는 점을 각각 C, D라 하자. $\overline{AC}$=5 cm, $\overline{BD}$=7 cm일 때, $\overline{CD}$의 길이와 ∠COD의 크기를 차례로 구하여라. [8점]

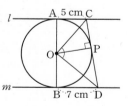

# 삼각비의 표

| 각도 | 사인 (sin) | 코사인 (cos) | 탄젠트 (tan) | 각도 | 사인 (sin) | 코사인 (cos) | 탄젠트 (tan) |
|---|---|---|---|---|---|---|---|
| 0° | 0.0000 | 1.0000 | 0.0000 | 45° | 0.7071 | 0.7071 | 1.0000 |
| 1° | 0.0175 | 0.9998 | 0.0175 | 46° | 0.7193 | 0.6947 | 1.0355 |
| 2° | 0.0349 | 0.9994 | 0.0349 | 47° | 0.7314 | 0.6820 | 1.0724 |
| 3° | 0.0523 | 0.9986 | 0.0524 | 48° | 0.7431 | 0.6691 | 1.1106 |
| 4° | 0.0698 | 0.9976 | 0.0699 | 49° | 0.7547 | 0.6561 | 1.1504 |
| 5° | 0.0872 | 0.9962 | 0.0875 | 50° | 0.7660 | 0.6428 | 1.1918 |
| 6° | 0.1045 | 0.9945 | 0.1051 | 51° | 0.7771 | 0.6293 | 1.2349 |
| 7° | 0.1219 | 0.9925 | 0.1228 | 52° | 0.7880 | 0.6157 | 1.2799 |
| 8° | 0.1392 | 0.9903 | 0.1405 | 53° | 0.7986 | 0.6018 | 1.3270 |
| 9° | 0.1564 | 0.9877 | 0.1584 | 54° | 0.8090 | 0.5878 | 1.3764 |
| 10° | 0.1736 | 0.9848 | 0.1763 | 55° | 0.8192 | 0.5736 | 1.4281 |
| 11° | 0.1908 | 0.9816 | 0.1944 | 56° | 0.8290 | 0.5592 | 1.4826 |
| 12° | 0.2079 | 0.9781 | 0.2126 | 57° | 0.8387 | 0.5446 | 1.5399 |
| 13° | 0.2250 | 0.9744 | 0.2309 | 58° | 0.8480 | 0.5299 | 1.6003 |
| 14° | 0.2419 | 0.9703 | 0.2493 | 59° | 0.8572 | 0.5150 | 1.6643 |
| 15° | 0.2588 | 0.9659 | 0.2679 | 60° | 0.8660 | 0.5000 | 1.7321 |
| 16° | 0.2756 | 0.9613 | 0.2867 | 61° | 0.8746 | 0.4848 | 1.8040 |
| 17° | 0.2924 | 0.9563 | 0.3057 | 62° | 0.8829 | 0.4695 | 1.8807 |
| 18° | 0.3090 | 0.9511 | 0.3249 | 63° | 0.8910 | 0.4540 | 1.9626 |
| 19° | 0.3256 | 0.9455 | 0.3443 | 64° | 0.8988 | 0.4384 | 2.0503 |
| 20° | 0.3420 | 0.9397 | 0.3640 | 65° | 0.9063 | 0.4226 | 2.1445 |
| 21° | 0.3584 | 0.9336 | 0.3839 | 66° | 0.9135 | 0.4067 | 2.2460 |
| 22° | 0.3746 | 0.9272 | 0.4040 | 67° | 0.9205 | 0.3907 | 2.3559 |
| 23° | 0.3907 | 0.9205 | 0.4245 | 68° | 0.9272 | 0.3746 | 2.4751 |
| 24° | 0.4067 | 0.9135 | 0.4452 | 69° | 0.9336 | 0.3584 | 2.6051 |
| 25° | 0.4226 | 0.9063 | 0.4663 | 70° | 0.9397 | 0.3420 | 2.7475 |
| 26° | 0.4384 | 0.8988 | 0.4877 | 71° | 0.9455 | 0.3256 | 2.9042 |
| 27° | 0.4540 | 0.8910 | 0.5095 | 72° | 0.9511 | 0.3090 | 3.0777 |
| 28° | 0.4695 | 0.8829 | 0.5317 | 73° | 0.9563 | 0.2924 | 3.2709 |
| 29° | 0.4848 | 0.8746 | 0.5543 | 74° | 0.9613 | 0.2756 | 3.4874 |
| 30° | 0.5000 | 0.8660 | 0.5774 | 75° | 0.9659 | 0.2588 | 3.7321 |
| 31° | 0.5150 | 0.8572 | 0.6009 | 76° | 0.9703 | 0.2419 | 4.0108 |
| 32° | 0.5299 | 0.8480 | 0.6249 | 77° | 0.9744 | 0.2250 | 4.3315 |
| 33° | 0.5446 | 0.8387 | 0.6494 | 78° | 0.9781 | 0.2079 | 4.7046 |
| 34° | 0.5592 | 0.8290 | 0.6745 | 79° | 0.9816 | 0.1908 | 5.1446 |
| 35° | 0.5736 | 0.8192 | 0.7002 | 80° | 0.9848 | 0.1736 | 5.6713 |
| 36° | 0.5878 | 0.8090 | 0.7265 | 81° | 0.9877 | 0.1564 | 6.3138 |
| 37° | 0.6018 | 0.7986 | 0.7536 | 82° | 0.9903 | 0.1392 | 7.1154 |
| 38° | 0.6157 | 0.7880 | 0.7813 | 83° | 0.9925 | 0.1219 | 8.1443 |
| 39° | 0.6293 | 0.7771 | 0.8098 | 84° | 0.9945 | 0.1045 | 9.5144 |
| 40° | 0.6428 | 0.7660 | 0.8391 | 85° | 0.9962 | 0.0872 | 11.4301 |
| 41° | 0.6561 | 0.7547 | 0.8693 | 86° | 0.9976 | 0.0698 | 14.3007 |
| 42° | 0.6691 | 0.7431 | 0.9004 | 87° | 0.9986 | 0.0523 | 19.0811 |
| 43° | 0.6820 | 0.7314 | 0.9325 | 88° | 0.9994 | 0.0349 | 28.6363 |
| 44° | 0.6947 | 0.7193 | 0.9657 | 89° | 0.9998 | 0.0175 | 57.2900 |
| 45° | 0.7071 | 0.7071 | 1.0000 | 90° | 1.0000 | 0.0000 |  |

중간고사대비

절대공부감각 내신업

www.왕수학.com

새로운 개정 교육과정 반영

BEST 유형 + BEST 기출 총망라

# 내신 UP

중학 수학 3·2

중간고사
정답 및 해설

(주)에듀왕
www.왕수학.com

중학 수학 **3**·2

정답 & 해설

# 1. 삼각비의 뜻과 값

## 시험에 나오는 핵심개념
6쪽~8쪽

**예제 1** 답 3
피타고라스 정리에 의하여
$x=\sqrt{5^2-4^2}=\sqrt{9}=3$

**예제 2** 답 $\dfrac{3}{5}, \dfrac{4}{5}, \dfrac{3}{4}$

**예제 3** 답 $\dfrac{\sqrt{3}+\sqrt{6}}{3}$
피타고라스 정리에 의하여
$\overline{AB}=\sqrt{6^2-(2\sqrt{6})^2}=\sqrt{12}=2\sqrt{3}$
△ABC∽△DBA(AA닮음)이므로
$\sin x=\sin C=\dfrac{2\sqrt{3}}{6}=\dfrac{\sqrt{3}}{3}$
$\cos x=\cos C=\dfrac{2\sqrt{6}}{6}=\dfrac{\sqrt{6}}{3}$
$\therefore \sin x+\cos x=\dfrac{\sqrt{3}+\sqrt{6}}{3}$

**예제 4** 답 $\dfrac{\sqrt{2}}{2}$
정육면체의 한 모서리의 길이를 $a$라 하면
$a\sqrt{3}=6$이므로 $a=2\sqrt{3}$
밑면의 대각선의 길이를 $l$이라 하면
$l=\sqrt{(2\sqrt{3})^2+(2\sqrt{3})^2}=2\sqrt{6}$
따라서 $\tan x=\dfrac{2\sqrt{3}}{2\sqrt{6}}=\dfrac{\sqrt{2}}{2}$

**예제 5** 답 (1) 1 (2) $\dfrac{\sqrt{3}}{2}$ (3) $\dfrac{\sqrt{3}}{2}$ (4) $\dfrac{\sqrt{6}}{2}$
(1) $\dfrac{1}{2}+\dfrac{1}{2}=1$
(2) $\sqrt{3}-\dfrac{\sqrt{3}}{2}=\dfrac{\sqrt{3}}{2}$
(3) $\dfrac{\sqrt{3}}{2}\times 1=\dfrac{\sqrt{3}}{2}$
(4) $\dfrac{\sqrt{2}}{2}\div\dfrac{\sqrt{3}}{3}=\dfrac{\sqrt{2}}{2}\times\dfrac{3}{\sqrt{3}}=\dfrac{\sqrt{6}}{2}$

**예제 6** 답 (1) 0.6428 (2) 0.7660 (3) 0.8391

**예제 7** 답 (1) 1 (2) 0 (3) 1 (4) 2
(1) $0+1=1$
(2) $0-0=0$
(3) $1\times 1=1$
(4) $1\div\dfrac{1}{2}=1\times 2=2$

**예제 8** 답 (1) < (2) > (3) > (4) >

**예제 9** 답 (1) 0.3584 (2) 0.9272 (3) 0.4245

---

## 유형 격파 ✚ 기출 문제
9쪽~23쪽

| | | | | | |
|---|---|---|---|---|---|
| 01 ④ | 02 ② | 03 ③ | 04 $\dfrac{3\sqrt{5}}{5}$ | 05 ④ | 06 ④ |
| 07 (1) $\dfrac{1}{4}$ (2) $\dfrac{\sqrt{15}}{4}$ (3) $\dfrac{\sqrt{15}}{15}$ | | | 08 ③ | 09 ⑤ | 10 ⑤ |
| 11 ③ | 12 ④ | 13 $\dfrac{\sqrt{5}}{2}$ | 14 $\overline{AC}=8, \overline{BC}=4\sqrt{3}$ | | |
| 15 ④ | 16 ③ | 17 ④ | 18 ② | 19 ② | |
| 20 $\cos A=\dfrac{3}{5}, \tan A=\dfrac{4}{3}$ | | 21 ④ | 22 $\dfrac{5}{6}$ | 23 1 | |
| 24 ② | 25 $\dfrac{\sqrt{6}}{6}$ | 26 ③ | 27 ① | 28 $\dfrac{5}{13}$ | 29 ② |
| 30 ④ | 31 $\dfrac{\sqrt{2}}{2}$ | 32 $\dfrac{2}{3}$ | 33 $\dfrac{3}{5}$ | 34 $\dfrac{10\sqrt{29}}{29}$ | 35 $\dfrac{a}{b}$ |
| 36 ⑤ | 37 ① | 38 $\sqrt{2}$ | 39 $\dfrac{1}{3}$ | 40 $\sqrt{2}$ | 41 ④ |
| 42 ③ | 43 ⑤ | 44 ① | 45 ③ | 46 ① | 47 ③ |
| 48 ① | 49 ⑤ | 50 ② | 51 ∠B=30° 또는 ∠B=60° | | |
| 52 $x=2\sqrt{3}, y=2$ | | 53 $x=3\sqrt{2}, y=3$ | | | |
| 54 $x=6\sqrt{3}, y=3\sqrt{3}$ | | 55 $x=3, y=\sqrt{3}$ | | 56 ① | 57 ③ |
| 58 ⑤ | 59 ③ | 60 $\sqrt{3}-1$ | 61 ④ | 62 ① | 63 ⑤ |
| 64 $2-\sqrt{3}$ | 65 2 | 66 $\dfrac{2}{3}$ | 67 $y=\dfrac{\sqrt{3}}{3}x+2\sqrt{3}$ | | 68 $\dfrac{8\sqrt{3}}{3}$ |
| 69 $-\dfrac{3}{4}$ | 70 (1) 0.4540 (2) 0.8910 (3) 0.5095 | | | | 71 ④ |
| 72 (1) $\overline{BC}$ (2) $\overline{DE}$ (3) $\overline{AB}$ (4) $\overline{BC}$ | | | | 73 ⑤ | 74 ② |
| 75 ㉠, ㉣, ㉯ | | 76 $\dfrac{3\sqrt{3}}{8}$ | 77 ② | 78 ① | 79 2쌍 |
| 80 $-\dfrac{\sqrt{3}}{2}$ | 81 ㄷ, ㄹ | 82 ④ | 83 ④ | 84 ③ | 85 ② |
| 86 ② | 87 ② | 88 1.1985 | 89 ② | 90 ① | 91 8.192 |
| 92 $\dfrac{25\sqrt{3}}{3}$ | 93 $\dfrac{1}{6}\pi-\dfrac{\sqrt{3}}{8}$ | | 94 18 | 95 2 | 96 2 |
| 97 $\tan A-\cos A$ | 98 $\dfrac{3}{2}$ | | | | |

**01** 피타고라스 정리에 의하여
$x^2=\sqrt{6^2+9^2}=\sqrt{117}=3\sqrt{13}$

**02** 피타고라스 정리에 의하여
$x=\sqrt{4^2-(\sqrt{7})^2}=\sqrt{9}=3$

**03** △BDC에서 $\overline{BC}=\sqrt{2^2+6^2}=2\sqrt{10}$
따라서 △ABC에서 $\overline{AC}=\sqrt{(2\sqrt{10})^2+3^2}=7$

**04** $\overline{CD}=x$라 하면 △ADC에서 $\overline{AC}=\sqrt{3^2-x^2}$ … ㉠
또, △ABC에서 $\overline{AC}=\sqrt{(2\sqrt{5})^2-(\sqrt{5}+x)^2}$ … ㉡
㉠, ㉡에 의하여 $\overline{AC}^2=3^2-x^2=(2\sqrt{5})^2-(\sqrt{5}+x)^2$
$9-x^2=20-5-2\sqrt{5}x-x^2, 2\sqrt{5}x=6$
$\therefore x=\dfrac{3}{\sqrt{5}}=\dfrac{3\sqrt{5}}{5}$

**05** $\overline{AC}=\sqrt{10^2-8^2}=6$
$\therefore \tan A=\dfrac{\overline{BC}}{\overline{AC}}=\dfrac{8}{6}=\dfrac{4}{3}$

**06** ④ $\dfrac{\overline{AC}}{\overline{BC}}=\dfrac{\overline{A'C'}}{\overline{B'C'}}=\tan B$라 한다.

**07** $\overline{AB}=\sqrt{4^2-1^2}=\sqrt{15}$

(1) $\sin A=\dfrac{\overline{BC}}{\overline{AC}}=\dfrac{1}{4}$

(2) $\cos A=\dfrac{\overline{AB}}{\overline{AC}}=\dfrac{\sqrt{15}}{4}$

(3) $\tan A=\dfrac{\overline{BC}}{\overline{AB}}=\dfrac{\sqrt{15}}{15}$

**08** $\overline{AC}=\sqrt{3^2-1^2}=2\sqrt{2}$

① $\sin A=\dfrac{1}{3}$ ② $\cos A=\dfrac{2\sqrt{2}}{3}$

③ $\tan A=\dfrac{1}{2\sqrt{2}}=\dfrac{\sqrt{2}}{4}$ ④ $\sin B=\dfrac{2\sqrt{2}}{3}$

⑤ $\cos B=\dfrac{1}{3}$

**09** $\overline{AB}=\sqrt{2^2+1^2}=\sqrt{5}\,(cm)$이므로

$\sin A=\dfrac{2}{\sqrt{5}}=\dfrac{2\sqrt{5}}{5},\ \cos B=\dfrac{2}{\sqrt{5}}=\dfrac{2\sqrt{5}}{5}$

$\therefore \sin A\times\cos B=\dfrac{2\sqrt{5}}{5}\times\dfrac{2\sqrt{5}}{5}=\dfrac{4}{5}$

**10** ③ $\tan A=\dfrac{a}{c},\ \dfrac{\sin A}{\cos A}=\dfrac{a}{b}\div\dfrac{c}{b}=\dfrac{a}{c}$

$\therefore \tan A=\dfrac{\sin A}{\cos A}$

⑤ $c=b\times\cos A$

**11** $\overline{AC}=b,\ \overline{BC}=a$라 하면

$\cos A=\dfrac{3}{b},\ \cos C=\dfrac{a}{b}$

$\cos A=2\cos C$에서 $\dfrac{3}{b}=\dfrac{2a}{b}$ $\therefore a=\dfrac{3}{2}$

$\therefore \overline{AC}=\sqrt{3^2+\left(\dfrac{3}{2}\right)^2}=\dfrac{3\sqrt{5}}{2}$

**12** 오른쪽 그림에서
$\triangle CPQ$는 이등변삼각형이고,
$\overline{HC}=\sqrt{3^2-2^2}=\sqrt{5}\,(cm)$,
$\overline{QH}=\overline{QC}-\overline{HC}=(3-\sqrt{5})\,(cm)$
따라서 $\triangle PQH$에서
$\tan x=\dfrac{2}{3-\sqrt{5}}=\dfrac{3+\sqrt{5}}{2}$

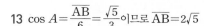

**13** $\cos A=\dfrac{\overline{AB}}{6}=\dfrac{\sqrt{5}}{3}$이므로 $\overline{AB}=2\sqrt{5}$

$\overline{BC}=\sqrt{6^2-(2\sqrt{5})^2}=4$

$\therefore \tan C=\dfrac{2\sqrt{5}}{4}=\dfrac{\sqrt{5}}{2}$

**14** $\cos A=\dfrac{4}{\overline{AC}}=\dfrac{1}{2}$이므로 $\overline{AC}=8$

$\therefore \overline{BC}=\sqrt{8^2-4^2}=4\sqrt{3}$

**15** $\sin A=\dfrac{\overline{BC}}{8}=\dfrac{3}{4}$이므로 $\overline{BC}=6$

$\therefore \overline{AB}=\sqrt{8^2-6^2}=2\sqrt{7}$

$\therefore \cos A=\dfrac{2\sqrt{7}}{8}=\dfrac{\sqrt{7}}{4}$

**16** $\sin A=\dfrac{9}{\overline{AC}}=\dfrac{3}{5}$이므로 $\overline{AC}=15$

$\therefore \overline{AB}=\sqrt{15^2-9^2}=12$

$\therefore \cos A-\tan A=\dfrac{12}{15}-\dfrac{9}{12}=\dfrac{4}{5}-\dfrac{3}{4}=\dfrac{1}{20}$

**17** $\overline{AC}=b,\ \overline{BC}=a$라 하면 $\sin A=\dfrac{a}{b}=\dfrac{\sqrt{5}}{3}$이므로 $a=\dfrac{\sqrt{5}}{3}b$

피타고라스 정리에 의하여 $4^2+a^2=b^2$

$b^2=16+\dfrac{5}{9}b^2,\ \dfrac{4}{9}b^2=16,\ b^2=36$

$\therefore b=6\,(\because b>0)$

$\therefore \overline{BC}=a=\dfrac{\sqrt{5}}{3}\times6=2\sqrt{5}$

**18** $\sin x=\dfrac{\overline{AD}}{5}=\dfrac{4}{5}$이므로 $\overline{AD}=4$

$\therefore \overline{BD}=\sqrt{5^2-4^2}=3$

따라서 $\overline{CD}=7-3=4,\ \overline{AC}=\sqrt{4^2+4^2}=4\sqrt{2}$이므로

$\cos y=\dfrac{4}{4\sqrt{2}}=\dfrac{\sqrt{2}}{2}$

**19** $\sin A=\dfrac{\overline{BC}}{2}$이므로 $\overline{BC}=2\sin A$

또, $\cos A=\dfrac{\overline{AB}}{2}$이므로 $\overline{AB}=2\cos A$

$\therefore \triangle ABC=\dfrac{1}{2}\times\overline{AB}\times\overline{BC}$

$=\dfrac{1}{2}\times2\cos A\times2\sin A$

$=2\sin A\cos A$

**20** 오른쪽 그림에서
$\overline{AB}=\sqrt{5^2-4^2}=3$이므로
$\cos A=\dfrac{3}{5},\ \tan A=\dfrac{4}{3}$

**21** 오른쪽 그림에서
$\overline{AC}=\sqrt{1^2+(\sqrt{2})^2}=\sqrt{3}$이므로
$\sin A=\dfrac{\sqrt{2}}{\sqrt{3}}=\dfrac{\sqrt{6}}{3}$

**22** $3\cos A-2=0$에서 $\cos A=\dfrac{2}{3}$

이를 만족하는 직각삼각형을 그리면
오른쪽 그림과 같다.

따라서 $\overline{BC}=\sqrt{3^2-2^2}=\sqrt{5}$이므로

$\sin A\times\tan A=\dfrac{\sqrt{5}}{3}\times\dfrac{\sqrt{5}}{2}=\dfrac{5}{6}$

**23** 오른쪽 그림에서
$\overline{AC}=\sqrt{2^2+(\sqrt{3})^2}=\sqrt{7}$이므로
$\sin A=\dfrac{\sqrt{3}}{\sqrt{7}}=\dfrac{\sqrt{21}}{7}$   $\therefore a=\dfrac{\sqrt{21}}{7}$
$\cos A=\dfrac{2}{\sqrt{7}}=\dfrac{2\sqrt{7}}{7}$   $\therefore b=\dfrac{2\sqrt{7}}{7}$
$\therefore a^2+b^2=\dfrac{21}{49}+\dfrac{28}{49}=1$

**24** 오른쪽 그림에서 $\overline{AC}=\sqrt{1^2+2^2}=\sqrt{5}$이므로
$\sin A+\cos A=\dfrac{2}{\sqrt{5}}+\dfrac{1}{\sqrt{5}}=\dfrac{3}{\sqrt{5}}$
$\sin A-\cos A=\dfrac{2}{\sqrt{5}}-\dfrac{1}{\sqrt{5}}=\dfrac{1}{\sqrt{5}}$
$\therefore \dfrac{\sin A+\cos A}{\sin A-\cos A}=\dfrac{3}{\sqrt{5}}\div\dfrac{1}{\sqrt{5}}=3$

**25** $\overline{AD}=3$, $\overline{DC}=\sqrt{5}$라 하면
$\overline{AC}=\sqrt{3^2-(\sqrt{5})^2}=2$
$\overline{AB}=\overline{AD}=3$이므로 $\overline{BC}=3+2=5$
$\triangle DBC$에서 $\overline{BD}=\sqrt{5^2+(\sqrt{5})^2}=\sqrt{30}$
따라서 $\angle a=\angle b+\angle b$, 즉 $\angle b=\dfrac{1}{2}\angle a$이므로
$\sin\dfrac{a}{2}=\sin b=\dfrac{\sqrt{5}}{\sqrt{30}}=\dfrac{\sqrt{6}}{6}$

**26** $\overline{BC}=\sqrt{8^2+6^2}=10(\text{cm})$
$\triangle HBA\circ\triangle ABC(\text{AA 닮음})$이므로 $\angle BAH=\angle BCA=x$
$\therefore \sin x=\sin C=\dfrac{8}{10}=\dfrac{4}{5}$

**27** $\triangle ABC\circ\triangle ADB\circ\triangle BDC(\text{AA 닮음})$이므로
$\angle A=\angle CBD$, $\angle C=\angle ABD$
① $\sin A=\dfrac{\overline{BC}}{\overline{AC}}=\dfrac{\overline{BD}}{\overline{AB}}=\dfrac{\overline{CD}}{\overline{BC}}$

**28** $\overline{BC}=\sqrt{13^2-5^2}=12(\text{cm})$
$\triangle DAC\circ\triangle DCB\circ\triangle CAB(\text{AA 닮음})$이므로
$\angle B=\angle ACD=x$, $\angle A=\angle DCB=y$
$\therefore \cos x=\cos B=\dfrac{12}{13}$, $\tan y=\tan A=\dfrac{12}{5}$
$\therefore \cos x\div\tan y=\dfrac{12}{13}\times\dfrac{5}{12}=\dfrac{5}{13}$

**29** $\overline{BD}=\sqrt{12^2+9^2}=15(\text{cm})$
$\triangle ABD\circ\triangle HAD(\text{AA 닮음})$이므로
$\angle ABD=\angle HAD=x$
$\therefore \sin x=\dfrac{12}{15}=\dfrac{4}{5}$, $\cos x=\dfrac{9}{15}=\dfrac{3}{5}$
$\therefore \sin x-\cos x=\dfrac{4}{5}-\dfrac{3}{5}=\dfrac{1}{5}$

**30** $\overline{BC}=\sqrt{7^2+24^2}=25$
$\triangle ABC\circ\triangle EDC(\text{AA 닮음})$이므로
$\angle B=\angle CDE=x$
$\therefore \cos x=\cos B=\dfrac{7}{25}$

**31** $x$절편이 $-3$, $y$절편이 $3$이므로
그래프는 오른쪽 그림과 같다.
따라서 직각삼각형의 빗변의 길이가
$\sqrt{3^2+3^2}=3\sqrt{2}$이므로
$\cos a=\dfrac{3}{3\sqrt{2}}=\dfrac{\sqrt{2}}{2}$

**32** $\tan a=\dfrac{\overline{BO}}{\overline{AO}}=(\text{기울기})=\dfrac{2}{3}$

**33** $x$절편이 $4$, $y$절편이 $3$이므로 그래프는
오른쪽 그림과 같다.
따라서 직각삼각형의 빗변의 길이가
$\sqrt{3^2+4^2}=5$이므로 $\sin a=\dfrac{3}{5}$

**34** $x$절편이 $-2$, $y$절편이 $5$이므로
그래프는 오른쪽 그림과 같다.
$\triangle AOB$에서 $\overline{AB}=\sqrt{2^2+5^2}=\sqrt{29}$이므로
$\sin A+\cos B=\dfrac{5}{\sqrt{29}}+\dfrac{5}{\sqrt{29}}$
$=\dfrac{10}{\sqrt{29}}=\dfrac{10\sqrt{29}}{29}$

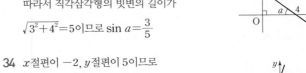

**35** $\triangle OAB\circ\triangle HAO\circ\triangle HOB$이므로 $a=\angle B$
$\triangle OAB$에서 $\overline{AB}=\sqrt{a^2+b^2}$
$\sin a=\sin B=\dfrac{\overline{OA}}{\overline{AB}}=\dfrac{a}{\sqrt{a^2+b^2}}$
$\cos a=\cos B=\dfrac{\overline{OB}}{\overline{AB}}=\dfrac{b}{\sqrt{a^2+b^2}}$
$\sin a\div\cos a=\dfrac{a}{\sqrt{a^2+b^2}}\times\dfrac{\sqrt{a^2+b^2}}{b}=\dfrac{a}{b}$

**36** $\triangle AEG$는 $\angle AEG=90°$인 직각삼각형이고,
$\overline{EG}=\sqrt{2}\times3=3\sqrt{2}$, $\overline{AG}=\sqrt{3}\times3=3\sqrt{3}$이므로
$\cos x=\dfrac{3\sqrt{2}}{3\sqrt{3}}=\dfrac{\sqrt{6}}{3}$

**37** $\triangle AEG$는 $\angle AEG=90°$인 직각삼각형이고
$\overline{EG}=\sqrt{4^2+3^2}=5$, $\overline{AG}=\sqrt{4^2+3^2+5^2}=5\sqrt{2}$이므로
$\sin x=\dfrac{5}{5\sqrt{2}}=\dfrac{\sqrt{2}}{2}$,
$\cos x=\dfrac{5}{5\sqrt{2}}=\dfrac{\sqrt{2}}{2}$
$\therefore \sin x+\cos x=\dfrac{\sqrt{2}}{2}+\dfrac{\sqrt{2}}{2}=\sqrt{2}$

**38** $\triangle CEG$는 직각삼각형이고
$\overline{EG}=\sqrt{2}\times10=10\sqrt{2}$, $\overline{EC}=\sqrt{3}\times10=10\sqrt{3}$이므로
$\sin x=\dfrac{\overline{CG}}{\overline{EC}}=\dfrac{10}{10\sqrt{3}}=\dfrac{\sqrt{3}}{3}$,
$\cos x=\dfrac{10\sqrt{2}}{10\sqrt{3}}=\dfrac{\sqrt{6}}{3}$
$\therefore \dfrac{\cos x}{\sin x}=\dfrac{\sqrt{6}}{3}\times\dfrac{3}{\sqrt{3}}=\sqrt{2}$

**39** 꼭짓점 A에서 밑면에 내린 수선의 발을 H 라 하면 점 H는 $\triangle$BCD의 무게중심이다. $\triangle$AEH는 $\angle$AHE$=90°$인 직각삼각형이고, $\overline{\text{AE}}:\overline{\text{EH}}=\overline{\text{DE}}:\overline{\text{EH}}=3:1$이므로

$$\cos x = \frac{\overline{\text{EH}}}{\overline{\text{AE}}}=\frac{1}{3}$$

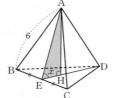

**참고** $\triangle$ABH, $\triangle$ACH, $\triangle$ADH에서
$\angle$AHB$=\angle$AHC$=\angle$AHD$=90°$
$\overline{\text{AB}}=\overline{\text{AC}}=\overline{\text{AD}}$, $\overline{\text{AH}}$는 공통이므로
$\triangle$ABH$\equiv\triangle$ACH$\equiv\triangle$ADH(RHS합동)
$\overline{\text{BH}}=\overline{\text{CH}}=\overline{\text{DH}}$이므로 점 H는 $\triangle$BCD의 외심이자 무게중심이다.

**40** 꼭짓점 O에서 밑면에 내린 수선의 발을 H라 하면 점 H는 $\triangle$ABC의 무게중심이다.

$\overline{\text{CM}}=\sqrt{a^2-\left(\frac{1}{2}a\right)^2}=\frac{\sqrt{3}}{2}a$이므로

$\overline{\text{CH}}=\frac{2}{3}\overline{\text{CM}}=\frac{\sqrt{3}}{3}a,$

$\triangle$OHC는 $\angle$OHC$=90°$인 직각삼각형이고

$\overline{\text{OH}}=\sqrt{a^2-\left(\frac{\sqrt{3}}{3}a\right)^2}=\frac{\sqrt{6}}{3}a$

$\therefore \tan x = \frac{\overline{\text{OH}}}{\overline{\text{CH}}}=\frac{\sqrt{6}}{3}a\div\frac{\sqrt{3}}{3}a=\frac{\sqrt{6}}{\sqrt{3}}=\sqrt{2}$

**41** ① $\frac{1}{2}+\frac{\sqrt{3}}{2}=\frac{1+\sqrt{3}}{2}$  ② $\frac{\sqrt{3}}{3}\times\frac{\sqrt{3}}{2}=\frac{1}{2}$

③ $\frac{\sqrt{2}}{2}\div\frac{\sqrt{2}}{2}=1$  ④ $\frac{\sqrt{3}}{2}\times\frac{1}{2}=\frac{\sqrt{3}}{4}$

⑤ $\sqrt{3}-\frac{\sqrt{2}}{2}$

**42** (주어진 식)$=\frac{\sqrt{3}}{2}\div\frac{\sqrt{3}}{2}-1\times\frac{1}{2}=\frac{1}{2}$

**43** $\frac{2\sqrt{2}\sin45°\times\cos60°}{\sqrt{3}\tan30°}=\left(2\sqrt{2}\times\frac{\sqrt{2}}{2}\times\frac{1}{2}\right)\div\left(\sqrt{3}\times\frac{\sqrt{3}}{3}\right)$
$=1\div1=1$

(주어진 식)$=\sqrt{3}\times\frac{\sqrt{3}}{2}+1=\frac{5}{2}$

**44** $\sin A=\sin60°=\frac{\sqrt{3}}{2}$, $\cos A=\cos60°=\frac{1}{2}$이므로

$\sin A+\cos A=\frac{\sqrt{3}+1}{2}$, $\sin A-\cos A=\frac{\sqrt{3}-1}{2}$,

(주어진 식)$=\frac{2}{\sqrt{3}+1}-\frac{2}{\sqrt{3}-1}$
$=(\sqrt{3}-1)-(\sqrt{3}+1)=-2$

**45** (직선 $l$의 기울기)$=\frac{\overline{\text{BO}}}{\overline{\text{AO}}}=\tan30°=\frac{\sqrt{3}}{3}$

**46** $A=180°\times\frac{1}{1+2+3}=30°$

$\therefore \sin A\times\cos A\times\tan A=\frac{1}{2}\times\frac{\sqrt{3}}{2}\times\frac{\sqrt{3}}{3}=\frac{1}{4}$

**47** $0°<2x-30°<90°$이고, $\tan60°=\sqrt{3}$이므로
$2x-30°=60°$  $\therefore x=45°$

$\therefore \sin x+\cos x=\frac{\sqrt{2}}{2}+\frac{\sqrt{2}}{2}=\sqrt{2}$

**48** $6\sin(2x-20°)=3$에서 $\sin(2x-20°)=\frac{1}{2}$이므로
$2x-20°=30°$  $\therefore x=25°$

**49** $\tan A=2\times\frac{\sqrt{3}}{2}=\sqrt{3}$이므로 $\tan A=\tan60°$

$\therefore \angle\text{A}=60°$

**50** (ⅰ) $x^2-3x+2=0$, $(x-1)(x-2)=0$  $\therefore x=1$ 또는 $x=2$
따라서 $\tan A=1$이므로 $\angle$A$=45°$

(ⅱ) $2x^2+x-1=0$, $(x+1)(2x-1)=0$  $\therefore x=-1$ 또는 $x=\frac{1}{2}$
따라서 $\sin B=\frac{1}{2}$이므로 $\angle$B$=30°$

(ⅲ) $\cos(2A-B)=\cos60°=\frac{1}{2}$

**51** $c^2=a^2+b^2\cdots$㉠, $\sqrt{3}c^2=4ab\cdots$㉡
㉠을 ㉡에 대입하면
$\sqrt{3}(a^2+b^2)=4ab$, $\sqrt{3}a^2+\sqrt{3}b^2-4ab=0$
$(\sqrt{3}a-b)(a-\sqrt{3}b)=0$
$\sqrt{3}a-b=0$ 또는 $a-\sqrt{3}b=0\cdots$㉢
$\tan B=\frac{b}{a}$이므로 여기에 ㉢을 대입하면

(ⅰ) $b=\sqrt{3}a$일 때, $\tan B=\frac{\sqrt{3}a}{a}=\sqrt{3}$  $\therefore \angle$B$=60°$

(ⅱ) $a=\sqrt{3}b$일 때, $\tan B=\frac{b}{\sqrt{3}b}=\frac{\sqrt{3}}{3}$  $\therefore \angle$B$=30°$

따라서 (ⅰ), (ⅱ)에 의하여 $\angle$B$=30°$ 또는 $\angle$B$=60°$

**52** $\cos30°=\frac{\sqrt{3}}{2}=\frac{x}{4}$이므로 $x=2\sqrt{3}$

$\sin30°=\frac{1}{2}=\frac{y}{4}$이므로 $y=2$

**53** $\cos45°=\frac{\sqrt{2}}{2}=\frac{3}{x}$이므로 $x=3\sqrt{2}$

$\tan45°=1=\frac{y}{3}$이므로 $y=3$

**54** $\sin60°=\frac{\sqrt{3}}{2}=\frac{9}{x}$이므로 $x=6\sqrt{3}$

$\cos60°=\frac{1}{2}=\frac{y}{x}=\frac{y}{6\sqrt{3}}$이므로 $y=3\sqrt{3}$

**55** $\sin45°=\frac{\sqrt{2}}{2}=\frac{x}{3\sqrt{2}}$이므로 $x=3$

$\tan60°=\sqrt{3}=\frac{x}{y}=\frac{3}{y}$이므로 $y=\sqrt{3}$

**56** $\tan60°=\sqrt{3}=\frac{\overline{\text{AB}}}{\sqrt{2}}$이므로 $\overline{\text{AB}}=\sqrt{6}$

따라서 $\sin45°=\frac{\sqrt{2}}{2}=\frac{\sqrt{6}}{\overline{\text{AD}}}$이므로 $\overline{\text{AD}}=2\sqrt{3}$

**57** $\angle C = 180° - (30° + 90°) = 60°$

① $\cos 30° = \dfrac{x}{a}$ 이므로 $x = a\cos 30°$

② $\sin 60° = \dfrac{x}{a}$ 이므로 $x = a\sin 60°$

③ $b\sin 30° = b \times \dfrac{b}{a} = \dfrac{b^2}{a}$

④ $\tan 60° = \dfrac{x}{b}$ 이므로 $x = b\tan 60°$

⑤ $\tan 30° = \dfrac{b}{x}$ 이므로 $x = \dfrac{b}{\tan 30°}$

**58** $\angle BAD = \angle CAD = \dfrac{1}{2}\angle A = 30°$

△DAB는 이등변삼각형이므로 $\overline{AD} = 4$

△ADC에서 $\sin 30° = \dfrac{1}{2} = \dfrac{\overline{DC}}{4}$ ∴ $\overline{DC} = 2$

△ABC에서 $\cos 30° = \dfrac{\sqrt{3}}{2} = \dfrac{4+2}{x}$ ∴ $x = 4\sqrt{3}$

**59** $\cos 45° = \dfrac{\sqrt{2}}{2} = \dfrac{\overline{BH}}{6}$ ∴ $\overline{BH} = 3\sqrt{2}$

△ABH는 직각이등변삼각형이므로 $\overline{AH} = \overline{BH} = 3\sqrt{2}$

△ACH에서 $\overline{CH} = \sqrt{(2\sqrt{5})^2 - (3\sqrt{2})^2} = \sqrt{2}$

∴ $\overline{BC} = \overline{BH} + \overline{CH} = 4\sqrt{2}$

**60** $\tan 30° = \dfrac{\sqrt{3}}{3} = \dfrac{\overline{AC}}{2\sqrt{3}}$ 이므로 $\overline{AC} = 2$

$\cos 30° = \dfrac{\sqrt{3}}{2} = \dfrac{2\sqrt{3}}{\overline{AB}}$ 이므로 $\overline{AB} = 4$

내접원 I의 반지름의 길이를 $r$이라 하면 △ABC의 넓이는

$\dfrac{r}{2} \times (4 + 2\sqrt{3} + 2) = \dfrac{1}{2} \times 2\sqrt{3} \times 2$

∴ $r = \dfrac{2\sqrt{3}}{3 + \sqrt{3}} = \sqrt{3} - 1$

**61** $\overline{AC}$를 그으면

△ABC에서 $\overline{AC} = \sqrt{10^2 + 10^2} = 10\sqrt{2}$

△ACD에서 $\cos 60° = \dfrac{1}{2} = \dfrac{\overline{AD}}{10\sqrt{2}}$

∴ $\overline{AD} = 5\sqrt{2}$

또, $\sin 60° = \dfrac{\sqrt{3}}{2} = \dfrac{\overline{CD}}{10\sqrt{2}}$ ∴ $\overline{CD} = 5\sqrt{6}$

따라서 □ABCD의 둘레의 길이는

$10 + 10 + 5\sqrt{6} + 5\sqrt{2} = 20 + 5(\sqrt{2} + \sqrt{6})$

**62** △ADC에서 $\cos 45° = \dfrac{\sqrt{2}}{2} = \dfrac{\overline{DC}}{2}$ ∴ $\overline{DC} = \sqrt{2}$

$\overline{AC} = \overline{DC} = \sqrt{2}$

△ABD에서 $\angle B = \angle DAB = \dfrac{1}{2} \times 45° = 22.5°$

∴ $\tan 22.5° = \tan B = \dfrac{\sqrt{2}}{2 + \sqrt{2}} = \sqrt{2} - 1$

**63** $\angle DAC = \dfrac{1}{2} \times (180° - 150°) = 15°$

△ABC에서 $\cos 60° = \dfrac{1}{2} = \dfrac{1}{\overline{AC}}$ ∴ $\overline{AC} = 2$, $\overline{DC} = 2$

---

$\tan 60° = \sqrt{3} = \dfrac{\overline{CB}}{1}$ ∴ $\overline{CB} = \sqrt{3}$

∴ $\tan 75° = \tan A = 2 + \sqrt{3}$

**64** △ADC에서 $\sin 30° = \dfrac{1}{2} = \dfrac{5}{\overline{AD}}$ ∴ $\overline{AD} = 10$

$\tan 60° = \sqrt{3} = \dfrac{\overline{CD}}{5}$ ∴ $\overline{CD} = 5\sqrt{3}$

$\angle BAD = \angle ADC - \angle ABD = 30° - 15° = 15°$ 이므로

△ABD는 이등변삼각형이고 $\overline{BD} = \overline{AD} = 10$

∴ $\tan 15° = \dfrac{\overline{AC}}{\overline{BC}} = \dfrac{5}{10 + 5\sqrt{3}} = \dfrac{5}{5(2 + \sqrt{3})} = 2 - \sqrt{3}$

**65** $\tan a$의 값은 주어진 일차함수의 그래프의 기울기와 같으므로

$\tan a = 2$

**66** $y = \dfrac{2}{3}x + \dfrac{4}{3}$ 이므로 $\tan a = \dfrac{2}{3}$

**67** (직선의 기울기)$= \tan 30° = \dfrac{\sqrt{3}}{3}$ 이므로

직선의 방정식을 $y = \dfrac{\sqrt{3}}{3}x + b$로 놓고,

$x = -6$, $y = 0$을 대입하면 $b = 2\sqrt{3}$

따라서 구하는 직선의 방정식은 $y = \dfrac{\sqrt{3}}{3}x + 2\sqrt{3}$

**68** 직선의 방정식을 $y = \sqrt{3}x + b$로 놓고,

$x = \dfrac{\sqrt{3}}{3}$, $y = 5$를 대입하면 $b = 4$

따라서 직선 $y = \sqrt{3}x + 4$의 $x$절편이 $-\dfrac{4\sqrt{3}}{3}$, $y$절편이 4이므로

구하는 삼각형의 넓이는 $\dfrac{1}{2} \times \dfrac{4\sqrt{3}}{3} \times 4 = \dfrac{8\sqrt{3}}{3}$

**69** $\dfrac{x}{\sin 60°} - \dfrac{y}{\tan 60°} = \cos 45°$에서 $\dfrac{2}{\sqrt{3}}x - \dfrac{1}{\sqrt{3}}y = \dfrac{\sqrt{2}}{2}$ ⋯㉠

㉠에 $y = 0$을 대입하면 $\dfrac{2}{\sqrt{3}}x = \dfrac{\sqrt{2}}{2}$, $x = \dfrac{\sqrt{6}}{4}$ ∴ $a = \dfrac{\sqrt{6}}{4}$

㉠에 $x = 0$을 대입하면 $-\dfrac{1}{\sqrt{3}}y = \dfrac{\sqrt{2}}{2}$, $y = -\dfrac{\sqrt{6}}{2}$ ∴ $b = -\dfrac{\sqrt{6}}{2}$

∴ $ab = \dfrac{\sqrt{6}}{4} \times \left(-\dfrac{\sqrt{6}}{2}\right) = -\dfrac{3}{4}$

**70** (1) $\sin 27° = \dfrac{\overline{AB}}{\overline{OA}} = \overline{AB} = 0.4540$

(2) $\cos 27° = \dfrac{\overline{OB}}{\overline{OA}} = \overline{OB} = 0.8910$

(3) $\tan 27° = \dfrac{\overline{CD}}{\overline{OC}} = \overline{CD} = 0.5095$

**71** ④ $a$의 크기가 커지면 $\overline{OC}$의 길이가 짧아지므로 $\cos a$의 값은 작아진다.

**72** (1) $\sin x = \dfrac{\overline{BC}}{\overline{AC}} = \overline{BC}$ (2) $\tan x = \dfrac{\overline{DE}}{\overline{AD}} = \overline{DE}$

(3) $\sin y = \dfrac{\overline{AB}}{\overline{AC}} = \overline{AB}$ (4) $\cos y = \dfrac{\overline{BC}}{\overline{AC}} = \overline{BC}$

**73** ⑤ $\sin z = \sin y = \dfrac{\overline{AB}}{\overline{AC}} = \dfrac{\overline{AB}}{1} = \overline{AB}$

**74** $\overline{OB} = \cos a = \sin b$, $\overline{AB} = \sin a = \cos b$
따라서 점 A의 좌표인 것은 ② $(\sin b, \sin a)$이다.

**75** ㉡ $\tan a = \overline{EG}$ ㉢ $\cos b = \overline{OA}$
㉤ $\overline{AC} = \cos a - \cos b$

**76** $\sin 60° = \dfrac{\sqrt{3}}{2} = \dfrac{\overline{BC}}{1} = \overline{BC}$,

$\cos 60° = \dfrac{1}{2} = \dfrac{\overline{AB}}{1} = \overline{AB}$,

$\tan 60° = \sqrt{3} = \dfrac{\overline{DE}}{1} = \overline{DE}$,

∴ (색칠한 부분의 넓이) = △ADE − △ABC

$\qquad = \dfrac{1}{2} \times 1 \times \sqrt{3} - \dfrac{1}{2} \times \dfrac{1}{2} \times \dfrac{\sqrt{3}}{2} = \dfrac{3\sqrt{3}}{8}$

**77** ∠A = 50°이므로 $\cos 50° = 0.64 = \dfrac{\overline{AC}}{\overline{AB}} = \dfrac{\overline{AC}}{8}$

∴ $\overline{AC} = 0.64 \times 8 = 5.12$

**78** ① $1 + 0 = 1$

**79** ㄱ. $\tan 0° = 0$ ㄴ. $\cos 30° = \dfrac{\sqrt{3}}{2}$

ㄷ. $\sin 45° = \dfrac{\sqrt{2}}{2}$ ㄹ. $\tan 45° = 1$

ㅁ. $\cos 90° = 0$ ㅂ. $\sin 90° = 1$

ㄱ과 ㅁ, ㄹ과 ㅂ ∴ 2쌍

**80** (주어진 식) $= 1 \times 0 - 1 \times \sqrt{3} + \dfrac{\sqrt{3}}{2} = -\dfrac{\sqrt{3}}{2}$

**81** ㄱ. $\sin 30° + \sin 60° = \dfrac{1}{2} + \dfrac{\sqrt{3}}{2} \neq \sin 90° = 1$

ㄴ. $\cos 45° = \dfrac{\sqrt{2}}{2} \neq \tan 45° = 1$

ㄷ. $\sin 60° = \cos 30° = \dfrac{\sqrt{3}}{2}$

ㄹ. $\sin 0° + \cos 90° = 0 + 0 = 0$

ㅁ. $\sin 90° \times \cos 0° \times \tan 45° = 1 \times 1 \times 1 = 1 \neq \sqrt{2}$

**82** ④ $0° \le x < 90°$일 때, $x$의 크기가 커지면 $\tan x$의 값은 0에서부터 무한히 증가한다.

**83** ④ $\sin 30° < \sin 45° = \cos 45° < \cos 20°$ ∴ $\sin 30° < \cos 20°$

**84** ③ $\sin 50° < 1 = \tan 45° < \tan 50°$
∴ $\sin 50° < \tan 50°$

**85** $\cos 50° < \sin 65° < \sin 90° = \tan 45° < \tan 60°$

**86** ① $\sin 0° = 0$ ② $\cos 45° < \cos 20° < 1$

③ $\cos 45° = \sin 45° = \dfrac{\sqrt{2}}{2}$ ④ $0 < \sin 35° < \sin 45°$

⑤ $\tan 45° = 1$

따라서 $\tan 45° > \cos 20° > \cos 45° > \sin 35° > \sin 0°$이므로 두 번째로 큰 것은 ② $\cos 20°$이다.

**87** ① $\sin 14° = 0.2419$ ③ $\tan 16° = 0.2867$

④ $\cos 15° = 0.9659$ ⑤ $\tan 18° = 0.3249$

**88** $\sin 35° = 0.5736$, $\tan 32° = 0.6249$이므로
$\sin 35° + \tan 32° = 1.1985$

**89** $\sin x = 0.7547$에서 $x = 49°$
$\tan y = 1.2799$에서 $y = 52°$
∴ $x + y = 49° + 52° = 101°$

**90** $\cos A = \dfrac{73.14}{100} = 0.7314$이므로 $\angle A = 43°$

**91** ∠C = 90° − 55° = 35°이므로 $\cos 35° = 0.8192 = \dfrac{\overline{BC}}{\overline{AC}} = \dfrac{\overline{BC}}{10}$

∴ $\overline{BC} = 10 \times 0.8192 = 8.192$

**92** $\sin 45° = \dfrac{\overline{BC}}{\overline{AB}}$이므로 $\overline{BC} = \overline{AB} \times \sin 45° = 10 \times \dfrac{\sqrt{2}}{2} = 5\sqrt{2}$

$\tan 60° = \dfrac{\overline{BC}}{\overline{CD}}$이므로 $\overline{CD} = \dfrac{5\sqrt{2}}{\tan 60°} = \dfrac{5\sqrt{6}}{3}$

∴ △DBC $= \dfrac{1}{2} \times 5\sqrt{2} \times \dfrac{5\sqrt{6}}{3} = \dfrac{25\sqrt{3}}{3}$

**93** $\overline{OH} = \cos 60° = \dfrac{1}{2}$

$\overline{AH} = \sin 60° = \dfrac{\sqrt{3}}{2}$

(색칠한 부분의 넓이) = (부채꼴 AOB) − △AOH

$\qquad = \pi \times \dfrac{60°}{360°} - \dfrac{1}{2} \times \dfrac{1}{2} \times \dfrac{\sqrt{3}}{2} = \dfrac{1}{6}\pi - \dfrac{\sqrt{3}}{8}$

**94** $\overline{OP}$를 그으면
△OPA ∽ △O'PB(AA닮음)
∴ ∠OPA = ∠O'PB = 30°
점 O'에서 $\overline{OA}$에 내린 수선의 발을 H,
$\overline{OA} = r$이라 하면 △OHO'에서

$\sin 30° = \dfrac{1}{2} = \dfrac{r-6}{r+6}$에서 $2r - 12 = r + 6$

∴ $r = 18$

**95** $0° < A < 90°$일 때, $0 < \cos A < 1$이므로
(주어진 식) $= -(\cos A - 1) + (1 + \cos A) = 2$

**96** $0° < A < 45°$일 때, $0 < \tan A < 1$이므로
(주어진 식) $= (\tan A + 1) + (1 - \tan A) = 2$

**97** $45° < A < 90°$일 때, $\cos A < \sin A < \tan A$이므로
(주어진 식) $= (\sin A - \cos A) + (\tan A - \sin A)$
$\qquad = \tan A - \cos A$

**98** $\sin A = \dfrac{3}{5}$이므로 오른쪽 그림에서
$\overline{AB} = \sqrt{5^2 - 3^2} = 4$

∴ $\tan A = \dfrac{3}{4} < 1$

∴ (주어진 식) $= (\tan A + 1) + (\tan A - 1) = \dfrac{3}{2}$

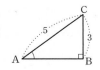

| 01 ⑤ | 02 $2\sqrt{14}$ | 03 $\dfrac{3\sqrt{5}}{5}$ | 04 ④ | 05 ① | 06 ② |
|---|---|---|---|---|---|
| 07 ③ | 08 ① | 09 $12+12\sqrt{3}$ | | 10 ② | 11 $\sqrt{3}$ |
| 12 $y=\sqrt{3}x+3$ | | 13 ④ | 14 ⑤ | 15 ① | 16 $\dfrac{4}{5}$ |
| 17 $\dfrac{\sqrt{2}}{3}$ | 18 $15\sqrt{3}$ | 19 ② | 20 ⑤ | 21 $-\dfrac{3\sqrt{10}}{5}$ | |
| 22 $\dfrac{4}{13}$ | 23 $2+2\sqrt{3}$ | | 24 $\dfrac{17}{15}$ | 25 1 | |

**01** $\overline{AB}=\sqrt{13^2-12^2}=5$

① $\sin A=\dfrac{12}{13}$　　　　② $\cos A=\dfrac{5}{13}$

③ $\tan A=\dfrac{12}{5}$　　　　④ $\sin C=\dfrac{5}{13}$

**02** $\tan A=\dfrac{\overline{BC}}{6}=\dfrac{\sqrt{5}}{3}$ 이므로 $\overline{BC}=2\sqrt{5}$

$\therefore \overline{AC}=\sqrt{6^2+(2\sqrt{5})^2}=2\sqrt{14}$

**03** 오른쪽 그림에서

$\overline{AC}=\sqrt{2^2+1^2}=\sqrt{5}$이므로

$\sin A+\cos A=\dfrac{1}{\sqrt{5}}+\dfrac{2}{\sqrt{5}}=\dfrac{3}{\sqrt{5}}=\dfrac{3\sqrt{5}}{5}$

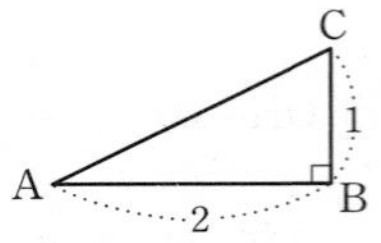

**04** $\triangle ABC\backsim\triangle ACD$(AA 닮음)이므로 $\angle ABC=\angle ACD=x$

④ $\triangle ADC$에서 $\tan x=\dfrac{\overline{AD}}{\overline{CD}}$

**05** $\overline{BC}=\sqrt{6^2-5^2}=\sqrt{11}$

$\triangle BED\backsim\triangle BAC$(AA 닮음)이므로 $\angle BED=\angle A=x$

$\therefore \sin x=\sin A=\dfrac{\sqrt{11}}{6}$

**06** 일차함수 $y=\dfrac{1}{2}x+2$의 그래프의 $x$절편이 $-4$, $y$절편이 2이므로

$\triangle AOB$에서 $\overline{AO}=4$, $\overline{BO}=2$, $\overline{AB}=\sqrt{4^2+2^2}=2\sqrt{5}$

$\therefore \sin A+\cos A=\dfrac{2}{2\sqrt{5}}+\dfrac{4}{2\sqrt{5}}=\dfrac{6}{2\sqrt{5}}=\dfrac{3\sqrt{5}}{5}$

**07** ① $\dfrac{\sqrt{2}}{2}+\dfrac{\sqrt{2}}{2}=\sqrt{2}$　　　② $\dfrac{1}{2}\times\dfrac{1}{2}=\dfrac{1}{4}$

③ $\cos 30°\times\tan 30°=\dfrac{\sqrt{3}}{2}\times\dfrac{\sqrt{3}}{3}=\dfrac{1}{2}=\sin 30°$

④ $\cos 30°+\cos 60°=\dfrac{\sqrt{3}+1}{2}\neq\cos 90°=0$

⑤ $1+1+1=3$

**08** $4\cos(2x-10°)=2\sqrt{3}$이므로

$\cos(2x-10°)=\dfrac{\sqrt{3}}{2}$

따라서 $\cos(2x-10°)=\cos 30°$이므로 $2x-10°=30°$

$\therefore x=20°$

**09** $\cos 30°=\dfrac{\sqrt{3}}{2}=\dfrac{12}{\overline{AB}}$ 이므로 $\overline{AB}=\dfrac{24}{\sqrt{3}}=8\sqrt{3}$

$\tan 30°=\dfrac{\sqrt{3}}{3}=\dfrac{\overline{BC}}{12}$ 이므로 $\overline{BC}=4\sqrt{3}$

따라서 $\triangle ABC$의 둘레의 길이는 $8\sqrt{3}+4\sqrt{3}+12=12+12\sqrt{3}$

**10** $\tan 45°=1=\dfrac{\overline{BC}}{3}$이므로 $\overline{BC}=3$

따라서 $\sin 60°=\dfrac{\sqrt{3}}{2}=\dfrac{3}{\overline{BD}}$이므로 $\overline{BD}=2\sqrt{3}$

**11** $\angle BAD=\angle DAC=\dfrac{1}{2}\angle A=30°$

$\triangle ABC$에서 $\sin 30°=\dfrac{1}{2}=\dfrac{\overline{AC}}{6}$　$\therefore \overline{AC}=3$

$\cos 30°=\dfrac{\sqrt{3}}{2}=\dfrac{\overline{BC}}{6}$　$\therefore \overline{BC}=3\sqrt{3}$

$\triangle ADC$에서 $\tan 30°=\dfrac{\sqrt{3}}{3}=\dfrac{y}{3}$　$\therefore y=\sqrt{3}$

$\therefore x=3\sqrt{3}-\sqrt{3}=2\sqrt{3}$

$\therefore x-y=2\sqrt{3}-\sqrt{3}=\sqrt{3}$

**12** (직선의 기울기)$=\tan 60°=\sqrt{3}$

따라서 구하는 직선의 방정식은 $y=\sqrt{3}x+3$

**13** ④ $\sin z=\sin y=\dfrac{\overline{AB}}{\overline{AC}}=\overline{AB}$

**14** $\sin 50°+\tan 50°=0.77+1.19=1.96$

**15** $\cos B=\dfrac{75.47}{100}=0.7547$이므로 $\angle B=41°$

**16** $\sin x=\dfrac{\overline{AD}}{8}=\dfrac{3}{4}$이므로 $\overline{AD}=6$

$\therefore \overline{DC}=\sqrt{10^2-6^2}=8$

$\therefore \cos y=\dfrac{8}{10}=\dfrac{4}{5}$

**17** $\triangle OCH$에서

$\overline{CH}=\dfrac{2}{3}\overline{CM}=\dfrac{2}{3}\times(12\times\sin 60°)=4\sqrt{3}$이므로

피타고라스 정리에 의해 $\overline{OH}=4\sqrt{6}$

$\therefore \sin x\times\cos x=\dfrac{4\sqrt{6}}{12}\times\dfrac{4\sqrt{3}}{12}=\dfrac{\sqrt{6}}{3}\times\dfrac{\sqrt{3}}{3}=\dfrac{\sqrt{2}}{3}$

**18** $\triangle ADC$에서 $\sin 60°=\dfrac{\sqrt{3}}{2}=\dfrac{\overline{CD}}{20}$

$\therefore \overline{CD}=10\sqrt{3}$

$\triangle DEC$에서 $\sin 60°=\dfrac{\sqrt{3}}{2}=\dfrac{\overline{DE}}{10\sqrt{3}}$

$\therefore \overline{DE}=15$

$\triangle DBE$에서 $\tan 30°=\dfrac{\sqrt{3}}{3}=\dfrac{15}{\overline{BE}}$

$\therefore \overline{BE}=15\sqrt{3}$

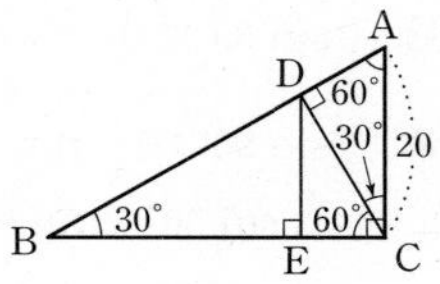

**19** $\triangle ACH$에서 $\angle ACH=30°$이므로

$\sin 30°=\dfrac{1}{2}=\dfrac{\overline{AH}}{8}$　　$\therefore \overline{AH}=4$

$\cos 30° = \dfrac{\sqrt{3}}{2} = \dfrac{\overline{CH}}{8}$   $\therefore \overline{CH} = 4\sqrt{3}$

따라서 △ABH에서 ∠ABH=15°이므로

$\tan 15° = \dfrac{\overline{AH}}{\overline{BH}} = \dfrac{4}{8+4\sqrt{3}} = \dfrac{1}{2+\sqrt{3}} = 2-\sqrt{3}$

**20** 0°≤x<90°일 때, x의 크기가 커지면 tan x의 값이 증가하므로

tan 65° > tan 50° > tan 45° = 1

0°≤x≤90°일 때, x의 크기가 커지면 sin x의 값도 증가하므로

sin 90°(=cos 0°=1) > sin 75° > cos 30°(=sin 60°) > sin 45°

∴ tan 65° > tan 50° > cos 0°(=1) > sin 75° > cos 30°(=sin 60°)

　　> sin 45°

**21** 오른쪽 그림에서

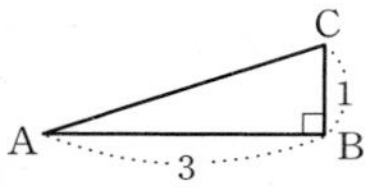

$\overline{AC} = \sqrt{3^2+1^2} = \sqrt{10}$이므로

$\cos A = \dfrac{3}{\sqrt{10}} = \dfrac{3\sqrt{10}}{10}$

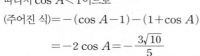

따라서 cos A < 1이므로

(주어진 식) = -(cos A-1)-(1+cos A)

　　　　　　 = -2 cos A = $-\dfrac{3\sqrt{10}}{5}$

**22** (1단계) $\overline{AB} = \sqrt{3^2+2^2} = \sqrt{13}$(cm)

(2단계) $\sin B = \dfrac{2}{\sqrt{13}} = \dfrac{2\sqrt{13}}{13}$, $\cos A = \dfrac{2}{\sqrt{13}} = \dfrac{2\sqrt{13}}{13}$

(3단계) $\sin B \times \cos A = \dfrac{2\sqrt{13}}{13} \times \dfrac{2\sqrt{13}}{13} = \dfrac{4}{13}$

**23** (1단계) △ABH에서 $\cos 60° = \dfrac{1}{2} = \dfrac{\overline{BH}}{4}$, $2\overline{BH}=4$

　　　　∴ $\overline{BH}=2$

(2단계) △ABH에서 $\sin 60° = \dfrac{\sqrt{3}}{2} = \dfrac{\overline{AH}}{4}$, $2\overline{AH}=4\sqrt{3}$

　　　　∴ $\overline{AH}=2\sqrt{3}$

(3단계) △ACH에서 $\tan 45° = 1 = \dfrac{2\sqrt{3}}{\overline{CH}}$

　　　　∴ $\overline{CH}=2\sqrt{3}$

(4단계) $\overline{BC} = \overline{BH}+\overline{CH} = 2+2\sqrt{3}$

**24** $\overline{BC} = \sqrt{17^2-8^2} = \sqrt{225} = 15$(cm)　　　　…… ❶

△ABC와 △ACD에서

∠A는 공통, ∠ACB=∠ADC=90°이므로

△ABC∽ACD(AA 닮음)

∴ ∠B=∠ACD=x

△ABC와 △CBD에서

∠B는 공통, ∠ACB=∠CDB=90°이므로

△ABC∽△CBD(AA 닮음)

∴ ∠A=∠BCD=y　　　　…… ❷

따라서 $\tan x = \dfrac{8}{15}$, $\cos y = \dfrac{8}{17}$이므로

$\tan x \div \cos y = \dfrac{8}{15} \div \dfrac{8}{17} = \dfrac{8}{15} \times \dfrac{17}{8} = \dfrac{17}{15}$　　　　…… ❸

| 채점 기준 | 배점 |
|---|---|
| ❶ $\overline{BC}$의 길이 구하기 | 1점 |
| ❷ ∠B=x, ∠A=y임을 설명하기 | 4점 |
| ❸ tan x÷cos y의 값 구하기 | 3점 |

**25** △AEG에서 ∠AEG=90°이고,

$\overline{AE}=2$, $\overline{EG}=\sqrt{2}\times 2=2\sqrt{2}$, $\overline{AG}=\sqrt{3}\times 2=2\sqrt{3}$　　…… ❶

∴ $\cos x = \dfrac{2\sqrt{2}}{2\sqrt{3}} = \dfrac{\sqrt{6}}{3}$, $\tan x = \dfrac{2}{2\sqrt{2}} = \dfrac{\sqrt{2}}{2}$　　…… ❷

∴ $\sqrt{6}\cos x - \sqrt{2}\tan x = \sqrt{6} \times \dfrac{\sqrt{6}}{3} - \sqrt{2} \times \dfrac{\sqrt{2}}{2}$

　　　　　　　　　　　　 = 2-1 = 1　　…… ❸

| 채점 기준 | 배점 |
|---|---|
| ❶ $\overline{EG}$, $\overline{AG}$의 길이를 각각 구하기 | 2점 |
| ❷ cos x, tan x의 값을 각각 구하기 | 3점 |
| ❸ $\sqrt{6}\cos x - \sqrt{2}\tan x$의 값 구하기 | 2점 |

# 2. 삼각비의 활용

## 시험에 꼭 나오는 핵심개념

28쪽~29쪽

예제 **1**　🖹 x=75, y=125

$x = 100\tan 37° = 100 \times 0.75 = 75$

$y = \dfrac{100}{\cos 37°} = \dfrac{100}{0.80} = 125$

예제 **2**　🖹 $\sqrt{43}$

$\overline{AH} = 6\sin 60°$

　　 $= 6 \times \dfrac{\sqrt{3}}{2} = 3\sqrt{3}$

$\overline{BH} = 6\cos 60° = 6 \times \dfrac{1}{2} = 3$이므로

$\overline{CH} = 7-3 = 4$

따라서 △AHC에서 $\overline{AC} = \sqrt{(3\sqrt{3})^2+4^2} = \sqrt{43}$

예제 **3**　🖹 $\dfrac{10\sqrt{6}}{3}$

∠B = 180° - (75°+45°) = 60°

$\overline{AH} = 10\sin 45° = 10 \times \dfrac{\sqrt{2}}{2} = 5\sqrt{2}$

∴ $\overline{AB} = \dfrac{5\sqrt{2}}{\sin 60°} = 5\sqrt{2} \times \dfrac{2}{\sqrt{3}} = \dfrac{10\sqrt{6}}{3}$

예제 **4**　🖹 $3(\sqrt{3}-1)$

∠BAH=60°, ∠CAH=45°이므로

$\overline{BH} = h\tan 60° = \sqrt{3}h$, $\overline{CH} = h\tan 45° = h$

$\overline{BC} = \sqrt{3}h+h = 6$이므로 $(\sqrt{3}+1)h=6$

∴ $h = \dfrac{6}{\sqrt{3}+1} = 3(\sqrt{3}-1)$

**예제 5**  답 $4(\sqrt{3}+1)$

$\angle BAH=60°$, $\angle CAH=45°$이므로

$\overline{BH}=h\tan 60°=\sqrt{3}h$, $\overline{CH}=h\tan 45°=h$

$\overline{BC}=\sqrt{3}h-h=8$이므로 $(\sqrt{3}-1)h=8$

$\therefore h=\dfrac{8}{\sqrt{3}-1}=4(\sqrt{3}+1)$

**예제 6**  답 $20\sqrt{2}$

$\triangle ABC=\dfrac{1}{2}\times 8\times 10\times \sin 45°$

$=\dfrac{1}{2}\times 8\times 10\times \dfrac{\sqrt{2}}{2}=20\sqrt{2}$

**예제 7**  답 $12\sqrt{3}$

$\triangle ABC=\dfrac{1}{2}\times 8\times 6\times \sin(180°-120°)$

$=\dfrac{1}{2}\times 8\times 6\times \dfrac{\sqrt{3}}{2}=12\sqrt{3}$

**예제 8**  답 $28\sqrt{2}$

$\square ABCD=7\times 8\times \sin 45°=7\times 8\times \dfrac{\sqrt{2}}{2}=28\sqrt{2}$

**예제 9**  답 $12\sqrt{3}$

$\square ABCD=\dfrac{1}{2}\times 8\times 6\times \sin 60°$

$=\dfrac{1}{2}\times 8\times 6\times \dfrac{\sqrt{3}}{2}=12\sqrt{3}$

---

### 유형 격파 + 기출 문제  30쪽~41쪽

| | | | | |
|---|---|---|---|---|
| 01 74.31 | 02 ⑤ | 03 ② | 04 ③ | 05 ④ | 06 ② |
| 07 4.62 m | 08 ③ | 09 13.8 m | 10 ⑤ | 11 ③ | 12 ④ |
| 13 ③ | 14 ① | 15 7.6 m | 16 $2\sqrt{13}$ | 17 ② | 18 ④ |
| 19 ② | 20 ② | 21 15 m | 22 $144\sqrt{2}$ m | | 23 $6\sqrt{6}$ |
| 24 $20\sqrt{2}$ | 25 $\dfrac{100\sqrt{6}}{3}$ m | | 26 ③ | 27 ① | 28 16 |
| 29 $4(3-\sqrt{3})$ | | 30 ③ | 31 $50(\sqrt{3}-1)$ m | | 32 ④ |
| 33 ② | 34 $5\sqrt{3}$ | 35 ⑤ | 36 2 m | 37 ① | |
| 38 $50(\sqrt{3}+1)$ km | | 39 $(3+\sqrt{3})$ cm² | | 40 $15\sqrt{3}$ | 41 ④ |
| 42 ③ | 43 ⑤ | 44 ③ | 45 ① | 46 12 cm² | 47 ④ |
| 48 ⑤ | 49 ⑤ | 50 ④ | 51 $21\sqrt{2}$ cm² | | |
| 52 $\dfrac{25\sqrt{3}}{2}$ | 53 ① | 54 ③ | 55 $\sqrt{3}$ cm | 56 150° | 57 ③ |
| 58 $30\sqrt{3}$ | 59 $8\sqrt{3}$ | 60 ⑤ | 61 $74\sqrt{3}$ | 62 $6\sqrt{3}$ cm² | |
| 63 $12\sqrt{2}$ | 64 10 cm | 65 $4\sqrt{2}$ cm | | 66 $3\sqrt{3}$ cm² | |
| 67 $15\sqrt{2}$ cm² | | 68 $10\sqrt{3}$ cm | | 69 $18\sqrt{2}$ cm² | |
| 70 ④ | 71 $35\sqrt{3}$ cm² | | 72 $48\sqrt{3}$ | 73 ③ | 74 ⑤ |
| 75 $\sqrt{37}$ | 76 $3(3\sqrt{2}-\sqrt{6})$ | | 77 $(30+15\sqrt{6}-15\sqrt{2})$ cm | | |

**01** $\overline{AC}=100\cos 42°=100\times 0.7431=74.31$

---

**02** $x=10\sin 50°=10\times 0.77=7.7$

$y=10\cos 50°=10\times 0.64=6.4$

**03** $\sin 28°=\dfrac{5}{\overline{AB}}$  $\therefore \overline{AB}=\dfrac{5}{\sin 28°}$

**04** $x=\dfrac{6}{\sin 37°}=\dfrac{6}{0.60}=10$

$y=\dfrac{6}{\tan 37°}=\dfrac{6}{0.75}=8$

$\therefore x+y=10+8=18$

**05** 직각삼각형 ABH에서 $\overline{BH}=\dfrac{5\sqrt{3}}{\tan 60°}=\dfrac{5\sqrt{3}}{\sqrt{3}}=5$

$\therefore \overline{HC}=13-5=8$

따라서 직각삼각형 AHC에서 $\overline{AC}=\sqrt{(5\sqrt{3})^2+8^2}=\sqrt{139}$

**06** $\angle AOH=\dfrac{1}{2}\angle AOB=\dfrac{1}{2}\times\left(360°\times\dfrac{1}{8}\right)=22.5°$이므로

$\overline{AB}=2\overline{AH}=2\times 10\sin 22.5°=2\times 10\times 0.38=7.6$

**07** (나무의 높이)$=6\sin 50°=6\times 0.77=4.62$(m)

**08** $\overline{BC}=30\tan 30°=30\times\dfrac{\sqrt{3}}{3}=10\sqrt{3}$(m)

**09** $\overline{AB}=10\cos 57°=10\times 0.54=5.4$(m)

$\overline{AC}=10\sin 57°=10\times 0.84=8.4$(m)

따라서 나무가 쓰러지기 전의 높이는

$\overline{AB}+\overline{AC}=5.4+8.4=13.8$(m)

**10** $\overline{DH}=50\tan 45°=50\times 1=50$(m)

$\overline{PH}=50\tan 30°=50\times\dfrac{\sqrt{3}}{3}=\dfrac{50\sqrt{3}}{3}$(m)

따라서 B 건물의 높이는 $\overline{PD}=\overline{DH}+\overline{PH}=\left(50+\dfrac{50\sqrt{3}}{3}\right)$(m)

**11** $\overline{AH}=500\cos 30°=500\times\dfrac{\sqrt{3}}{2}=250\sqrt{3}$(m)

$\therefore \overline{CH}=\overline{AH}\tan 45°=250\sqrt{3}\times 1=250\sqrt{3}$(m)

**12** $\overline{OH}=12\cos 30°$

$=12\times\dfrac{\sqrt{3}}{2}=6\sqrt{3}$(cm)

$\therefore \overline{AH}=(12-6\sqrt{3})$(cm)

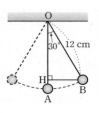

**13** $\overline{AB}=10\tan 61°=10\times 1.80=18$(m)

따라서 건물의 높이는 $1.5+18=19.5$(m)

**14** (연까지의 높이)$=50\times\sin 37°+1.6$

$=50\times 0.6018+1.6$

$=31.69$(m)

**15** $\overline{DB}=40\tan 50°=40\times 1.19=47.6$(m)

$\overline{CB}=40\tan 45°=40\times 1=40$(m)

$\therefore \overline{DC}=\overline{DB}-\overline{CB}=47.6-40=7.6$(m)

**16** 꼭짓점 A에서 $\overline{BC}$에 내린 수선의 발을
H라 하면 $\overline{AH}=4\sqrt{2}\sin 45°=4$
$\overline{BH}=4\sqrt{2}\cos 45°=4$이므로
$\overline{CH}=10-4=6$
따라서 △AHC에서 $\overline{AC}=\sqrt{4^2+6^2}=2\sqrt{13}$

**17** 꼭짓점 B에서 $\overline{AC}$에 내린 수선의 발을
H라 하면
$\overline{BH}=3\sin 60°=\dfrac{3\sqrt{3}}{2}$
$\overline{AH}=3\cos 60°=\dfrac{3}{2}$이므로
$\overline{CH}=2-\dfrac{3}{2}=\dfrac{1}{2}$
따라서 △BCH에서
$\overline{BC}=\sqrt{\left(\dfrac{3\sqrt{3}}{2}\right)^2+\left(\dfrac{1}{2}\right)^2}=\sqrt{7}$

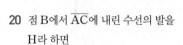

**18** 꼭짓점 A에서 $\overline{BC}$에 내린 수선의 발을
H라 하면
$\overline{BH}=12\cos B=9$, $\overline{AH}=\sqrt{12^2-9^2}=3\sqrt{7}$
$\therefore \overline{CH}=15-9=6$
따라서 △AHC에서
$\overline{AC}=\sqrt{(3\sqrt{7})^2+6^2}=3\sqrt{11}$

**19** △BCD에서
$\overline{BD}=100\times\cos 50°=60$(m)
$\overline{CD}=100\times\sin 50°=80$(m)
$\overline{AD}=120-60=60$(m)
$\therefore \overline{AC}=\sqrt{60^2+80^2}=100$(m)

**20** 점 B에서 $\overline{AC}$에 내린 수선의 발을
H라 하면
$\overline{BH}=20\sin 30°=20\times\dfrac{1}{2}=10$(km)
$\overline{AH}=20\cos 30°$
$=20\times\dfrac{\sqrt{3}}{2}=10\sqrt{3}$(km)
따라서 $\overline{CH}=16\sqrt{3}-10\sqrt{3}=6\sqrt{3}$(km)이므로
$\overline{BC}=\sqrt{10^2+(6\sqrt{3})^2}=4\sqrt{13}$(km)

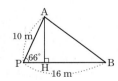

**21** 꼭짓점 A에서 $\overline{PB}$에 내린
수선의 발을 H라 하면
$\overline{AH}=10\sin 66°=9$(m)
$\overline{PH}=10\cos 66°=4$(m)이므로
$\overline{BH}=16-4=12$(m)
따라서 △AHB에서 $\overline{AB}=\sqrt{9^2+12^2}=15$(m)

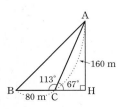

**22** △ACH에서
$\overline{AH}=160\times\sin 67°=144$(m)
$\overline{CH}=160\times\cos 67°=64$(m)
$\overline{BH}=\overline{BC}+\overline{CH}=144$(m)
$\therefore \overline{AB}=\sqrt{144^2+144^2}=144\sqrt{2}$(m)

**23** 꼭짓점 A에서 $\overline{BC}$에 내린
수선의 발을 H라 하면
$\angle C=180°-(75°+60°)=45°$
$\overline{AH}=12\sin 60°=6\sqrt{3}$
$\therefore \overline{AC}=\dfrac{6\sqrt{3}}{\sin 45°}=6\sqrt{3}\times\dfrac{2}{\sqrt{2}}=6\sqrt{6}$

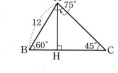

**24** 꼭짓점 B에서 $\overline{AC}$에 내린
수선의 발을 H라 하면
$\angle C=180°-(45°+105°)=30°$
$\overline{BH}=20\sin 45°=10\sqrt{2}$
$\therefore \overline{BC}=\dfrac{10\sqrt{2}}{\sin 30°}=10\sqrt{2}\times 2=20\sqrt{2}$

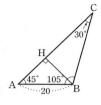

**25** 꼭짓점 B에서 $\overline{AC}$에 내린 수선의 발을
H라 하면
$\angle A=180°-(75°+45°)=60°$
$\overline{BH}=100\sin 45°=50\sqrt{2}$(m)
$\therefore \overline{AB}=\dfrac{50\sqrt{2}}{\sin 60°}=50\sqrt{2}\times\dfrac{2}{\sqrt{3}}$
$=\dfrac{100\sqrt{6}}{3}$(m)

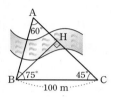

**26** 꼭짓점 A에서 $\overline{BC}$에 내린 수선의 발을
H라 하면
$\angle C=180°-(75°+60°)=45°$
$\overline{AH}=10\sin 60°=5\sqrt{3}$,
$\overline{BH}=10\cos 60°=5$
$\therefore \overline{CH}=\dfrac{5\sqrt{3}}{\tan 45°}=5\sqrt{3}$
$\therefore \overline{BC}=\overline{BH}+\overline{CH}=5+5\sqrt{3}$

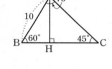

**27** 꼭짓점 A에서 $\overline{BC}$에 내린 수선의 발을
H라 하면
$\angle C=180°-(75°+60°)=45°$
$\overline{AH}=\sqrt{2}\sin 45°=1$,
$\overline{CH}=\sqrt{2}\cos 45°=1$
$\therefore \overline{AB}=\dfrac{1}{\sin 60°}=1\times\dfrac{2}{\sqrt{3}}=\dfrac{2\sqrt{3}}{3}$
$\overline{BH}=\dfrac{1}{\tan 60°}=1\times\dfrac{1}{\sqrt{3}}=\dfrac{\sqrt{3}}{3}$
따라서 △ABC의 둘레의 길이는
$\overline{AB}+\overline{BC}+\overline{AC}=\dfrac{2\sqrt{3}}{3}+\left(\dfrac{\sqrt{3}}{3}+1\right)+\sqrt{2}$
$=1+\sqrt{2}+\sqrt{3}$

**28** 꼭짓점 C에서 $\overline{AB}$에 내린 수선의 발을 H라 하면
$\overline{BH}=\overline{CH}=8\times\sin 45°=4\sqrt{2}$
$\overline{AC}=\dfrac{4\sqrt{2}}{\sin 60°}=\dfrac{8\sqrt{6}}{3}$,
$\overline{AH}=\dfrac{4\sqrt{2}}{\tan 60°}=\dfrac{4\sqrt{6}}{3}$

$$\therefore (\triangle ABC의\ 둘레의\ 길이)=8+4\sqrt{2}+\frac{4\sqrt{6}}{3}+\frac{8\sqrt{6}}{3}$$
$$=8+4\sqrt{2}+4\sqrt{6}$$

따라서 $a=8$, $b=4$, $c=4$이므로 $a+b+c=16$

**29** $\overline{AH}=h$라 하면

$\angle BAH=30°$, $\angle CAH=45°$이므로

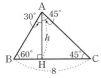

$\overline{BH}=h\tan 30°=\dfrac{\sqrt{3}}{3}h,$

$\overline{CH}=h\tan 45°=h$

$\overline{BC}=\dfrac{\sqrt{3}}{3}h+h=8$이므로 $\dfrac{\sqrt{3}+3}{3}h=8$

$\therefore h=\dfrac{24}{\sqrt{3}+3}=4(3-\sqrt{3})$

**30** $\overline{AH}=h$라 하면 $\angle BAH=40°$, $\angle CAH=45°$이므로

$\overline{BH}=h\tan 40°$, $\overline{CH}=h\tan 45°$

따라서 $\overline{BC}=h(\tan 40°+\tan 45°)=12$이므로

$h=\dfrac{12}{\tan 40°+\tan 45°}$

**31** 기구의 위치를 점 P라 하고, 점 P에서 $\overline{AB}$에 내린 수선의 발을 H라 하자.

$\overline{PH}=h$라 하면 $\angle APH=45°$,

$\angle BPH=60°$이므로

$\overline{AH}=h\tan 45°=h,$

$\overline{BH}=h\tan 60°=\sqrt{3}h$

$\overline{AB}=h+\sqrt{3}h=100$이므로 $(1+\sqrt{3})h=100$

$\therefore h=\dfrac{100}{1+\sqrt{3}}=50(\sqrt{3}-1)(m)$

**32** 꼭짓점 A에서 $\overline{BC}$에 내린 수선의 발을 H라 하고, $\overline{AH}=h$라 하면

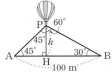

$\angle BAH=30°$, $\angle CAH=45°$이므로

$\overline{BH}=h\tan 30°=\dfrac{\sqrt{3}}{3}h,$

$\overline{CH}=h\tan 45°=h$

$\overline{BC}=\dfrac{\sqrt{3}}{3}h+h=10$이므로 $\dfrac{\sqrt{3}+3}{3}h=10$

$\therefore h=\dfrac{30}{\sqrt{3}+3}=5(3-\sqrt{3})(cm)$

$\therefore \triangle ABC=\dfrac{1}{2}\times 10\times 5(3-\sqrt{3})=25(3-\sqrt{3})(cm^2)$

**33** $\overline{CH}=h$라 하자.

$\angle ACH=50°$, $\angle BCH=38°$이므로

$\overline{AH}=h\tan 50°=1.2h$

$\overline{BH}=h\tan 38°=0.8h$

$\overline{AB}=1.2h+0.8h=150$에서 $h=75(m)$

**34** $\overline{AH}=h$라 하면

$\angle BAH=60°$, $\angle CAH=30°$이므로

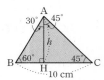

$\overline{BH}=h\tan 60°=\sqrt{3}h,$

$\overline{CH}=h\tan 30°=\dfrac{\sqrt{3}}{3}h$

$\overline{BC}=\sqrt{3}h-\dfrac{\sqrt{3}}{3}h=10$이므로 $\dfrac{2\sqrt{3}}{3}h=10$

$\therefore h=10\times\dfrac{3}{2\sqrt{3}}=5\sqrt{3}$

**35** $\angle BAC=60°$, $\angle DAC=45°$이므로

$\overline{BD}=\overline{BC}-\overline{CD}$
$=\overline{AC}\tan 60°-\overline{AC}\tan 45°$
$=\overline{AC}(\tan 60°-\tan 45°)$

$\therefore \overline{AC}=\dfrac{\overline{BD}}{\tan 60°-\tan 45°}=\dfrac{6}{\sqrt{3}-1}=3+3\sqrt{3}=3(1+\sqrt{3})$

**36** $\overline{AH}=h$라 하면

$\angle BAH=77°$,

$\angle CAH=53°$이므로

$\overline{BH}=h\tan 77°=4.3h$

$\overline{CH}=h\tan 53°=1.3h$

$\overline{BC}=4.3h-1.3h=6$이므로 $3h=6$

$\therefore h=2(m)$

**37** $\angle CAD=45°$, $\angle BAD=30°$이므로

$\overline{BC}=\overline{DC}-\overline{DB}$
$=\overline{AD}\tan 45°-\overline{AD}\tan 30°$
$=\overline{AD}(\tan 45°-\tan 30°)$

$\overline{AD}=\dfrac{\overline{BC}}{\tan 45°-\tan 30°}=8\div\left(1-\dfrac{\sqrt{3}}{3}\right)=4(3+\sqrt{3})$

$\therefore (나무의\ 높이)=4(3+\sqrt{3})(m)$

**38** 점 P에서 $\overline{AB}$의 연장선에 내린 수선의 발을 H라 하고, $\overline{PH}=h$라 하면

$\angle APH=60°$, $\angle BPH=45°$이므로

$\overline{AH}=h\tan 60°=\sqrt{3}h,$

$\overline{BH}=h\tan 45°=h$

$\overline{AB}=\sqrt{3}h-h=100$이므로 $(\sqrt{3}-1)h=100$

$\therefore h=\dfrac{100}{\sqrt{3}-1}=50(\sqrt{3}+1)(km)$

**39** 꼭짓점 A에서 $\overline{BC}$의 연장선에 내린 수선의 발을 H라 하고, $\overline{AH}=h$라 하면

$\angle BAH=45°$, $\angle CAH=30°$이므로

$\overline{BH}=h\tan 45°=h,$

$\overline{CH}=h\tan 30°=\dfrac{\sqrt{3}}{3}h$

$\overline{BC}=h-\dfrac{\sqrt{3}}{3}h=2$이므로 $\dfrac{3-\sqrt{3}}{3}h=2$

$\therefore h=\dfrac{6}{3-\sqrt{3}}=(3+\sqrt{3})(cm)$

$\therefore \triangle ABC=\dfrac{1}{2}\times 2\times(3+\sqrt{3})=(3+\sqrt{3})(cm^2)$

**40** $\triangle ABC=\dfrac{1}{2}\times 5\times 12\times\sin 60°=15\sqrt{3}$

**41** $\triangle ABC=\dfrac{1}{2}\times 7\times 8\times\sin 60°=\dfrac{1}{2}\times 7\times 8\times\dfrac{\sqrt{3}}{2}=14\sqrt{3}$

**42** $\angle A = 180° - 2 \times 75° = 30°$이므로

$\triangle ABC = \dfrac{1}{2} \times 6 \times 6 \times \sin 30° = 9$

**43** $\triangle ABC = \dfrac{1}{2} \times 6\sqrt{2} \times \overline{BC} \times \sin 30° = 27$이므로

$\dfrac{3\sqrt{2}}{2}\overline{BC} = 27$  $\therefore \overline{BC} = 9\sqrt{2}$

**44** $\triangle ABC = \dfrac{1}{2} \times 8 \times 12 \times \sin B = 24\sqrt{2}$이므로

$\sin B = \dfrac{\sqrt{2}}{2}$  $\therefore \angle B = 45°$

**45** $\tan C = \dfrac{\sqrt{3}}{3}$이므로 $\angle C = 30°$

$\therefore \triangle ABC = \dfrac{1}{2} \times 9 \times 12 \times \sin 30° = 27\,(\text{cm}^2)$

**46** $\angle FCE = \angle FCB = \angle ECD = 30°$

$\overline{CF} = \overline{CE} = \dfrac{6}{\cos 30°} = 6 \times \dfrac{2}{\sqrt{3}} = 4\sqrt{3}\,(\text{cm})$

$\therefore \triangle CEF = \dfrac{1}{2} \times 4\sqrt{3} \times 4\sqrt{3} \times \sin 30° = 12\,(\text{cm}^2)$

**47** $\angle A = 180° \times \dfrac{2}{6} = 60°$

$\therefore (\triangle ABC의 넓이) = \dfrac{1}{2} \times 8 \times 16 \times \sin 60° = 32\sqrt{3}$

**48** 점 B에서 $\overline{AC}$에 내린 수선의 발을 H라 하면

$\cos A = \dfrac{3}{4}$이므로

오른쪽 그림에서 $\sin A = \dfrac{\sqrt{7}}{4}$

$\therefore (\triangle ABC의 넓이) = \dfrac{1}{2} \times 8 \times 14 \times \dfrac{\sqrt{7}}{4} = 14\sqrt{7}$

**49** $\overline{AD} = x$라 하면 $\triangle ABD + \triangle ADC = \triangle ABC$이므로

$\dfrac{1}{2} \times 10 \times x \times \sin 30° + \dfrac{1}{2} \times x \times 8 \times \sin 30°$

$= \dfrac{1}{2} \times 10 \times 8 \times \sin 60°$

$\dfrac{5}{2}x + 2x = 20\sqrt{3}$, $9x = 40\sqrt{3}$  $\therefore \overline{AD} = x = \dfrac{40\sqrt{3}}{9}$

**50** $\overline{AB} = \overline{AC} = \dfrac{4}{\cos 45°} = 4\sqrt{2}\,(\text{cm})$

$\therefore (\triangle ABC의 넓이) = \dfrac{1}{2} \times 4\sqrt{2} \times 4\sqrt{2} \times \sin 45°$

$= 8\sqrt{2}\,(\text{cm}^2)$

**51** $\triangle ABC = \dfrac{1}{2} \times 14 \times 6 \times \sin(180° - 135°) = 21\sqrt{2}\,(\text{cm}^2)$

**52** $\triangle ABC = \dfrac{1}{2} \times 5 \times 10 \times \sin(180° - 120°)$

$= \dfrac{1}{2} \times 5 \times 10 \times \sin 60°$

$= \dfrac{1}{2} \times 5 \times 10 \times \dfrac{\sqrt{3}}{2} = \dfrac{25\sqrt{3}}{2}$

**53** $\triangle ABC = \dfrac{1}{2} \times 2\sqrt{7} \times 2\sqrt{7} \times \sin(180° - 150°) = 7\,(\text{cm}^2)$

**54** $\angle B = 135°$이므로

$(\triangle ABC의 넓이) = \dfrac{1}{2} \times 4 \times 4 \times \sin(180° - 135°) = 4\sqrt{2}$

**55** $\triangle ABC = \dfrac{1}{2} \times x \times 12 \times \sin(180° - 120°) = 9$이므로

$3\sqrt{3}x = 9$  $\therefore x = \dfrac{3}{\sqrt{3}} = \sqrt{3}\,(\text{cm})$

**56** $\triangle ABC = \dfrac{1}{2} \times 8 \times 6 \times \sin(180° - C) = 12$이므로

$\sin(180° - C) = \dfrac{1}{2} = \sin 30°$  $\therefore \angle C = 150°$

**57** $\overline{AD} = x$라 하면 $\triangle ABD + \triangle ADC = \triangle ABC$이므로

$\dfrac{1}{2} \times 8 \times x \times \sin 60° + \dfrac{1}{2} \times x \times 5 \times \sin 60°$

$= \dfrac{1}{2} \times 8 \times 5 \times \sin(180° - 120°)$

$2\sqrt{3}\,x + \dfrac{5\sqrt{3}}{4}x = 10\sqrt{3}$, $13\sqrt{3}x = 40\sqrt{3}$  $\therefore \overline{AD} = x = \dfrac{40}{13}$

**58** $\overline{AC} = 6\tan 60° = 6\sqrt{3}$

$\therefore \square ABCD = \triangle ABC + \triangle ACD$

$= \dfrac{1}{2} \times 6 \times 12 \times \sin 60° + \dfrac{1}{2} \times 6\sqrt{3} \times 8 \times \sin 30°$

$= 18\sqrt{3} + 12\sqrt{3}$

$= 30\sqrt{3}$

**59** $\overline{BD}$를 그으면

$\square ABCD$

$= \triangle ABD + \triangle BCD$

$= \dfrac{1}{2} \times 2 \times 2\sqrt{3} \times \sin(180° - 150°)$

$+ \dfrac{1}{2} \times 2\sqrt{7} \times 2\sqrt{7} \times \sin 60°$

$= \sqrt{3} + 7\sqrt{3} = 8\sqrt{3}$

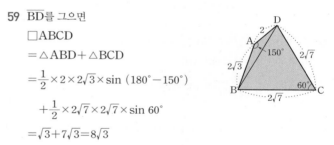

**60** $\overline{BD}$를 그으면

$(\triangle ABD의 넓이) + (\triangle BCD의 넓이)$

$= \dfrac{1}{2} \times 2\sqrt{13} \times 2\sqrt{13} \times \sin(180° - 120°)$

$+ \dfrac{1}{2} \times 10 \times 14 \times \sin 60°$

$= 48\sqrt{3}$

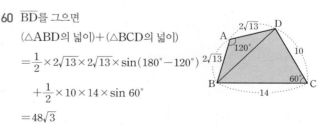

**61** $3\angle x = 90°$이므로 $\angle x = 30°$

$\overline{OC} = \dfrac{6\sqrt{3}}{\cos 30°} = 12$, $\overline{OB} = \dfrac{12}{\cos 30°} = 8\sqrt{3}$,

$\overline{OA} = \dfrac{8\sqrt{3}}{\cos 30°} = 16$

(오각형 OABCD의 넓이)

$= \dfrac{1}{2} \times 6\sqrt{3} \times 12 \times \sin 30° + \dfrac{1}{2} \times 12 \times 8\sqrt{3} \times \sin 30°$

$+ \dfrac{1}{2} \times 8\sqrt{3} \times 16 \times \sin 30°$

$= 18\sqrt{3} + 24\sqrt{3} + 32\sqrt{3} = 74\sqrt{3}$

**62** $\angle AOB = \dfrac{1}{6} \times 360° = 60°$이므로

$\triangle AOB = \dfrac{1}{2} \times 2 \times 2 \times \sin 60° = \sqrt{3}\,(\text{cm}^2)$

따라서 정육각형의 넓이는

$6\triangle AOB = 6\sqrt{3}\,(\text{cm}^2)$

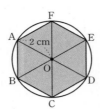

**63** $\square ABCD = 6 \times 4 \times \sin(180° - 135°) = 12\sqrt{2}$

**64** $\square ABCD = 6 \times \overline{BC} \times \sin 60° = 30\sqrt{3}$이므로

$3\sqrt{3}\ \overline{BC} = 30\sqrt{3}$

$\therefore \overline{BC} = 10\,(\text{cm})$

**65** 마름모의 한 변의 길이를 $x$라 하면

$\square ABCD = x \times x \times \sin(180° - 135°) = 16\sqrt{2}$

$\dfrac{\sqrt{2}}{2}x^2 = 16\sqrt{2},\ x^2 = 32$

$\therefore x = 4\sqrt{2}\,(\text{cm})\,(\because x > 0)$

**66** 평행사변형은 두 쌍의 대각의 크기가 각각 같으므로

$\angle A = \angle C = 60°$

$\therefore \triangle APD = \dfrac{1}{4}\square ABCD = \dfrac{1}{4} \times (4 \times 6 \times \sin 60°) = 3\sqrt{3}\,(\text{cm}^2)$

**67** $\overline{BC} = \overline{AD} = 12\,(\text{cm})$이고, $\angle B = \angle D = 45°$이므로

$\triangle AMC = \dfrac{1}{2}\triangle ABC = \dfrac{1}{4}\square ABCD$

$= \dfrac{1}{4} \times (10 \times 12 \times \sin 45°) = 15\sqrt{2}\,(\text{cm}^2)$

**68** $\triangle MQD$의 넓이가 $20\,\text{cm}^2$이므로 $\square ABCD$의 넓이는

$12 \times 20 = 16 \times \overline{AB}\sin(180° - 120°)$

$\therefore \overline{AB} = \dfrac{240}{16\sin 60°} = 10\sqrt{3}\,(\text{cm})$

**69** $\square ABCD = \dfrac{1}{2} \times 8 \times 9 \times \sin 45° = 18\sqrt{2}\,(\text{cm}^2)$

**70** $\overline{BD} = x$라 하면 $\overline{AC} = \dfrac{x}{2}$

$\square ABCD = \dfrac{1}{2} \times \dfrac{x}{2} \times x \times \sin 60° = 8\sqrt{3}$이므로

$\dfrac{\sqrt{3}}{8}x^2 = 8\sqrt{3},\ x^2 = 64$

$\therefore \overline{BD} = x = 8\,(\because x > 0)$

**71** 두 대각선의 교점을 O라 하면

$\angle AOB = 24° + 36° = 60°$이므로

$\square ABCD = \dfrac{1}{2} \times 10 \times 14 \times \sin 60° = 35\sqrt{3}\,(\text{cm}^2)$

**72** $\angle BAC = \angle CDB = 90°$,

$\angle ABE = \angle CBE = \angle DCE = \angle BCE = 30°$

이므로 $\angle AEB = 60°$

$\overline{BD} = \overline{AC} = 16 \times \cos 30° = 8\sqrt{3}$

$\therefore (\square ABCD$의 넓이$) = \dfrac{1}{2} \times 8\sqrt{3} \times 8\sqrt{3} \times \sin 60° = 48\sqrt{3}$

**73** 6초 동안 $60°$ 회전하므로 오른쪽 그림에서 두 친구의 높이의 차 $h$는

$h = 40\sin 60° = 40 \times \dfrac{\sqrt{3}}{2}$

$= 20\sqrt{3}\,(\text{m})$

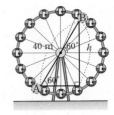

**74** 점 E에서 $\overline{BC}$에 내린 수선의 발을 H라 하면 $\triangle EBH$에서

$\overline{EH} = 6\sqrt{2}\sin 45°$

$= 6\sqrt{2} \times \dfrac{\sqrt{2}}{2}$

$= 6\,(\text{cm})$

$\overline{BH} = \overline{EH} = 6\,(\text{cm})$

$\triangle EHC$에서 $\angle HEC = 60°$이므로

$\overline{CH} = 6\tan 60° = 6\sqrt{3}\,(\text{cm})$

따라서 $\overline{BC} = (6 + 6\sqrt{3})\,(\text{cm})$이므로

$\triangle EBC = \dfrac{1}{2} \times (6 + 6\sqrt{3}) \times 6 = 18(1 + \sqrt{3})\,(\text{cm}^2)$

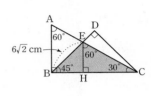

**75** 꼭짓점 A에서 $\overline{BC}$의 연장선에 내린 수선의 발을 H라 하면

$\overline{AH} = 4\sin 60° = 2\sqrt{3}$

$\overline{BH} = 4\cos 60° = 2$이므로

$\overline{CH} = 3 + 2 = 5$

따라서 $\triangle AHC$에서 $\overline{AC} = \sqrt{(2\sqrt{3})^2 + 5^2} = \sqrt{37}$

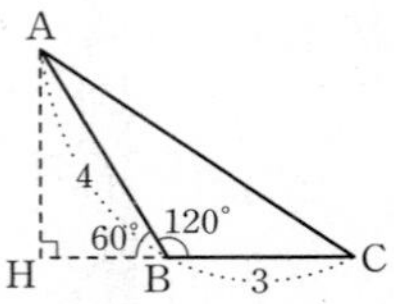

**76** 꼭짓점 A에서 $\overline{BC}$에 내린 수선의 발을 H라 하면

$\overline{AH} = x\sin 45° = \dfrac{\sqrt{2}}{2}x$,

$\overline{BH} = x\cos 45° = \dfrac{\sqrt{2}}{2}x$

$\overline{CH} = \dfrac{\overline{AH}}{\tan 60°} = \dfrac{\sqrt{2}}{2}x \times \dfrac{1}{\sqrt{3}} = \dfrac{\sqrt{6}}{6}x$이므로

$\overline{BC} = \left(\dfrac{\sqrt{2}}{2} + \dfrac{\sqrt{6}}{6}\right)x = 6,\ (3\sqrt{2} + \sqrt{6})x = 36$

$\therefore x = \dfrac{36}{3\sqrt{2} + \sqrt{6}} = 3(3\sqrt{2} - \sqrt{6})$

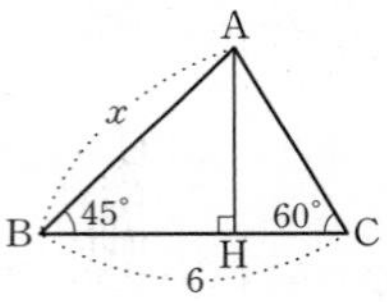

**77** 꼭짓점 A에서 $\overline{BC}$에 내린 수선의 발을 H라 하자.

$\overline{AB} = a$라 하면

$\overline{BH} = a\cos 60° = \dfrac{1}{2}a$

$\overline{AH} = a\sin 60° = \dfrac{\sqrt{3}}{2}a$이므로

$\overline{CH} = \overline{AH} = \dfrac{\sqrt{3}}{2}a$

$\overline{AC} = \dfrac{\overline{AH}}{\sin 45°} = \dfrac{\sqrt{3}}{2}a \times \dfrac{2}{\sqrt{2}} = \dfrac{\sqrt{6}}{2}a$

이때 $\overline{BC} = \dfrac{1}{2}a + \dfrac{\sqrt{3}}{2}a = 10\sqrt{3}$이므로

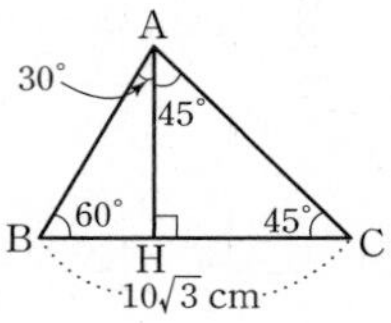

$$a=\frac{20\sqrt{3}}{\sqrt{3}+1}=10(3-\sqrt{3})\,(\text{cm})$$

따라서 △ABC의 둘레의 길이는

$$a+10\sqrt{3}+\frac{\sqrt{6}}{2}a=10(3-\sqrt{3})+10\sqrt{3}+\frac{\sqrt{6}}{2}\times10(3-\sqrt{3})$$

$$=(30+15\sqrt{6}-15\sqrt{2})\,(\text{cm})$$

### 학교 시험 100점맞기

42쪽~45쪽

| | | | | | |
|---|---|---|---|---|---|
| 01 24.1 | 02 ④ | 03 ⑤ | 04 ② | 05 ① | 06 ④ |
| 07 $6(\sqrt{3}-1)$ | | 08 ② | 09 ⑤ | 10 50 m | |
| 11 $5\sqrt{3}$ cm | | 12 $14\sqrt{3}$ cm$^2$ | | 13 ② | 14 ④ |
| 15 $12\sqrt{3}$ cm$^2$ | | 16 $8\sqrt{6}$ cm$^2$ | | 17 ④ | 18 ④ |
| 19 $50(1+\sqrt{3})$ cm$^2$ | | 20 ③ | | 21 $15\sqrt{3}$ m | |
| 22 $20\sqrt{3}$ | | 23 44.42 m | | 24 $2\sqrt{41}$ m | |

**01** ∠C=90°-50°=40°이므로
$\overline{\text{AB}}=10\sin40°=10\times0.64=6.4$,
$\overline{\text{BC}}=10\cos40°=10\times0.77=7.7$
따라서 △ABC의 둘레의 길이는 6.4+7.7+10=24.1

**02** $\overline{\text{OH}}=10\cos30°=10\times\frac{\sqrt{3}}{2}$

$=5\sqrt{3}\,(\text{cm})$

$\therefore\overline{\text{AH}}=(10-5\sqrt{3})\,(\text{cm})$

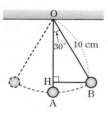

**03** $\overline{\text{AC}}=20\tan58°=20\times1.60=32\,(\text{m})$
따라서 건물의 높이는 1.5+32=33.5(m)

**04** $\overline{\text{AH}}=\frac{1}{2}\times230=115$

$\therefore\overline{\text{OH}}=\overline{\text{AH}}\tan52°$

$=115\tan52°$

**05** 꼭짓점 A에서 $\overline{\text{BC}}$에 내린 수선의 발을
D라 하면 △ADC에서
$\overline{\text{AD}}=4\sin60°=2\sqrt{3}\,(\text{cm})$
$\overline{\text{CD}}=4\cos60°=2\,(\text{cm})$이므로
$\overline{\text{BD}}=5-2=3\,(\text{cm})$
따라서 △ABD에서
$\overline{\text{AB}}=\sqrt{(2\sqrt{3})^2+3^2}=\sqrt{21}\,(\text{cm})$

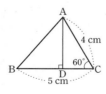

**06** 꼭짓점 A에서 $\overline{\text{BC}}$에 내린 수선의 발을
H라 하면 ∠C=180°-(75°+45°)=60°

$\overline{\text{AH}}=15\sin45°=\frac{15\sqrt{2}}{2}$

$\therefore x=\frac{\overline{\text{AH}}}{\sin60°}=\frac{15\sqrt{2}}{2}\times\frac{2}{\sqrt{3}}=5\sqrt{6}$

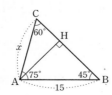

**07** $\overline{\text{AH}}=h$라 하면
$\overline{\text{BH}}=h\tan45°=h$,
$\overline{\text{CH}}=h\tan60°=\sqrt{3}h$
$\overline{\text{BC}}=h+\sqrt{3}h=12$이므로
$(1+\sqrt{3})h=12$

$\therefore h=\frac{12}{1+\sqrt{3}}=6(\sqrt{3}-1)$

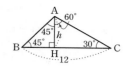

**08** 꼭짓점 A에서 $\overline{\text{BC}}$에 내린 수선의 발을
H라 하면

$\overline{\text{AH}}=x\sin45°=\frac{\sqrt{2}}{2}x$

$\overline{\text{BH}}=x\cos45°=\frac{\sqrt{2}}{2}x$

$\therefore\overline{\text{CH}}=\frac{\overline{\text{AH}}}{\tan30°}=\frac{\sqrt{2}}{2}x\times\frac{3}{\sqrt{3}}=\frac{\sqrt{6}}{2}x$

$\overline{\text{BC}}=\overline{\text{BH}}+\overline{\text{CH}}=12$이므로

$\left(\frac{\sqrt{2}}{2}+\frac{\sqrt{6}}{2}\right)x=12$

$\therefore x=12\times\frac{2}{\sqrt{2}+\sqrt{6}}=6(\sqrt{6}-\sqrt{2})$

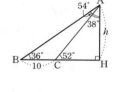

**09** $\overline{\text{AH}}=h$라 하면
$\overline{\text{BH}}=h\tan54°$, $\overline{\text{CH}}=h\tan38°$
$\overline{\text{BC}}=\overline{\text{BH}}-\overline{\text{CH}}=10$이므로
$h(\tan54°-\tan38°)=10$

$\therefore h=\frac{10}{\tan54°-\tan38°}$

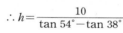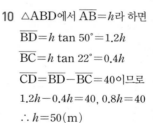

**10** △ABD에서 $\overline{\text{AB}}=h$라 하면

$\overline{\text{BD}}=h\tan50°=1.2h$

$\overline{\text{BC}}=h\tan22°=0.4h$

$\overline{\text{CD}}=\overline{\text{BD}}-\overline{\text{BC}}=40$이므로

$1.2h-0.4h=40$, $0.8h=40$

$\therefore h=50\,(\text{m})$

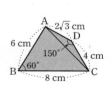

**11** $\triangle\text{ABC}=\frac{1}{2}\times8\times\overline{\text{AC}}\times\sin(180°-150°)=10\sqrt{3}$

이므로 $2\overline{\text{AC}}=10\sqrt{3}$

$\therefore\overline{\text{AC}}=5\sqrt{3}\,(\text{cm})$

**12** $\overline{\text{AC}}$를 그으면

□ABCD

$=\triangle\text{ABC}+\triangle\text{ACD}$

$=\frac{1}{2}\times6\times8\times\sin60°$

$+\frac{1}{2}\times2\sqrt{3}\times4\times\sin(180°-150°)$

$=12\sqrt{3}+2\sqrt{3}=14\sqrt{3}\,(\text{cm}^2)$

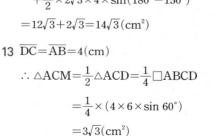

**13** $\overline{\text{DC}}=\overline{\text{AB}}=4\,(\text{cm})$

$\therefore\triangle\text{ACM}=\frac{1}{2}\triangle\text{ACD}=\frac{1}{4}\square\text{ABCD}$

$=\frac{1}{4}\times(4\times6\times\sin60°)$

$=3\sqrt{3}\,(\text{cm}^2)$

**14** 등변사다리꼴의 두 대각선의 길이는 서로 같으므로

$\overline{AC} = \overline{BD} = x$라 하면

$\square ABCD = \dfrac{1}{2} \times x \times x \times \sin 60° = 12\sqrt{3}$

$\dfrac{\sqrt{3}}{4} x^2 = 12\sqrt{3}$, $x^2 = 48$

$\therefore \overline{AC} = x = 4\sqrt{3}$(cm)$(\because x > 0)$

**15** $\triangle ACB$는 $\angle CAB = \angle CBA$이므로

이등변삼각형이다.

따라서 $\angle ACH = 60°$이므로

$\overline{BC} = \overline{AC} = \dfrac{6}{\sin 60°} = 6 \times \dfrac{2}{\sqrt{3}}$

$= 4\sqrt{3}$(cm)

$\therefore \triangle ACB = \dfrac{1}{2} \times \overline{BC} \times \overline{AH} = \dfrac{1}{2} \times 4\sqrt{3} \times 6 = 12\sqrt{3}$(cm$^2$)

**16** 꼭짓점 A에서 $\overline{BC}$에 내린 수선의 발을

H라 하면

$\overline{AH} = \overline{BH} \tan B = \sqrt{2}\, \overline{BH}$

이때 $\overline{BH} = x$라 하면 $\overline{AH} = \sqrt{2} x$이므로

$\triangle ABH$에서

$x^2 + (\sqrt{2} x)^2 = 6^2$, $3x^2 = 36$

$\therefore x = 2\sqrt{3}$(cm)$(\because x > 0)$

따라서 $\overline{AH} = \sqrt{2} x = 2\sqrt{6}$(cm)이므로

$\triangle ABC = \dfrac{1}{2} \times \overline{BC} \times \overline{AH} = \dfrac{1}{2} \times 8 \times 2\sqrt{6} = 8\sqrt{6}$(cm$^2$)

**17** $\triangle ABD + \triangle ADC = \triangle ABC$이므로

$\dfrac{1}{2} \times 6 \times \overline{AD} \times \sin 45° + \dfrac{1}{2} \times \overline{AD} \times 4 \times \sin 45° = \dfrac{1}{2} \times 6 \times 4$

$\dfrac{3\sqrt{2}}{2} \overline{AD} + \sqrt{2}\, \overline{AD} = 12$, $5\sqrt{2}\, \overline{AD} = 24$

$\therefore \overline{AD} = \dfrac{24}{5\sqrt{2}} = \dfrac{12\sqrt{2}}{5}$(cm)

**18** 두 대각선이 이루는 각의 크기를 $x$(단, $0° < x \le 90°$)라 하면

$\square ABCD = \dfrac{1}{2} \times 9 \times 12 \times \sin x = 54 \sin x$

즉, $\square ABCD$의 넓이는 $\sin x$가 최대일 때, 최댓값을 가진다.

따라서 $0° < x \le 90°$에서 $\sin x$는 $x = 90°$일 때, 최댓값 1을 가지므로

$\square ABCD$의 넓이의 최댓값은 54이다.

**19** $\triangle EHC$에서

$\overline{CH} = 20 \cos 30° = 10\sqrt{3}$(cm)

$\overline{EH} = 20 \sin 30° = 10$(cm)

$\triangle EBH$에서

$\overline{BH} = \overline{EH} = 10$(cm)

따라서 $\overline{BC} = (10 + 10\sqrt{3})$(cm)

이므로 $\triangle EBC = \dfrac{1}{2} \times (10 + 10\sqrt{3}) \times 10 = 50(1 + \sqrt{3})$(cm$^2$)

**20** 꼭짓점 A에서 $\overline{BC}$의 연장선에 내린 수선의

발을 H라 하면

$\overline{AH} = 6 \sin 45° = 3\sqrt{2}$(cm)

$\overline{BH} = 6 \cos 45° = 3\sqrt{2}$(cm)

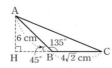

이므로 $\overline{CH} = 4\sqrt{2} + 3\sqrt{2} = 7\sqrt{2}$(cm)

따라서 $\triangle AHC$에서 $\overline{AC} = \sqrt{(3\sqrt{2})^2 + (7\sqrt{2})^2} = 2\sqrt{29}$(cm)

**21** (1단계) $\overline{AB} = 15 \tan 30° = 15 \times \dfrac{\sqrt{3}}{3} = 5\sqrt{3}$(m)

(2단계) $\overline{AC} = \dfrac{15}{\cos 30°} = 15 \times \dfrac{2}{\sqrt{3}} = 10\sqrt{3}$(m)

(3단계) 처음 나무의 높이는 $5\sqrt{3} + 10\sqrt{3} = 15\sqrt{3}$(m)

**22** (1단계) $\overline{AC} = \overline{BC} \sin 60° = 10 \times \dfrac{\sqrt{3}}{2} = 5\sqrt{3}$

(2단계) $\angle ACB = 30°$이므로

$\triangle ABC = \dfrac{1}{2} \times 10 \times 5\sqrt{3} \times \sin 30° = \dfrac{25\sqrt{3}}{2}$

(3단계) $\triangle ACD = \dfrac{1}{2} \times 5\sqrt{3} \times 6 \times \sin 30° = \dfrac{15\sqrt{3}}{2}$

(4단계) $\square ABCD = \triangle ABC + \triangle ACD = \dfrac{25\sqrt{3}}{2} + \dfrac{15\sqrt{3}}{2} = 20\sqrt{3}$

**23** $\triangle ADC$에서

$\overline{CD} = \overline{AD} \tan 15° = 100 \times 0.2679 = 26.79$(m) ...... ❶

$\triangle ABD$에서

$\overline{DB} = \overline{AD} \tan 10° = 100 \times 0.1763 = 17.63$(m) ...... ❷

$\therefore$ (철탑의 높이) $= \overline{CB} = \overline{CD} + \overline{DB} = 26.79 + 17.63 = 44.42$(m)

...... ❸

| 채점 기준 | 배점 |
|---|---|
| ❶ $\overline{CD}$의 길이 구하기 | 3점 |
| ❷ $\overline{DB}$의 길이 구하기 | 3점 |
| ❸ 철탑의 높이 구하기 | 2점 |

**24** 점 A에서 $\overline{OB}$에서 내린 수선의 발을 H라 하자.

$\overline{AH} = 10 \sin 54° = 10 \times 0.8$

$= 8$(m) ...... ❶

$\overline{OH} = 10 \cos 54° = 6$(m)이므로

$\overline{BH} = 16 - 6 = 10$(m) ...... ❷

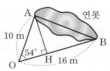

따라서 $\triangle AHB$에서

$\overline{AB} = \sqrt{8^2 + 10^2} = \sqrt{164} = 2\sqrt{41}$(m) ...... ❸

| 채점 기준 | 배점 |
|---|---|
| ❶ $\overline{AH}$의 길이 구하기 | 3점 |
| ❷ $\overline{BH}$의 길이 구하기 | 3점 |
| ❸ 연못의 양 끝의 두 지점 A, B 사이의 거리 구하기 | 2점 |

# 3. 원과 직선

## 시험에 ☆ 나오는 핵심개념

46쪽~47쪽

예제 1  **답** (1) 3  (2) 60

(2) $30 : x = 7 : 14$, $30 : x = 1 : 2$  $\therefore x = 60$

예제 **2**  📋 4 cm

$\overline{AB}=2\overline{AM}=2\times2=4(cm)$

예제 **3**  📋 4

예제 **4**  📋 (1) 7 cm  (2) 70°

(2) $\overline{PA}=\overline{PB}$이므로 △PBA는 이등변삼각형이다.

$\therefore \angle PAB=\dfrac{1}{2}\times(180°-40°)=70°$

예제 **5**  📋 $x=5,\ y=7,\ z=8$

예제 **6**  📋 10

□ABCD가 원 O에 외접하므로

$\overline{AB}+\overline{CD}=\overline{AD}+\overline{BC},\ x+9=7+12$

---

## 유형 격파 ✚ 기출 문제          48쪽~61쪽

| | | | | |
|---|---|---|---|---|
| 01 ② | 02 ④ | 03 ② | 04 ① | 05 ㄴ, ㄷ, ㅂ |
| 06 ③ | 07 $(8+20\pi)$ cm | 08 14 cm | 09 6 cm | |
| 10 $2\pi$ cm | 11 ③ | 12 ④ | 13 ④ | 14 ① | 15 ② |
| 16 ② | 17 ① | 18 $\dfrac{73}{6}$ cm | 19 2 | 20 29 cm |
| 21 $\dfrac{625}{9}\pi$ cm² | 22 ⑤ | 23 $\dfrac{8}{3}\pi$ cm | 24 ① | |
| 25 ④ | 26 4 cm | 27 12 | 28 $3\sqrt2$ | 29 ③ | 30 ⑤ |
| 31 ③ | 32 6 | 33 ④ | 34 $\overline{AB}=\overline{AC}$인 이등변삼각형 | |
| 35 ② | 36 ⑤ | 37 24 | 38 18 | 39 ① | 40 ① |
| 41 ③ | 42 6 cm | 43 $\dfrac{2}{3}\pi$ cm | 44 $\left(\dfrac{9\sqrt3}{2}-\dfrac{3}{2}\pi\right)$cm² |
| 45 ① | 46 ⑤ | 47 ① | 48 ② | 49 ④ |
| 50 31 : 35 : 24 | 51 ⑤ | 52 $4\sqrt5$ cm² | 53 ⑤ |
| 54 $4\sqrt3$ cm | 55 ③ | 56 10 | 57 $18+6\sqrt3$ |
| 58 ① | 59 $\dfrac{120}{13}$ | 60 ⑤ | 61 7 | 62 ⑤ | 63 ③ |
| 64 $2\sqrt2$ cm | 65 ③ | 66 8 cm | 67 6 | |
| 68 $4\sqrt6$ cm | 69 90° | 70 40 cm² | 71 ④ | 72 ③ |
| 73 ① | 74 $2\sqrt2$ | 75 ④ | 76 $36\pi$ cm² | 77 ① |
| 78 8 | 79 24 cm | 80 ④ | 81 1 | 82 $(\sqrt3-1)$ cm |
| 83 $4\pi$ | 84 24 | 85 5 cm | 86 ② | 87 4 cm | 88 ③ |
| 89 ① | 90 12.5 cm | 91 ③ | 92 9 | |

**01** $30°:120°=\overset{\frown}{AB}:16,\ 1:4=\overset{\frown}{AB}:16\ \therefore\ \overset{\frown}{AB}=4$

**02** ④ $\overline{AB}=\overline{CE}<\overline{CD}+\overline{DE}$이므로 $\overline{AB}<2\overline{DE}$

**03** $\angle x:(\angle x+40°)=5:10,\ \angle x:(\angle x+40°)=1:2$

$2\angle x=\angle x+40°\ \therefore\ \angle x=40°$

**04** $\overset{\frown}{AB}:\overset{\frown}{BC}:\overset{\frown}{CDA}=1:2:6$이므로 $\angle BOC=360°\times\dfrac{2}{9}=80°$

---

**05** $\overset{\frown}{AB}:\overset{\frown}{BC}=1:3$이므로

$\angle AOB=180°\times\dfrac{1}{4}=45°$, $\angle BOC=3\angle AOB$, $\overset{\frown}{AC}=4\overset{\frown}{AB}$,

(부채꼴 AOB의 넓이)$=\dfrac{1}{3}$(부채꼴 BOC의 넓이)

따라서 옳은 것은 ㄴ, ㄷ, ㅂ이다.

**06** $\overline{OD}$를 그으면 $\overline{AD}\,/\!/\,\overline{OC}$이므로

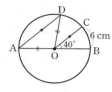

$\angle DAO=\angle COB=40°$(동위각)

또, △ODA에서 $\overline{OA}=\overline{OD}$이므로

$\angle ODA=\angle OAD=40°$

$\therefore \angle AOD=100°$

따라서 $40°:100°=6:\overset{\frown}{AD}$이므로

$\overset{\frown}{AD}=15(cm)$

**07** $\overset{\frown}{CD}=2\times10\pi=20\pi(cm)$

따라서 부채꼴 OCD의 둘레의 길이는 $8+20\pi(cm)$

**08** $\overline{OD}$를 그으면 $\overline{AB}\,/\!/\,\overline{CD}$이므로

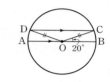

$\angle OCD=\angle COB=20°$(엇각)

또, △OCD에서 $\overline{OC}=\overline{OD}$이므로

$\angle ODC=\angle OCD=20°$

$\therefore \angle DOC=140°$

따라서 $20°:140°=2:\overset{\frown}{CD}$이므로

$\overset{\frown}{CD}=14(cm)$

**09** $\overline{OD}$를 그으면 $\overline{AB}\,/\!/\,\overline{CD}$이므로

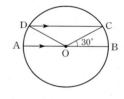

$\angle OCD=\angle COB=30°$

$\angle COD=180°-2\times30°=120°$

$\overset{\frown}{BC}:\overset{\frown}{CD}=\angle BOC:\angle COD$

$=30°:120°=1:4$

$\therefore \overset{\frown}{BC}=\dfrac{1}{4}\overset{\frown}{CD}=\dfrac{1}{4}\times24=6(cm)$

**10** $\overline{DO}=\overline{DP}$이므로 $\angle DOP=\angle DPO=30°$

△DPO에서 $\angle ODC=30°+30°=60°$

$\overline{OC}=\overline{OD}$이므로 $\angle OCD=\angle ODC=60°$

$\therefore \angle COD=60°$

$\therefore \overset{\frown}{CD}=2\pi\times6\times\dfrac{60°}{360°}=2\pi(cm)$

**11** $\overline{OH}\perp\overline{AB}$이므로 $\overline{AH}=\overline{BH}=5$

따라서 △OAH에서 $\overline{OH}=\sqrt{6^2-5^2}=\sqrt{11}$

**12** $\overline{AD}=\overline{DB}=12$

△OAD에서 $\overline{OD}=\sqrt{13^2-12^2}=5$

$\therefore x=13-5=8$

**13** $\overline{OH}\perp\overline{AB}$이므로 $\overline{BH}=\overline{AH}=4$

△OHB에서 $\overline{OB}=\sqrt{4^2+3^2}=5$

$\therefore \overline{BC}=2\overline{OB}=2\times5=10$

**14** $\overline{AM}=\overline{BM}=4$

원 O의 반지름의 길이를 $x$라 하면

$\overline{OA}=\overline{OP}=x$, $\overline{OM}=x-2$

$\triangle OAM$에서 $4^2+(x-2)^2=x^2$

$4x=20$ $\therefore x=5$

따라서 원 O의 둘레의 길이는 $2\pi \times 5=10\pi$

**15** 원 O의 반지름의 길이를 $r$이라 하면

$\overline{OA}=r$, $\overline{OM}=r-6$

$\triangle OAM$에서 $r^2=8^2+(r-6)^2$, $12r=100$ $\therefore r=\dfrac{25}{3}$

따라서 $\overline{OM}=\dfrac{25}{3}-6=\dfrac{7}{3}$, $\overline{AB}=16$이므로

$\triangle OAB=\dfrac{1}{2}\times 16 \times \dfrac{7}{3}=\dfrac{56}{3}$

**16** $\triangle BCD$에서 $\overline{BD}=\sqrt{5^2-3^2}=4$

원 O의 반지름의 길이를 $r$이라 하면

$\overline{OD}=r-3$

$\triangle OBD$에서 $4^2+(r-3)^2=r^2$

$6r=25$ $\therefore r=\dfrac{25}{6}$

따라서 원 O의 지름의 길이는 $2r=2\times \dfrac{25}{6}=\dfrac{25}{3}$

**17** $\overline{AB}\perp\overline{CM}$이므로

$\overline{AM}=\dfrac{1}{2}\overline{AB}=\dfrac{1}{2}\times 14=7$(cm)

이 원의 반지름의 길이를 $x$라 하면

$\overline{OA}=x$, $\overline{OM}=x-5$

$\triangle AOM$에서 $7^2+(x-5)^2=x^2$

$10x=74$ $\therefore x=\dfrac{37}{5}$(cm)

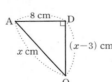

**18** 원의 반지름의 길이를 $x$ cm라 하면

$x^2=8^2+(x-3)^2$, $6x=73$

$\therefore x=\dfrac{73}{6}$(cm)

**19** $\overline{OM}\perp\overline{AB}$이므로

$\overline{AM}=\dfrac{1}{2}\times 12=6$

$\triangle OMA$에서 $\overline{OM}=\sqrt{10^2-6^2}=8$

$\therefore \overline{CM}=\overline{OC}-\overline{OM}=10-8=2$

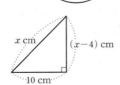

**20** 바퀴의 반지름의 길이를 $x$ cm라 하면

$x^2=10^2+(x-4)^2$

$8x=116$, $x=\dfrac{29}{2}$

$\therefore$ (바퀴의 지름)$=2\times \dfrac{29}{2}=29$(cm)

**21** $\overline{AB}\perp\overline{CD}$이므로

$\overline{DB}=\dfrac{1}{2}\times 16=8$(cm)

접시의 반지름의 길이를 $x$라 하면

$\overline{OB}=x$, $\overline{OD}=x-6$

$\triangle OBD$에서 $8^2+(x-6)^2=x^2$

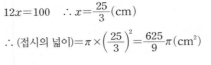

$12x=100$ $\therefore x=\dfrac{25}{3}$(cm)

$\therefore$ (접시의 넓이)$=\pi \times \left(\dfrac{25}{3}\right)^2=\dfrac{625}{9}\pi$(cm$^2$)

**22** $\overline{OA}=\overline{OC}=6$(cm)이므로

$\overline{OH}=\dfrac{1}{2}\times 6=3$(cm)

$\triangle OAH$에서 $\overline{AH}=\sqrt{6^2-3^2}=3\sqrt{3}$(cm)

$\therefore \overline{AB}=2\overline{AH}=6\sqrt{3}$(cm)

**23** 접었으므로 $\overline{OA}=\overline{OC}=\overline{AC}$가 되어

$\triangle OAC$는 정삼각형이다.

마찬가지로 $\triangle OCB$도 정삼각형이므로

$\angle AOB=2\angle AOC=120°$

$\therefore \overarc{AB}=2\pi \times 4 \times \dfrac{120°}{360°}=\dfrac{8}{3}\pi$(cm)

**24** 반지름의 길이를 $r$이라 하면

$\overline{OP}=\overline{QP}=\dfrac{r}{2}$

또, $\overline{AP}=\dfrac{1}{2}\overline{AB}=5\sqrt{3}$이므로 $\triangle OAP$에서

$(5\sqrt{3})^2+\left(\dfrac{r}{2}\right)^2=r^2$, $\dfrac{3}{4}r^2=75$

$r^2=100$

$\therefore \overline{AO}=r=10(\because r>0)$

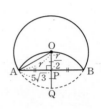

**25** $\overline{OA}=r$이라 하면 $\overline{OM}=\dfrac{1}{2}r$이다.

$\triangle OAM$에서 $r^2=\left(\dfrac{1}{2}r\right)^2+(2\sqrt{6})^2$, $r^2=32$ $\therefore r=4\sqrt{2}$

$\overline{AB}=2\overline{AM}=4\sqrt{6}$, $\overline{OM}=\dfrac{1}{2}\overline{OA}=2\sqrt{2}$이므로

($\triangle OAB$의 넓이)$=\dfrac{1}{2}\times \overline{AB}\times \overline{OM}$

$=\dfrac{1}{2}\times 4\sqrt{6}\times 2\sqrt{2}=8\sqrt{3}$

**26** $\overline{OM}\perp\overline{AB}$, $\overline{ON}\perp\overline{CD}$이고,

$\overline{OM}=\overline{ON}$이므로

$\overline{AB}=\overline{CD}=8$(cm)

$\therefore \overline{AM}=\overline{BM}=\dfrac{1}{2}\times 8=4$(cm)

**27** $\overline{OM}\perp\overline{AB}$이므로 $\overline{AM}=\overline{BM}=6$

$\therefore \overline{AB}=2\overline{AM}=2\times 6=12$

따라서 $\overline{OM}=\overline{ON}$이므로

$x=\overline{CD}=\overline{AB}=12$

**28** $\overline{OM}=\overline{ON}$이므로 $\overline{AB}=\overline{CD}=6$, $\overline{CN}=\overline{DN}=3$

따라서 $\triangle OCN$에서

$x=\overline{OC}=\sqrt{3^2+3^2}=3\sqrt{2}$

**29** 점 O에서 $\overline{AB}$에 내린 수선의 발을 E라 하면

$\overline{AB}=\overline{AC}$이므로 $\overline{OE}=\overline{OD}=3$

$\therefore \triangle ABO=\dfrac{1}{2}\times 12 \times 3=18$

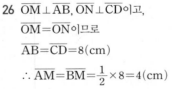

**30** 점 O에서 $\overline{CD}$에 내린 수선의 발을 N이라 하면

$\overline{AB}=\overline{CD}$이므로 $\overline{OM}=\overline{ON}=3$

$\triangle ONC$에서 $\overline{CN}=\sqrt{(3\sqrt{5})^2-3^2}=6$

$\therefore \overline{CD}=2\overline{CN}=12$

$\therefore \triangle OCD=\dfrac{1}{2}\times 12\times 3=18$

**31** $\overline{OM}=\overline{ON}$이므로 $\overline{AB}=\overline{CD}=4\sqrt{3}$

$\triangle OAM$에서 $\overline{AM}=\dfrac{1}{2}\overline{AB}=2\sqrt{3}$이므로

$\overline{OA}=\dfrac{2\sqrt{3}}{\cos 30°}=2\sqrt{3}\times\dfrac{2}{\sqrt{3}}=4$

따라서 원 O의 지름의 길이는 8이다.

**32** $\overline{AB}=\overline{CD}$이므로 $\overline{OM}=\overline{ON}$

또, $\overline{MB}=\dfrac{1}{2}\times 8=4$

$\triangle OBM$에서 $\overline{OM}=\sqrt{5^2-4^2}=3$

따라서 두 현 AB, CD 사이의 거리는

$\overline{MN}=2\overline{OM}=6$

**33** $\overline{OM}=\overline{ON}$이므로 $\overline{AB}=\overline{AC}$

$\therefore \angle ABC=\dfrac{1}{2}\times(180°-40°)=70°$

**34** $\overline{OP}=\overline{OQ}$이므로 $\overline{AB}=\overline{AC}$

따라서 $\triangle ABC$는 $\overline{AB}=\overline{AC}$인 이등변삼각형이다.

**35** $\square MBHO$에서 $\angle B=360°-(90°+90°+115°)=65°$

$\overline{OM}=\overline{ON}$이므로 $\overline{AB}=\overline{AC}$ $\therefore \angle B=\angle C=65°$

$\therefore \angle A=180°-2\times 65°=50°$

**36** $\overline{OM}=\overline{ON}$이므로 $\overline{AB}=\overline{AC}$

따라서 $\triangle ABC$는 이등변삼각형이므로 $\angle B=\angle C$

$\therefore \angle B=\dfrac{1}{2}\times(180°-46°)=\dfrac{1}{2}\times 134°=67°$

**37** $\triangle OBM$에서 $\overline{BM}=\sqrt{5^2-3^2}=4$

$\therefore \overline{BC}=2\times 4=8$

따라서 $\overline{OL}=\overline{OM}=\overline{ON}$이므로 $\overline{AB}=\overline{BC}=\overline{CA}=8$

$\therefore (\triangle ABC의 둘레의 길이)=3\times 8=24$

**38** $\square BMON$에서

$\angle B=360°-(120°+90°+90°)=60°$

$\overline{OM}=\overline{ON}$에서 $\overline{AB}=\overline{BC}$이므로

$\angle A=\angle C=\dfrac{1}{2}\times(180°-60°)=60°$

따라서 $\triangle ABC$는 정삼각형이므로

$\overline{AC}=\overline{BC}=2\overline{BN}=18$

**39** $\overline{OD}=\overline{OE}=\overline{OF}$이므로

$\overline{AB}=\overline{BC}=\overline{CA}$가 되어

$\triangle ABC$는 정삼각형이다.

$\therefore \overline{AE}=\dfrac{\sqrt{3}}{2}\times 3=\dfrac{3\sqrt{3}}{2}(cm)$

원의 중심 O는 $\triangle ABC$의 무게중심이므로

$\overline{AO}=\dfrac{3\sqrt{3}}{2}\times\dfrac{2}{3}=\sqrt{3}(cm)$

따라서 원 O의 넓이는 $\pi\times(\sqrt{3})^2=3\pi(cm^2)$

**40** $\overline{AT}$가 원 O의 접선이므로 $\angle OTA=90°$

따라서 $\triangle OAT$에서 $\angle x=180°-(72°+90°)=18°$

**41** $\overline{OA}\perp\overline{PA}$이므로 $\triangle APO$는 직각삼각형이다.

$x=\sqrt{13^2-12^2}=5$

**42** $\overline{AO}$를 그으면

$\overline{AO}$는 원 O의 반지름이므로

$\overline{PA}\perp\overline{AO}$, 즉 $\angle PAO=90°$

따라서 직각삼각형 APO에서

$\overline{AO}=\sqrt{10^2-8^2}=6(cm)$

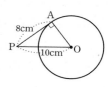

**43** $\overline{PA}$가 원 O의 접선이므로 $\angle PAO=90°$

따라서 $\triangle APO$에서

$\angle POA=180°-(90°+30°)=60°$

$\therefore \overparen{AB}=2\pi\times 2\times\dfrac{60°}{360°}=\dfrac{2}{3}\pi(cm)$

**44** $\overline{PT}$가 원 O의 접선이므로 $\angle PTO=90°$, $\angle TPO=30°$

$\triangle POT$에서 $\overline{TP}=3\tan 60°=3\sqrt{3}(cm)$

$\therefore (색칠한 부분의 넓이)=\triangle POT-(부채꼴 TOQ의 넓이)$

$=\dfrac{1}{2}\times 3\times 3\sqrt{3}-\pi\times 3^2\times\dfrac{60°}{360°}$

$=\left(\dfrac{9\sqrt{3}}{2}-\dfrac{3}{2}\pi\right)(cm^2)$

**45** $\overline{PT}, \overline{PT'}$는 원 O의 접선이므로 $\angle PTO=\angle PT'O=90°$

따라서 $\square PT'OT$에서

$\angle TPT'=360°-(90°+135°+90°)=45°$

**46** $\overline{PA}, \overline{PB}$는 원 O의 접선이므로 $\angle PAO=\angle PBO=90°$

따라서 $\square APBO$에서 $\angle AOB=360°-(90°+40°+90°)=140°$

**47** $\triangle PAO$와 $\triangle PBO$에서 $\overline{PA}, \overline{PB}$는 원 O의 접선이므로

$\angle PAO=\angle PBO=90°$, $\overline{PO}$는 공통, $\overline{OA}=\overline{OB}$

$\therefore \triangle PAO\equiv\triangle PBO$ (RHS 합동)

$\triangle PAO$에서 $\angle APO=30°$, $\angle POA=60°$,

$\overline{AO}=\overline{BO}=3(cm)$이므로

$3:\overline{PA}:\overline{PO}=1:\sqrt{3}:2$

$\therefore \overline{PA}=3\sqrt{3}(cm)$, $\overline{PO}=6(cm)$

따라서 옳지 않은 것은 ①이다.

**48** $\square AOBP$에서 $\angle AOB=360°-(90°+90°+42°)=138°$

따라서 $\triangle AOB$에서 $\overline{AO}=\overline{BO}$이므로

$\angle OBA=\dfrac{1}{2}\times(180°-138°)=21°$

**49** $\triangle ABC$에서 $\angle C=180°-(63°+49°)=68°$

따라서 $\triangle FEC$에서 $\overline{CF}=\overline{CE}$이므로

$\angle FEC=\dfrac{1}{2}\times(180°-68°)=56°$

**50** 호의 길이는 한 원에서 중심각의 크기에 비례하므로

$\widehat{DE} : \widehat{EF} : \widehat{DF} = \angle DOE : \angle EOF : \angle DOF$

$\angle DOE = 180° - 56° = 124°$

$\angle EOF = 180° - 40° = 140°$

$\angle DOF = 180° - 84° = 96°$

따라서 구하는 길이의 비는

$124° : 140° : 96° = 31 : 35 : 24$

**51** $\overline{AO} = \overline{OQ} = 4(cm)$

따라서 △APO가 직각삼각형이므로

$\overline{AP} = \sqrt{(6+4)^2 - 4^2} = 2\sqrt{21}(cm)$

**52** △PTO가 직각삼각형이므로

$\overline{PT} = \sqrt{6^2 - 4^2} = 2\sqrt{5}(cm)$

$\therefore △PTO = \frac{1}{2} \times 2\sqrt{5} \times 4 = 4\sqrt{5}(cm^2)$

**53** 점 P에서 원 O에 그은 접선의 접점을
T라 하면

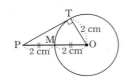

$\overline{PT} \perp \overline{TO}$이므로 △POT에서

$\overline{PT} = \sqrt{4^2 - 2^2} = 2\sqrt{3}(cm)$

**54** $\overline{OT}$를 그으면 $\overline{OT} = \overline{OB} = 4(cm)$

$\angle OTP = 90°$, $\angle POT = 60°$이므로

$\overline{PT} = 4 \tan 60° = 4\sqrt{3}(cm)$

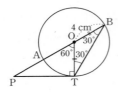

**55** 원 O의 반지름의 길이를
$r$이라 하면 △TPO에서

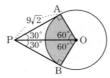

$\sin 30° = \frac{\overline{OT}}{\overline{PO}}, \frac{1}{2} = \frac{r}{r+10}$,

$2r = r + 10$ ∴ $r = 10$

△POT에서 $\overline{PT} = \sqrt{20^2 - 10^2} = \sqrt{300} = 10\sqrt{3}$

**56** $\overline{PA} = \overline{PB}$이므로 $\angle PAB = \angle PBA = \frac{1}{2} \times (180° - 60°) = 60°$

따라서 △PBA는 정삼각형이므로 $\overline{AB} = 10$

**57** $\angle PAO = 90°$이므로 △APO에서

$6\sqrt{3} : \overline{AO} : \overline{PA} = 2 : 1 : \sqrt{3}$

$\therefore \overline{PA} = \overline{PB} = 9(∵ 접선), \overline{AO} = \overline{BO} = 3\sqrt{3}(∵ 반지름)$

따라서 □APBO의 둘레의 길이는 $2(9 + 3\sqrt{3}) = 18 + 6\sqrt{3}$

**58** $\overline{PO}$를 그으면

$\angle APO = 30°, \angle PAO = 90°$

이므로 △APO에서

$\overline{OA} : 9\sqrt{2} = 1 : \sqrt{3}$ ∴ $\overline{OA} = 3\sqrt{6}$

□APBO에서

$\angle AOB = 360° - (90° + 60° + 90°) = 120°$

따라서 부채꼴 AOB의 넓이는 $\pi \times (3\sqrt{6})^2 \times \frac{120°}{360°} = 18\pi$

**59** $\angle PAO = 90°$이므로 △POA에서 $\overline{PO} = \sqrt{12^2 + 5^2} = 13$

$\overline{OP} \perp \overline{AB}$이므로 $\overline{PA} \times \overline{AO} = \overline{PO} \times \overline{AH}$

$12 \times 5 = 13 \times \overline{AH}$ ∴ $\overline{AH} = \frac{60}{13}$

$\therefore \overline{AB} = 2\overline{AH} = \frac{120}{13}$

**다른 풀이** △PAO와 △PHA에서

$\angle APO$는 공통, $\angle PAO = \angle PHA = 90°$이므로

△PAO ∽ △PHA(AA 닮음)

$\overline{PO} : \overline{PA} = \overline{OA} : \overline{AH}, 13 : 12 = 5 : \overline{AH}$ ∴ $\overline{AH} = \frac{60}{13}$

**60** (△ABC의 둘레의 길이)$= 2\overline{AE}$이므로

$\overline{AE} = \frac{1}{2}(\overline{AB} + \overline{BC} + \overline{CA}) = \frac{1}{2} \times (8 + 6 + 9) = 11.5$

**61** (△ABC의 둘레의 길이)$= 2\overline{AD}$이므로

$9 + \overline{BC} + 10 = 2 \times 13$ ∴ $\overline{BC} = 7$

**62** ⑤ △OCD와 △OCE에서

$\overline{OD} = \overline{OE}$ (반지름), $\overline{OC}$는 공통, $\overline{CD} = \overline{CE}$이므로

△OCD ≡ △OCE(SSS 합동) ∴ △OCD = △OCE

마찬가지 방법으로 △OBD = △OBF이다.

하지만 △OCD = △OBD라고는 할 수 없다.

**63** $\overline{AT} \perp \overline{OT}$이므로 △AOT에서

$\overline{AT} = \sqrt{17^2 - 8^2} = 15(cm)$

$\therefore (△ABC의 둘레의 길이) = 2\overline{AT} = 2 \times 15 = 30(cm)$

**64** $\overline{OA} \perp \overline{BC}$이므로 △ACE에서

$\overline{AE} = \sqrt{6^2 - 2^2} = 4\sqrt{2}(cm)$

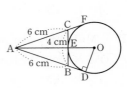

원 O의 반지름의 길이를 $r$ cm라 하면

$\overline{OA} = 4\sqrt{2} + r(cm), \overline{AD} = 8(cm)$

$\overline{OD} = r$ cm이므로 $(4\sqrt{2} + r)^2 = 8^2 + r^2$ ∴ $r = 2\sqrt{2}(cm)$

**65** $\overline{CP} = \overline{CA} = 4(cm), \overline{DP} = \overline{DB} = 9(cm)$

$\therefore \overline{CD} = \overline{CP} + \overline{DP} = 4 + 9 = 13(cm)$

**66** $\overline{CE} = \overline{CA} = 4(cm)$

$\therefore \overline{BD} = \overline{ED} = \overline{CD} - \overline{CE} = 12 - 4 = 8(cm)$

**67** $\overline{AD} = \overline{AB} + \overline{DC} = 4 + 9 = 13$

점 A에서 $\overline{DC}$에 내린 수선의 발을 H라 하면

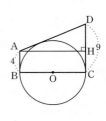

$\overline{DH} = 9 - 4 = 5$

△AHD에서 $\overline{AH} = \overline{BC} = \sqrt{13^2 - 5^2} = 12$

따라서 원 O의 반지름의 길이는

$\overline{BO} = \frac{1}{2} \times 12 = 6$

**68** 반원 O와 $\overline{CD}$의 접점을 E라 하면

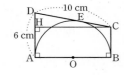

$\overline{DE} = 6$ cm이므로

$\overline{BC} = \overline{CE} = 4(cm)$

또, 점 C에서 $\overline{AD}$에 내린 수선의 발을
H라 하면

△CDH에서 $10^2 = 2^2 + \overline{CH}^2, \overline{CH}^2 = 96, \overline{CH} = 4\sqrt{6}(∵ \overline{CH} > 0)$

$\therefore \overline{AB} = \overline{CH} = 4\sqrt{6}(cm)$

**69** $\overline{OP}$를 그으면

$\triangle OAC \equiv \triangle OPC$(SSS 합동),

$\triangle OBD \equiv \triangle OPD$(SSS 합동)

$\therefore \angle AOC = \angle POC$, $\angle BOD = \angle POD$

$\therefore \angle COD = \angle POC + \angle POD$

$\qquad = \dfrac{1}{2} \times 180° = 90°$

**70** $\overline{AC} + \overline{BD} = \overline{CD} = 10$(cm)이므로

$\square ABDC = \dfrac{1}{2} \times 10 \times 8 = 40 (\text{cm}^2)$

**71** $\overline{OM} \perp \overline{AB}$이므로 $\triangle OAM$에서

$\overline{AM} = \sqrt{6^2 - 3^2} = 3\sqrt{3}$

따라서 $\overline{AM} = \overline{MB}$이므로

$\overline{AB} = 2\overline{AM} = 2 \times 3\sqrt{3} = 6\sqrt{3}$

**72** $\overline{OB}$를 그으면 $\triangle OBP$에서

$7^2 = 5^2 + \overline{BP}^2$, $\overline{BP} = 2\sqrt{6}$(cm)$(\because \overline{BP} > 0)$

$\therefore \overline{AB} = 2 \times 2\sqrt{6} = 4\sqrt{6}$(cm)

**73** $\overline{OA}$를 그으면 $\overline{OA} = 6 + 4 = 10$

$\overline{AB} \perp \overline{OD}$이므로 $\triangle AOC$에서

$\overline{AC} = \sqrt{10^2 - 6^2} = 8$

$\therefore \overline{AB} = 2\overline{AC} = 2 \times 8 = 16$

**74** $\overline{OT}$를 그으면 $\overline{OT} \perp \overline{AB}$이므로

$\overline{AB} = 2\overline{AT} = 2 \times \sqrt{3^2 - 1^2} = 4\sqrt{2}$

$\therefore \triangle OAB = \dfrac{1}{2} \times 4\sqrt{2} \times 1 = 2\sqrt{2}$

**75** $\triangle AOD$에서 $\overline{AD} = \sqrt{13^2 - 5^2} = 12$(cm)

$\overline{AB} = 2\overline{AD} = 24$(cm)

$\therefore \triangle AOB = \dfrac{1}{2} \times 24 \times 5 = 60 (\text{cm}^2)$

**76** $\overline{OA} = x$, $\overline{OM} = y$라 하면 $\triangle OAM$에서 $x^2 - y^2 = 6^2$

$\therefore$ (색칠한 부분의 넓이) $= \pi \times x^2 - \pi \times y^2$

$\qquad = \pi(x^2 - y^2)$

$\qquad = 36\pi (\text{cm}^2)$

**77** $\overline{AD} = \overline{AF} = x$(cm)라 하면

$\overline{BE} = \overline{BD} = (6 - x)$(cm),

$\overline{CE} = \overline{CF} = (5 - x)$(cm)이므로

$\overline{BC} = (6 - x) + (5 - x) = 7$ $\therefore x = 2$

$\therefore \overline{AD} = 2$(cm)

**78** $\overline{AD} = \overline{AF} = 3$, $\overline{BD} = \overline{BE} = 4$, $\overline{CE} = \overline{CF} = x$

$\triangle ABC$의 둘레의 길이가 30이므로 $2(3 + 4 + x) = 30$

$2x + 14 = 30$, $2x = 16$

$\therefore x = 8$

**79** $\overline{AF} = \overline{AD} = 5$(cm), $\overline{CF} = \overline{AC} - \overline{AF} = 8 - 5 = 3$(cm)

$\overline{BE} = \overline{BD} = 4$(cm), $\overline{CE} = \overline{CF} = 3$(cm)

이므로 $\overline{BC} = \overline{BE} + \overline{CE} = 4 + 3 = 7$(cm)

$\therefore$ ($\triangle ABC$의 둘레의 길이) $= 9 + 8 + 7 = 24$(cm)

**80** 내접원의 반지름의 길이를 $r$이라 하면

$\triangle ABC = \dfrac{r}{2}(10 + 12 + 6) = 28$

$\therefore r = 2$

$\overline{BD} = a$라 하면

$\overline{AC} = (10 - a) + (12 - a) = 6$ $\therefore a = 8$

따라서 $\triangle BID$는 직각삼각형이므로

$\overline{BI} = \sqrt{8^2 + 2^2} = 2\sqrt{17}$

**81** $\overline{AB} = \sqrt{4^2 + 3^2} = 5$

원 O의 반지름의 길이를 $r$이라 하면

$\overline{OE} = \overline{OF} = \overline{CE} = \overline{CF} = r$,

$\overline{BD} = \overline{BE} = 4 - r$, $\overline{AD} = \overline{AF} = 3 - r$

$\overline{AB} = \overline{BD} + \overline{AD} = (4 - r) + (3 - r) = 5$

$\therefore r = 1$

**82** $\overline{AC} = 2\sqrt{3} \tan 30° = 2$(cm)

$\overline{AB} = \dfrac{2\sqrt{3}}{\cos 30°} = 4$(cm)

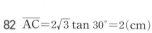

내접원 I의 반지름의 길이를 $r$이라 하면

$\overline{AF} = \overline{AD} = 2 - r$, $\overline{BE} = \overline{BD} = 2\sqrt{3} - r$

이므로 $\overline{AB} = (2 - r) + (2\sqrt{3} - r) = 4$

$2r = 2\sqrt{3} - 2$ $\therefore r = (\sqrt{3} - 1)$(cm)

**83** 원 O의 반지름의 길이를 $r$이라 하면

$\overline{AB} = r + 6$, $\overline{AC} = r + 4$

$\triangle ABC$가 직각삼각형이므로

$(r + 6)^2 + (r + 4)^2 = 10^2$

$r^2 + 10r - 24 = 0$, $(r + 12)(r - 2) = 0$

$\therefore r = 2(\because r > 0)$

따라서 원 O의 넓이는 $\pi \times 2^2 = 4\pi$

**84** $\triangle ABC$의 내접원의 반지름의 길이가 2이므로

$\overline{AE} = \overline{AF} = 2$

$\overline{BD} = \overline{BF} = x$라 하면 $\overline{CD} = \overline{CE} = 10 - x$

$\triangle ABC$에서 $(x + 2)^2 + (12 - x)^2 = 10^2$

$x^2 - 10x + 24 = 0$, $(x - 4)(x - 6) = 0$

$\therefore x = 6(\because x > 5)$

$\therefore \triangle ABC = \dfrac{1}{2} \times 8 \times 6 = 24$

**85** $\square ABCD$가 원 O에 외접하므로

$\overline{AB} + \overline{CD} = \overline{AD} + \overline{BC}$

$7 + \overline{CD} = 4 + 8$ $\therefore \overline{CD} = 5$(cm)

**86** $4 + (3x + 1) = 5 + (x + 4)$이므로

$2x = 4$ $\therefore x = 2$

**87** $\overline{AQ}=\overline{AP}=\overline{BP}=\overline{BS}=\overline{OS}=5$(cm)이므로

$\overline{AB}=10$(cm)

$10+12=\overline{AD}+13$에서 $\overline{AD}=9$(cm)

$\therefore \overline{DQ}=9-5=4$(cm)

다른 풀이 $\overline{BP}=\overline{BS}=\overline{OS}=5$(cm)이므로

$\overline{CS}=\overline{CR}=13-5=8$(cm)

$\therefore \overline{DQ}=\overline{DR}=12-8=4$(cm)

**88** $\overline{DC}=\overline{AD}+\overline{BC}=9$(cm)

점 C에서 $\overline{AD}$에 내린 수선의 발을
H라 하면

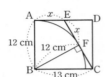

$\overline{DH}=6-3=3$(cm)

$\triangle DHC$에서

$\overline{CH}=\overline{AB}=\sqrt{9^2-3^2}=6\sqrt{2}$(cm)

따라서 $\triangle ABC$에서

$\overline{AC}=\sqrt{(6\sqrt{2})^2+3^2}=9$(cm)

**89** $\overline{BF}=12$(cm)이므로 $\triangle BCF$에서

$\overline{CF}=\sqrt{13^2-12^2}=5$(cm)

$\overline{AE}=\overline{EF}=x$라 하면

$\overline{ED}=13-x$, $\overline{CE}=x+5$

$\triangle ECD$에서 $(13-x)^2+12^2=(x+5)^2$

$36x=288$

$\therefore \overline{AE}=x=8$(cm)

**90** 점 E에서 $\overline{CD}$에 내린 수선의 발을
F라 하자.

$\overline{DP}=\overline{DC}=10$(cm),

$\overline{EF}=\overline{BC}=10$(cm)

$\overline{EB}=\overline{EP}=a$라 하면

$\overline{DE}=10+a$, $\overline{DF}=10-a$

$\triangle DEF$에서 $10^2+(10-a)^2=(10+a)^2$

$\therefore a=2.5$(cm)

$\therefore \overline{DE}=10+2.5=12.5$(cm)

**91** $\triangle DEC$에서 $\overline{EC}=\sqrt{10^2-8^2}=6$이다.

$\square ABCD$에서 $\overline{AB}=\overline{CD}=8$이고

$\overline{BE}=a$라고 하면 $\overline{AD}=\overline{BC}=a+6$이다.

$\square ABED$는 원 O에 외접하는 사각형이므로

$\overline{AB}+\overline{DE}=\overline{AD}+\overline{BE}$에서 $8+10=a+6+a$

$a=\overline{BE}=6$

**92** $\triangle DEC$에서 $\overline{EC}=\sqrt{13^2-12^2}=5$

$\overline{AB}=\overline{DC}=12$이므로 $\overline{AF}=\overline{BH}=6$

$\overline{EH}=\overline{EI}=a$라 하면 $\overline{DI}=\overline{DF}=13-a$

$\overline{AD}=\overline{BC}$이므로 $6+(13-a)=6+a+5$

$\therefore a=4$  $\therefore \overline{DI}=13-4=9$

---

학교 시험 **100점맞기**

| 01 ⑤ | 02 ③ | 03 ② | 04 ① | 05 ③ | 06 ③ |
|------|------|------|------|------|------|
| 07 ② | 08 ③ | 09 ③ | 10 ② | 11 ② | 12 ② |
| 13 5 | 14 $2(\sqrt{3}-1)$ cm | 15 ② | 16 ① | 17 ⑤ | |
| 18 2 | 19 ① | 20 $28\sqrt{10}-20\pi$ | | 21 ② | 22 $4\sqrt{3}$ |
| 23 $(18\sqrt{3}-6\pi)$ cm² | | 24 8 | | 25 $(4\pi-3\sqrt{3})$ cm² | |

**01** ⑤ 한 원에서 중심각의 크기와 호의 길이는 정비례하지만 중심각의 크기와 현의 길이는 정비례하지 않는다.

**02** ㄱ. 호의 길이는 중심각의 크기에 정비례하므로 $2\widehat{AB}=\widehat{CD}$

ㄴ, ㄷ. 현의 길이와 삼각형의 넓이는 중심각의 크기에 정비례하지 않으므로 $2\overline{AB}\neq\overline{CD}$, $\triangle OCD\neq2\triangle OAB$

ㄹ. $\angle AOB=\angle EOF=45°$이므로 $\overline{AB}=\overline{EF}$

**03** $\overline{OD}$를 그으면

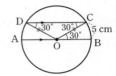

$\overline{AB}\#\overline{CD}$, $\overline{OC}=\overline{OD}$이므로

$\angle ODC=\angle OCD=\angle COB=30°$

$\triangle DOC$에서

$\angle COD=180°-2\times30°=120°$

따라서 $30°:120°=5:\widehat{CD}$이므로

$\widehat{CD}=20$(cm)

**04** $\overline{AB}\perp\overline{OC}$이므로 $\overline{AD}=\overline{BD}=4$(cm)

또, $\overline{OD}=5-x$이므로 $\triangle OBD$에서 $4^2+(5-x)^2=5^2$

$x^2-10x+16=0$, $(x-2)(x-8)=0$

$\therefore x=2$(cm) $(\because 0<x<5)$

**05** 원의 반지름의 길이를 $x$라 하면

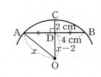

$\overline{OD}=x-2$

$\triangle ODA$에서 $4^2+(x-2)^2=x^2$, $4x=20$

$\therefore x=5$(cm)

따라서 원의 지름의 길이는 $2x=10$(cm)

**06** $\overline{OM}\perp\overline{AB}$이므로 $\overline{AB}=2\overline{AM}=6$(cm)

따라서 $\overline{OM}=\overline{ON}$이므로 $\overline{CD}=\overline{AB}=6$(cm)

**07** $\square AMON$에서 $\angle A=360°-(90°+110°+90°)=70°$

$\overline{OM}=\overline{ON}$이므로 $\overline{AB}=\overline{AC}$

따라서 $\triangle ABC$에서 $\angle B=\angle C=\dfrac{1}{2}\times(180°-70°)=55°$

**08** $\overline{PA}$, $\overline{PB}$는 원 O의 접선이므로 $\angle PAO=\angle PBO=90°$

따라서 $\square APBO$에서

$\angle AOB=360°-(90°+50°+90°)=130°$

**09** $\overline{AP}=\overline{AQ}$이므로 $\angle APQ=\angle AQP=\dfrac{1}{2}\times(180°-60°)=60°$

따라서 $\triangle AQP$는 정삼각형이므로 $\overline{PQ}=7$(cm)

**10** $\overrightarrow{PA}$, $\overrightarrow{PB}$는 접선이므로 $\angle PAO=\angle PBO=90°$

$\square APBO$에서 $\angle AOB=360°-(90°+45°+90°)=135°$

$\therefore \widehat{AB}=2\pi\times4\times\dfrac{135°}{360°}=3\pi$(cm)

**11** $\overline{AE}, \overline{AF}, \overline{BC}$는 원 O의 접선이므로
$\overline{AE}=\overline{AF}, \overline{CD}=\overline{CE}, \overline{BD}=\overline{BF}$
따라서 △ABC의 둘레의 길이는 $2\overline{AE}$의 길이와 같으므로
$2\overline{AE}=7+5+6$ ∴ $\overline{AE}=9(cm)$

**12** $\overline{CD}=\overline{CT}+\overline{DT}=\overline{CA}+\overline{DB}$
$\qquad =8+6=14(cm)$

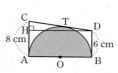

점 D에서 $\overline{CA}$에 내린 수선의 발을 H라
하면
$\overline{AB}=\overline{HD}=\sqrt{14^2-2^2}=8\sqrt{3}(cm)$
따라서 반원 O의 넓이는
$\dfrac{1}{2}\times\pi\times(4\sqrt{3})^2=24\pi\,(cm^2)$

**13** $\overline{BP}=\overline{BQ}=x, \overline{AP}=\overline{AR}=10-x, \overline{CQ}=\overline{CR}=12-x$이므로
$\overline{AC}=\overline{AR}+\overline{CR}=(10-x)+(12-x)=8$
$2x=14$ ∴ $x=7$
$y=12-7=5, z=10-7=3$이므로
$x-y+z=7-5+3=5$

**14** $\overline{AC}=4\sqrt{3}\tan 30°=4(cm)$

$\overline{AB}=\dfrac{4\sqrt{3}}{\cos 30°}=8(cm)$

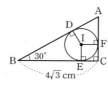

원과 세 변 AB, BC, CA의 접점을 각각
D, E, F라 하고 원 I의 반지름의 길이를
$x$라 하면
$\overline{BD}=\overline{BE}=4\sqrt{3}-x, \overline{AD}=\overline{AF}=4-x$이므로
$\overline{AB}=(4\sqrt{3}-x)+(4-x)=8$
∴ $x=2(\sqrt{3}-1)(cm)$

**15** $\overline{AB}=3+3=6(cm)$
□ABCD가 원 O에 외접하므로 $\overline{AD}+\overline{BC}=6+8=14$
∴ □ABCD$=\dfrac{1}{2}\times(\overline{AD}+\overline{BC})\times\overline{AB}=\dfrac{1}{2}\times 14\times 6=42(cm^2)$

**16** $\overline{OM}=\overline{ON}$이므로 $\overline{AB}=\overline{AC}$
$\overline{OH}\perp\overline{BC}$이므로 $\overline{BH}=\overline{CH}=4$

△OHC는 직각삼각형이므로
$\overline{OC}=\sqrt{4^2+3^2}=5$
점 O가 △ABC의 외심이므로 $\overline{AO}=5$
∴ $\overline{AH}=\overline{AO}+\overline{OH}=5+3=8$
∴ $\overline{AC}=\overline{AB}=\sqrt{8^2+4^2}=4\sqrt{5}$
$\overline{OM}=\overline{ON}=x$라 하면
△ABC=△OAB+△OBC+△OCA이므로
$\dfrac{1}{2}\times 8\times 8=\dfrac{1}{2}\times(4\sqrt{5}\times x+8\times 3+4\sqrt{5}\times x)$
∴ $\overline{OM}=x=\sqrt{5}$

**17** $\overline{OT}=x, \overline{OB}=y$라 하면 색칠한 부분의 넓이가 $64\pi\,cm^2$이므로
$\pi y^2-\pi x^2=64\pi$ ∴ $y^2-x^2=64$
△OTB에서 $\overline{OT}\perp\overline{TB}$이므로
$\overline{TB}=\sqrt{y^2-x^2}=\sqrt{64}=8(cm)$
∴ $\overline{AB}=2\overline{TB}=16(cm)$

**18** 주어진 일차방정식의 그래프에서 $y$절편은 12, $x$절편은 $-5$이므로
$\overline{OB}=12, \overline{AO}=5$
△AOB에서 $\overline{AB}=\sqrt{5^2+12^2}=13$
원 I의 반지름의 길이를 $x$라 하면
△AOB=△IBA+△IAO+△IOB에서
$\dfrac{1}{2}\times 5\times 12=\dfrac{1}{2}\times x\times(13+5+12)$ ∴ $x=2$

**다른 풀이** 원 I의 반지름의 길이를 $x$라 하면
$\overline{AB}=(5-x)+(12-x)=13$ ∴ $x=2$

**19** □ABCD가 원 O에 외접하므로
$x+3=y+6$ ∴ $x-y=3$
□ABCD의 두 대각선이 서로 직교하므로
$x^2+3^2=y^2+6^2, x^2-y^2=27$
$(x+y)(x-y)=27, 3(x+y)=27$ ∴ $x+y=9$

**20** $\overline{CA}=\overline{CP}=4, \overline{DB}=\overline{DP}=10$이므로
$\overline{CD}=\overline{CP}+\overline{DP}=4+10=14$

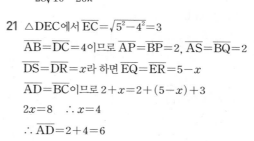

점 C에서 $\overline{BD}$에 내린 수선의 발을 H라 하면
$\overline{HD}=10-4=6$
∴ $\overline{AB}=\overline{CH}=\sqrt{14^2-6^2}=4\sqrt{10}$
따라서 반원 O의 반지름의 길이가 $2\sqrt{10}$이므로
(색칠한 부분의 넓이)
=(사다리꼴 ABDC의 넓이)-(반원 O의 넓이)
$=\dfrac{1}{2}\times(4+10)\times 4\sqrt{10}-\dfrac{1}{2}\times\pi\times(2\sqrt{10})^2$
$=28\sqrt{10}-20\pi$

**21** △DEC에서 $\overline{EC}=\sqrt{5^2-4^2}=3$
$\overline{AB}=\overline{DC}=4$이므로 $\overline{AP}=\overline{BP}=2, \overline{AS}=\overline{BQ}=2$
$\overline{DS}=\overline{DR}=x$라 하면 $\overline{EQ}=\overline{ER}=5-x$
$\overline{AD}=\overline{BC}$이므로 $2+x=2+(5-x)+3$
$2x=8$ ∴ $x=4$
∴ $\overline{AD}=2+4=6$

**22** 〔**1단계**〕 반지름의 길이를 $r$이라 하면 $\overline{OA}=r, \overline{OP}=\overline{QP}=\dfrac{r}{2}$

〔**2단계**〕 $\overline{AP}=\dfrac{1}{2}\overline{AB}=\dfrac{1}{2}\times 12=6$

〔**3단계**〕 △OAP에서 $6^2+\left(\dfrac{r}{2}\right)^2=r^2, \dfrac{3}{4}r^2=36, r^2=48$
∴ $\overline{OA}=r=4\sqrt{3}\,(∵ r>0)$

**23** 〔**1단계**〕 $\overline{PT}$가 원 O의 접선이므로 ∠PTO=90°, ∠POT=60°

〔**2단계**〕 △POT에서 $\overline{PO}=\dfrac{6}{\sin 30°}=12(cm)$,
$\overline{TP}=\dfrac{6}{\tan 30°}=6\sqrt{3}(cm)$

〔**3단계**〕 (색칠한 부분의 넓이)=△POT-(부채꼴 TOQ의 넓이)
$=\dfrac{1}{2}\times 6\times 6\sqrt{3}-\pi\times 6^2\times\dfrac{60°}{360°}$
$=(18\sqrt{3}-6\pi)(cm^2)$

**24** $\overline{AO}$를 그으면 △APO와 △AQO에서

$\angle APO = \angle AQO = 90°$, $\overline{AO}$는 공통,

$\overline{PO} = \overline{QO}$이므로

△APO ≡ △AQO(RHS 합동)

∴ $\angle PAO = \angle QAO = 30°$ ······ ❶

$\overline{OP} \perp \overline{AB}$이므로 $\overline{AP} = \frac{1}{2}\overline{AB} = 4\sqrt{3}$ ······ ❷

△APO에서 $\overline{AO} = \dfrac{4\sqrt{3}}{\cos 30°} = 4\sqrt{3} \times \dfrac{2}{\sqrt{3}} = 8$

따라서 원 O의 반지름의 길이는 8이다. ······ ❸

| 채점 기준 | 배점 |
|---|---|
| ❶ ∠PAO의 크기 구하기 | 3점 |
| ❷ $\overline{AP}$의 길이 구하기 | 2점 |
| ❸ 원 O의 반지름의 길이 구하기 | 2점 |

**25** $\overline{PO}$를 그으면 △POT에서

$\angle PTO = 90°$, $\angle OPT = 30°$이므로

$\overline{OT} = 6 \tan 30° = 2\sqrt{3}$(cm) ······ ❶

$\overrightarrow{PT}$, $\overrightarrow{PT'}$은 원 O의 접선이므로 $\overline{PT} = \overline{PT'}$

$\angle TPT' = 60°$이므로 △PT'T는 정삼각형이다.

∴ $\overline{TT'} = 6$(cm) ······ ❷

또, $\overline{TT'}$과 $\overline{PO}$의 교점을 D라 하면

$\overline{TT'} \perp \overline{PO}$, $\angle TOD = \dfrac{1}{2}\angle TOT' = \dfrac{1}{2} \times 120° = 60°$

△OTD에서 $\overline{TD} = \dfrac{1}{2}\overline{TT'} = 3$(cm)이므로

$\overline{OD} = \sqrt{(2\sqrt{3})^2 - 3^2} = \sqrt{3}$(cm) ······ ❸

∴ (색칠한 부분의 넓이)

$= $ (부채꼴 T'OT의 넓이) $- △T'OT$

$= \pi \times (2\sqrt{3})^2 \times \dfrac{120°}{360°} - \dfrac{1}{2} \times 6 \times \sqrt{3} = (4\pi - 3\sqrt{3})$(cm²)

······ ❹

| 채점 기준 | 배점 |
|---|---|
| ❶ $\overline{OT}$의 길이 구하기 | 2점 |
| ❷ $\overline{TT'}$의 길이 구하기 | 2점 |
| ❸ $\overline{OD}$의 길이 구하기 | 2점 |
| ❹ 색칠한 부분의 넓이 구하기 | 2점 |

### 싹쓸이 핵심 기출 문제

68쪽~71쪽

| | | | | |
|---|---|---|---|---|
| 01 $4\sqrt{5}$ | 02 $\dfrac{5\sqrt{13}}{13}$ | 03 $\sin A = \dfrac{2\sqrt{5}}{5}$, $\tan A = 2$ | | 04 $\dfrac{7}{5}$ |
| 05 $\dfrac{3\sqrt{14}}{14}$ | 06 ② | 07 $x = 3\sqrt{3}$, $y = 3$ | 08 ③ | 09 ③ |
| 10 7.237 | 11 $20(3+\sqrt{3})$ m | 12 $6\sqrt{6}$ | 13 $5(\sqrt{3}+1)$ | |
| 14 ④ | 15 54 | 16 80 | 17 10 cm 18 ⑤ | 19 ③ |
| 20 ③ | 21 10 | 22 10 | 23 $22\sqrt{6}$ cm² | 24 30 |
| 25 ⑤ | | | | |

**01** △ADC에서 $\overline{DC} = \sqrt{5^2 - 4^2} = 3$

따라서 △ABC에서 $\overline{AB} = \sqrt{(5+3)^2 + 4^2} = 4\sqrt{5}$

**02** $\overline{AC} = \sqrt{3^2 + 2^2} = \sqrt{13}$

$\sin A = \dfrac{\overline{BC}}{\overline{AC}} = \dfrac{2}{\sqrt{13}} = \dfrac{2\sqrt{13}}{13}$,

$\cos A = \dfrac{\overline{AB}}{\overline{AC}} = \dfrac{3}{\sqrt{13}} = \dfrac{3\sqrt{13}}{13}$

∴ $\sin A + \cos A = \dfrac{2\sqrt{13}}{13} + \dfrac{3\sqrt{13}}{13} = \dfrac{5\sqrt{13}}{13}$

**03** $\cos A = \dfrac{\overline{AB}}{10} = \dfrac{\sqrt{5}}{5}$이므로 $\overline{AB} = 2\sqrt{5}$ (cm)

피타고라스 정리에 의해

$\overline{BC} = \sqrt{10^2 - (2\sqrt{5})^2} = 4\sqrt{5}$ (cm)

∴ $\sin A = \dfrac{\overline{BC}}{\overline{AC}} = \dfrac{4\sqrt{5}}{10} = \dfrac{2\sqrt{5}}{5}$, $\tan A = \dfrac{\overline{BC}}{\overline{AB}} = \dfrac{4\sqrt{5}}{2\sqrt{5}} = 2$

**04** △ABC에서 $\overline{AC} = \sqrt{5^2 - 4^2} = 3$

△DAC ∽ △ABC(AA 닮음)이므로 $\angle DAC = \angle ABC = x$

∴ $\sin x + \cos x = \dfrac{3}{5} + \dfrac{4}{5} = \dfrac{7}{5}$

**05** $\overline{EG} = \sqrt{6^2 + 3^2} = \sqrt{45}$

$\overline{AG} = \sqrt{6^2 + 3^2 + 5^2} = \sqrt{70}$

∴ $\cos x = \dfrac{\sqrt{45}}{\sqrt{70}} = \dfrac{3}{\sqrt{14}} = \dfrac{3\sqrt{14}}{14}$

**06** ① $\dfrac{1}{2} \times 1 + \sqrt{3} \times \dfrac{\sqrt{3}}{2} - 3 \times \dfrac{\sqrt{2}}{2} = 2 - \dfrac{3\sqrt{2}}{2}$

② $\left(1 + \dfrac{\sqrt{3}}{3}\right)\left(1 - \dfrac{\sqrt{3}}{3}\right) = \dfrac{2}{3}$

③ $\left(\dfrac{\sqrt{3}}{2}\right)^2 + \left(\dfrac{\sqrt{3}}{2}\right)^2 = \dfrac{3}{2}$

④ $\dfrac{\sqrt{3}}{2} \times \dfrac{\sqrt{2}}{2} \times \sqrt{3} = \dfrac{3\sqrt{2}}{4}$

⑤ $1 + 1 = 2$

**07** $\cos 30° = \dfrac{\sqrt{3}}{2} = \dfrac{x}{6}$이므로 $x = 3\sqrt{3}$

$\sin 30° = \dfrac{1}{2} = \dfrac{y}{6}$이므로 $y = 3$

**08** ① $\sin x = \dfrac{\overline{BC}}{\overline{AC}} = \overline{BC}$      ② $\cos y = \dfrac{\overline{BC}}{\overline{AC}} = \overline{BC}$

③ $\cos x = \dfrac{\overline{AB}}{\overline{AC}} = \overline{AB}$      ④ $\sin z = \sin y = \dfrac{\overline{AB}}{\overline{AC}} = \overline{AB}$

⑤ $\tan x = \dfrac{\overline{DE}}{\overline{AD}} = \overline{DE}$

**09** ③ $0° \leq x \leq 90°$일 때, $x$의 크기가 증가하면 $\sin x$의 값은 0부터 1까지 커진다.

**10** $\tan 83° + \cos 85° - \sin 84°$

$= 8.1443 + 0.0872 - 0.9945$

$= 7.237$

**11** (B 건물의 높이) $= \overline{DG} + \overline{ED} = 60 + 60 \tan 30°$

$= 60 + 60 \times \dfrac{\sqrt{3}}{3} = 20(3 + \sqrt{3})$ (m)

**12** 꼭짓점 A에서 $\overline{BC}$에 내린 수선의 발을 D라 하면

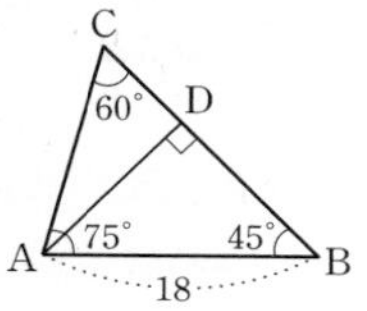

$\angle C = 180° - (75° + 45°) = 60°$

$\overline{AD} = 18 \sin 45° = 18 \times \dfrac{\sqrt{2}}{2} = 9\sqrt{2}$

$\therefore \overline{AC} = \dfrac{\overline{AD}}{\sin 60°} = 9\sqrt{2} \times \dfrac{2}{\sqrt{3}} = 6\sqrt{6}$

**13** $\overline{AH} = h$라 하면 $\angle BAH = 60°$,

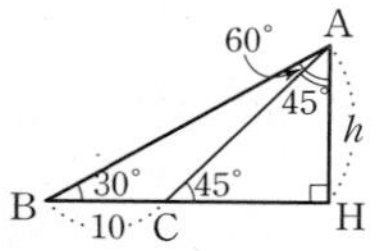

$\angle CAH = 45°$이므로

$\overline{BH} = h \tan 60° = \sqrt{3}h$,

$\overline{CH} = h \tan 45° = h$

$\overline{BC} = \sqrt{3}h - h = 10$이므로 $(\sqrt{3} - 1)h = 10$

$\therefore h = \dfrac{10}{\sqrt{3} - 1} = 5(\sqrt{3} + 1)$

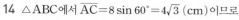

**14** △ABC에서 $\overline{AC} = 8 \sin 60° = 4\sqrt{3}$ (cm)이므로

$\square ABCD = \triangle ABC + \triangle ACD$

$= \dfrac{1}{2} \times 4 \times 8 \times \sin 60° + \dfrac{1}{2} \times 4\sqrt{3} \times 6 \times \sin 30°$

$= 8\sqrt{3} + 6\sqrt{3} = 14\sqrt{3}(\text{cm}^2)$

**15** $\angle B = 180° - 150° = 30°$

$\therefore \square ABCD = 9 \times 12 \times \sin 30° = 9 \times 12 \times \dfrac{1}{2} = 54$

**16** $\overset{\frown}{AB} : \overset{\frown}{CD} = 2 : 4 = 40° : x°$

$\therefore x = 80$

**17** 원의 반지름의 길이를 $r$이라 하면

$\overline{OD} = r - 2$

$\overline{OC} \perp \overline{AB}$이므로 $\overline{AD} = \overline{BD} = 6(\text{cm})$

따라서 △OBD에서 $6^2 + (r-2)^2 = r^2$

$4r = 40$ $\therefore r = 10(\text{cm})$

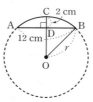

**18** $\overline{OA}$를 그으면

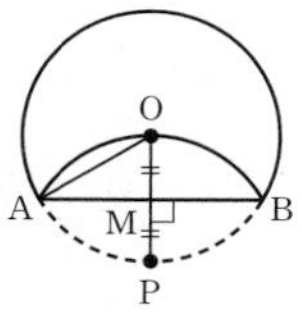

$\overline{OA} = \overline{OP} = 8$이므로 $\overline{OM} = \overline{PM} = 4$

따라서 △OAM에서 $\overline{AM} = \sqrt{8^2 - 4^2} = 4\sqrt{3}$

$\therefore \overline{AB} = 2\overline{AM} = 8\sqrt{3}$

**19** $\overline{OD} = \overline{OE}$이므로 $\overline{AC} = \overline{AB} = 12(\text{cm})$

따라서 △ABC의 둘레의 길이는 $12 + 8 + 12 = 32(\text{cm})$

**20** ③ $\overline{PT} = \overline{PT'}$이고 $\overline{PT} \ne \overline{PA}$이다.

**21** $\overline{PA}, \overline{PB}$는 원 O의 접선이므로 $\overline{PA} = \overline{PB}$

즉, △PBA는 $\overline{PA} = \overline{PB}$인 이등변삼각형이므로

$\angle PAB = \angle PBA = \dfrac{1}{2} \times (180° - 60°) = 60°$

따라서 △PBA는 정삼각형이므로 $\overline{AB} = \overline{PA} = 10$

**22** $\overline{AD}, \overline{AE}, \overline{DE}$가 원 O의 접선이므로 $\overline{AP} = \overline{AR} = x$라 하면

$\overline{DP} = \overline{DS} = 8 - x$, $\overline{ER} = \overline{ES} = 9 - x$

$\overline{DE} = (8-x) + (9-x) = 7$ $\therefore x = 5$

또, $\overline{BC}$가 원 O의 접선이므로

$\overline{BQ} = \overline{BR}, \overline{CQ} = \overline{CP}$

$\therefore$ (△ABC의 둘레의 길이)

$= \overline{AB} + \overline{BC} + \overline{AC} = \overline{AB} + \overline{BR} + \overline{CP} + \overline{AC}$

$= \overline{AR} + \overline{AP} = 2\overline{AR} = 2 \times 5 = 10$

**23** $\overline{CT} = \overline{CA} = 8(\text{cm})$,

$\overline{DT} = \overline{DB} = 3(\text{cm})$

점 D에서 $\overline{AC}$에 내린 수선의 발을

E라 하면

$\overline{AB} = \overline{ED} = \sqrt{11^2 - 5^2} = 4\sqrt{6}(\text{cm})$

$\therefore \square ABDC = \dfrac{1}{2} \times (8+3) \times 4\sqrt{6} = 22\sqrt{6}(\text{cm}^2)$

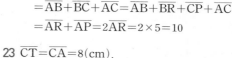
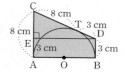

**24** △ABC의 둘레의 길이는

$\overline{AB} + \overline{BC} + \overline{CA} = 2(\overline{AD} + \overline{BE} + \overline{CF}) = 2 \times (3+7+5) = 30$

**25** 원 O의 반지름의 길이가 8이므로 $\overline{AD} = 8 + 8 = 16$

$\square ABCD$가 원 O에 외접하므로

$\overline{AB} + \overline{CD} = \overline{BC} + \overline{AD} = 18 + 16 = 34$

따라서 $\square ABCD$의 둘레의 길이는 $2(\overline{AB} + \overline{CD}) = 2 \times 34 = 68$

**싹쓸이 핵심 예상문제** 72쪽~75쪽

| 01 9 | 02 $\dfrac{15}{34}$ | 03 ⑤ | 04 ① | 05 $\dfrac{4\sqrt{2}}{5}$ | 06 $\dfrac{1}{2}$ |
| 07 ① | 08 ③ | 09 ⑤ | 10 1.313 | 11 ③ | 12 $\sqrt{13}$ |
| 13 ③ | 14 $45\sqrt{3} + 18$ | 15 $28\sqrt{2}$ | 16 75° | 17 ③ | |
| 18 6 | 19 65° | 20 ⑤ | 21 12 | 22 ⑤ | 23 ③ |
| 24 24 | 25 ③ | | | | |

**01** △ABC에서 $\overline{BC} = \sqrt{25^2 - 15^2} = 20$, $x + 12 = 20$

$\therefore x = 8$

△ABD에서 $y = \sqrt{15^2 + 8^2} = 17$

$\therefore y - x = 17 - 8 = 9$

**02** $\overline{AC} = \sqrt{(\sqrt{34})^2 - 3^2} = 5$이므로

$\sin B = \dfrac{5}{\sqrt{34}}$, $\cos B = \dfrac{3}{\sqrt{34}}$

$\therefore \sin B \times \cos B = \dfrac{5}{\sqrt{34}} \times \dfrac{3}{\sqrt{34}} = \dfrac{15}{34}$

**03** $\cos A = \dfrac{1}{2}$을 만족시키는 직각삼각형 ABC를

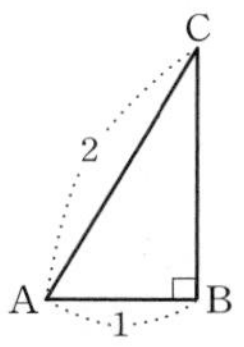

오른쪽 그림과 같이 그렸을 때

$\overline{BC} = \sqrt{2^2 - 1^2} = \sqrt{3}$

$\therefore \sin A = \dfrac{\sqrt{3}}{2}$

정답 & 해설 **25**

**04** △ABC에서 $\overline{BC}=\sqrt{12^2+5^2}=13$

△ABH∽△CAH∽△CBA(AA 닮음)이므로

$x=\angle C,\ y=\angle B$

$\therefore \sin x+\cos y=\sin C+\cos B=\dfrac{12}{13}+\dfrac{12}{13}=\dfrac{24}{13}$

**05** $\overline{FH}=\sqrt{8^2+8^2}=8\sqrt{2}$

$\overline{BF}=\sqrt{(2\sqrt{57})^2-(8\sqrt{2})^2}=10$

$\therefore \tan x=\dfrac{\overline{FH}}{\overline{BF}}=\dfrac{8\sqrt{2}}{10}=\dfrac{4\sqrt{2}}{5}$

**06** (주어진 식)$=\dfrac{\sqrt{2}}{2}\div\dfrac{\sqrt{2}}{2}-\dfrac{\sqrt{3}}{3}\times\dfrac{\sqrt{3}}{2}=1-\dfrac{1}{2}=\dfrac{1}{2}$

**07** $\tan 60°=\sqrt{3}=\dfrac{\overline{BC}}{\sqrt{3}}$이므로 $\overline{BC}=3$

따라서 $\sin 45°=\dfrac{\sqrt{2}}{2}=\dfrac{3}{\overline{BD}}$이므로 $\overline{BD}=3\sqrt{2}$

**08** $\sin x+\cos x-\tan x=\dfrac{\overline{AB}}{\overline{OA}}+\dfrac{\overline{OB}}{\overline{OA}}-\dfrac{\overline{CD}}{\overline{OD}}$

$=\overline{AB}+\overline{OB}-\overline{CD}$

$=0.5299+0.8480-0.6249$

$=0.753$

**09** ⑤ $0°\leq x\leq 90°$일 때, $x$의 크기가 증가하면 $\cos x$의 값은 1부터 0까지 작아진다.

**10** $\cos 61°=0.4848$이므로 $x=61°$  $\therefore \sin 61°=0.8746$

$\tan 64°=2.0503$이므로 $y=64°$  $\therefore \cos 64°=0.4384$

$\therefore \sin 61°+\cos 64°=0.8746+0.4384=1.313$

**11** $\overline{AC}=80\sin 28°=80\times 0.47=37.6(\mathrm{m})$

$\therefore$ (연의 높이)$=1.4+37.6=39(\mathrm{m})$

**12** $\angle B=\angle BAH=45°$이므로

$\overline{AH}=\overline{BH}=\overline{AB}\sin 45°=3\sqrt{2}\times\dfrac{\sqrt{2}}{2}=3$

$\overline{CH}=5-3=2$

따라서 △AHC에서 $\overline{AC}=\sqrt{3^2+2^2}=\sqrt{13}$

**13** $\overline{AH}=h$라 하면 $\angle BAH=45°$,

$\angle CAH=60°$이므로

$\overline{BH}=h\tan 45°=h$,

$\overline{CH}=h\tan 60°=\sqrt{3}h$

$\overline{BC}=h+\sqrt{3}h=6$이므로 $(\sqrt{3}+1)h=6$

$\therefore h=\dfrac{6}{\sqrt{3}+1}=3(\sqrt{3}-1)$

**14** $\overline{AC}$를 그으면

$\square ABCD=\triangle ABC+\triangle ACD$

$=\dfrac{1}{2}\times 6\sqrt{5}\times 6\sqrt{5}\times\sin 60°$

$+\dfrac{1}{2}\times 6\times 6\sqrt{2}\times\sin(180°-135°)$

$=45\sqrt{3}+18$

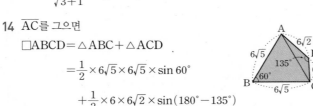

**15** $\square ABCD=7\times 8\times\sin 45°=7\times 8\times\dfrac{\sqrt{2}}{2}=28\sqrt{2}$

**16** $\overset{\frown}{AB}:\overset{\frown}{CD}=12:4=\angle x:25°$

$\therefore \angle x=75°$

**17** $\overline{AB}\perp\overline{OC}$이므로 $\overline{BM}=\overline{AM}=4(\mathrm{cm})$

이때 $\overline{OM}=x-3$이므로 △OMB에서

$4^2+(x-3)^2=x^2$, $6x=25$

$\therefore x=\dfrac{25}{6}(\mathrm{cm})$

**18** $\overline{OP}\perp\overline{AB}$이므로 $\overline{AP}=\overline{BP}=\dfrac{1}{2}\overline{AB}=3\sqrt{3}$

$\overline{AO}=x$라 하면 $\overline{OP}=\overline{QP}=\dfrac{x}{2}$이므로 △OAP에서

$(3\sqrt{3})^2+\left(\dfrac{x}{2}\right)^2=x^2$, $\dfrac{3}{4}x^2=27$

$x^2=36$  $\therefore \overline{AO}=x=6(\because x>0)$

**19** $\overline{OM}=\overline{ON}$이므로 $\overline{AB}=\overline{AC}$

$\therefore \angle B=\angle C=\dfrac{1}{2}\times(180°-50°)=65°$

**20** ① $\overline{PT},\ \overline{PT'}$이 원 O의 접선이므로 $\angle PTO=\angle PT'O=90°$

② $\square TOT'P$에서 $\angle TOT'=360°-(90°+90°+60°)=120°$

③ △OTP에서 $\tan 30°=\dfrac{\overline{OT}}{4\sqrt{3}}$, $\overline{OT}=4\sqrt{3}\times\dfrac{\sqrt{3}}{3}=4$

④, ⑤ △PTT'에서 $\angle TT'P=\angle T'TP=60°$이므로 △PTT'는
정삼각형이다.

$\therefore \overline{AT'}=\dfrac{1}{2}\overline{PT}=2\sqrt{3}$

**21** 원 밖의 한 점 P에서 원에 그은 두 접선 $\overline{PA},\ \overline{PB}$의 길이는 서로 같으므로

$\overline{PB}=\overline{PA}=\sqrt{13^2-5^2}=12$

**22** $\overline{AD},\ \overline{AE},\ \overline{BC}$가 원 O의 접선이므로

$\overline{AD}=\overline{AE},\ \overline{BD}=\overline{BP},\ \overline{CE}=\overline{CP}$

$\therefore$ (△ABC의 둘레의 길이)$=2\overline{AE}=12+11+14=37$

$\therefore \overline{AE}=18.5$

**23** $\overline{DC}=\overline{AD}+\overline{BC}=4+9=13(\mathrm{cm})$

점 D에서 $\overline{BC}$에 내린 수선의 발을 H라 하면

$\overline{CH}=9-4=5(\mathrm{cm})$

$\therefore \overline{AB}=\overline{DH}=\sqrt{13^2-5^2}=12(\mathrm{cm})$

**24** $\triangle ABC$

$=\triangle ABO+\triangle BCO+\triangle CAO$

$=\dfrac{1}{2}\times\{(2+4)+(4+6)+(6+2)\}\times 2$

$=24$

**25** $\overline{EC}=x$라 하면 $\overline{BE}=8-x$

$\square AECD$가 원 O에 외접하므로

$\overline{AE}+6=8+x$  $\therefore \overline{AE}=x+2$

△ABE에서 $(8-x)^2+6^2=(x+2)^2$, $20x=96$

$\therefore x=\dfrac{24}{5}(\mathrm{cm})$

$\therefore$ (△ABE의 둘레의 길이)$=6+\dfrac{16}{5}+\dfrac{34}{5}=16(\mathrm{cm})$

중간고사 대비 실전 모의고사

**1 회**

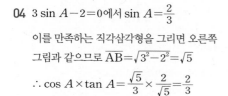

76쪽~79쪽

| | | | | | |
|---|---|---|---|---|---|
| 01 ① | 02 ③ | 03 ③ | 04 ② | 05 ③ | 06 ② |
| 07 ① | 08 ② | 09 ② | 10 ③ | 11 ① | 12 ② |
| 13 $2\sqrt{21}$ | 14 ④ | 15 ③ | 16 ③ | 17 $9\sqrt{3}$ | 18 ⑤ |
| 19 ④ | 20 ⑤ | 21 ① | 22 ④ | 23 $\dfrac{5}{13}$ | |
| 24 $\dfrac{9\sqrt{3}}{4}$ | 25 $10\pi$ cm² | | | | |

**01** $x=\sqrt{7^2-5^2}=2\sqrt{6}$　$\therefore \cos B=\dfrac{\overline{BC}}{\overline{AB}}=\dfrac{2\sqrt{6}}{7}$

**02** $\overline{AB}=\sqrt{5^2-3^2}=4$

$\therefore \tan A-\cos C=\dfrac{\overline{BC}}{\overline{AB}}-\dfrac{\overline{BC}}{\overline{AC}}=\dfrac{3}{4}-\dfrac{3}{5}=\dfrac{3}{20}$

**03** △ADC에서 $\overline{AC}=\sqrt{17^2-8^2}=15$

△ABC에서 $\overline{AB}=\sqrt{20^2+15^2}=25$

$\therefore \sin B=\dfrac{\overline{AC}}{\overline{AB}}=\dfrac{15}{25}=\dfrac{3}{5}$

**04** $3\sin A-2=0$에서 $\sin A=\dfrac{2}{3}$

이를 만족하는 직각삼각형을 그리면 오른쪽
그림과 같으므로 $\overline{AB}=\sqrt{3^2-2^2}=\sqrt{5}$

$\therefore \cos A\times\tan A=\dfrac{\sqrt{5}}{3}\times\dfrac{2}{\sqrt{5}}=\dfrac{2}{3}$

**05** $\overline{AG}=\sqrt{3}\times5=5\sqrt{3}$, $\overline{EG}=\sqrt{2}\times5=5\sqrt{2}$, $\overline{AE}=5$이므로

$\sin x=\dfrac{5}{5\sqrt{3}}=\dfrac{\sqrt{3}}{3}$, $\cos x=\dfrac{5\sqrt{2}}{5\sqrt{3}}=\dfrac{\sqrt{6}}{3}$

$\therefore \sin x+\cos x=\dfrac{\sqrt{3}}{3}+\dfrac{\sqrt{6}}{3}=\dfrac{\sqrt{3}+\sqrt{6}}{3}$

**06** ㄱ. $\sin 45°\div\cos 45°=\dfrac{\sqrt{2}}{2}\div\dfrac{\sqrt{2}}{2}=1=\tan 45°$

ㄴ. (좌변)$=\dfrac{1}{2}+\dfrac{1}{2}+\dfrac{\sqrt{3}}{3}\times\sqrt{3}=2$

ㄷ. (좌변)$=\left(\dfrac{\sqrt{3}}{2}+\dfrac{1}{2}\right)\times\left(\dfrac{\sqrt{3}}{2}-\dfrac{1}{2}\right)=\dfrac{3}{4}-\dfrac{1}{4}=\dfrac{1}{2}\neq1$

**07** △BCD에서 $\sin 30°=\dfrac{1}{2}=\dfrac{2}{\overline{CD}}$　$\therefore \overline{CD}=4$, $\overline{AD}=4$

$\tan 30°=\dfrac{\sqrt{3}}{3}=\dfrac{2}{\overline{DB}}$　$\therefore \overline{DB}=2\sqrt{3}$

$\angle A=\angle ACD=\dfrac{1}{2}\times30°=15°$

$\therefore \tan 15°=\tan A=\dfrac{\overline{BC}}{\overline{AB}}=\dfrac{2}{4+2\sqrt{3}}=\dfrac{1}{2+\sqrt{3}}=2-\sqrt{3}$

**08** (기울기)$=\tan 30°=\dfrac{\sqrt{3}}{3}$이므로

직선의 방정식을 $y=\dfrac{\sqrt{3}}{3}x+b$로 놓고,

$x=-\sqrt{3}$, $y=0$을 대입하면 $b=1$

따라서 구하는 직선의 방정식은 $y=\dfrac{\sqrt{3}}{3}x+1$

**09** △AOB에서 $\angle OAB=180°-90°-58°=32°$

$\cos 32°=\dfrac{\overline{AB}}{\overline{OA}}=0.85$, $\tan 58°=\dfrac{\overline{CD}}{\overline{OD}}=1.60$

$\therefore 4(\cos 32°+\tan 58°)=4\times(0.85+1.60)=9.8$

**10** $\cos 65°<\cos 45°=\sin 45°<\sin 65°$
$<\sin 90°=\tan 45°<\tan 65°$

**11** $\sin 45°<\sin 75°<\cos 0°<\tan 50°<\tan 70°$

**12** △ABC에서 $\angle B=37°$

$x=\dfrac{12}{\sin 37°}=\dfrac{12}{0.60}=20$

$y=\dfrac{12}{\tan 37°}=\dfrac{12}{0.75}=16$

$\therefore x+y=36$

**13** 꼭짓점 A에서 $\overline{BC}$에 내린 수선의 발을 H라 하면

$\overline{AH}=8\sin 60°=4\sqrt{3}$

$\overline{BH}=8\cos 60°=4$이므로

$\overline{CH}=10-4=6$

따라서 △AHC에서 $\overline{AC}=\sqrt{(4\sqrt{3})^2+6^2}=2\sqrt{21}$

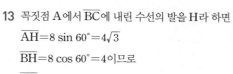

**14** △ADC에서 $\overline{AD}=\overline{CD}=4\sqrt{6}\times\sin 45°=4\sqrt{3}$

$\overline{BD}=\dfrac{4\sqrt{3}}{\tan 60°}=4$

$\therefore \overline{BC}=\overline{BD}+\overline{CD}=4+4\sqrt{3}=4(1+\sqrt{3})$

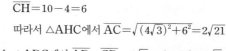

**15** $\overline{BH}=x\tan 45°=x$,

$\overline{AH}=x\tan 60°=\sqrt{3}x$이므로

$\overline{AB}=\sqrt{3}x-x=10$

$(\sqrt{3}-1)x=10$

$\therefore x=\dfrac{10}{\sqrt{3}-1}=5(\sqrt{3}+1)$

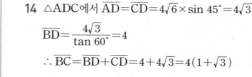

**16** 점 G가 △ABC의 무게중심이므로

$△GAC=\dfrac{1}{3}△ABC=\dfrac{1}{3}\times\left(\dfrac{1}{2}\times6\times8\times\sin 60°\right)$

$=\dfrac{1}{3}\times\left(\dfrac{1}{2}\times6\times8\times\dfrac{\sqrt{3}}{2}\right)=4\sqrt{3}$

**17** $\overline{BD}$를 그으면

□ABCD

$=△ABD+△BCD$

$=\dfrac{1}{2}\times2\sqrt{3}\times2\sqrt{3}\times\sin(180°-120°)$

$\quad +\dfrac{1}{2}\times4\sqrt{3}\times2\sqrt{3}\times\sin 60°$

$=3\sqrt{3}+6\sqrt{3}=9\sqrt{3}$

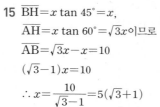

**18** $\overline{OM}\perp\overline{AB}$이므로 $\overline{BM}=\overline{AM}=8$

$\overline{OM}=x-4$이므로 △OMB에서 $8^2+(x-4)^2=x^2$

$8x=80$　$\therefore x=10$

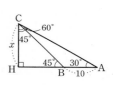

**19** △OAM에서 $\overline{AM}=\sqrt{5^2-4^2}=3$

$\overline{OM}\perp\overline{AB}$이므로 $\overline{AB}=2\overline{AM}=6$

$\overline{OM}=\overline{ON}$이므로 $\overline{CD}=\overline{AB}=6$

$\therefore \overline{AB}+\overline{CD}=6+6=12$

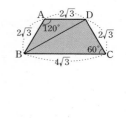

**20** 반원 O와 $\overline{CD}$의 접점을 E라 하면 $\overline{DE}=12$이므로 $\overline{BC}=\overline{CE}=8$

또, 점 C에서 $\overline{AD}$에 내린 수선의 발을 H라 하면

$\triangle CDH$에서 $\overline{CH}=\sqrt{20^2-4^2}=8\sqrt{6}$

$\therefore \overline{CH}=\overline{AB}=8\sqrt{6}$

따라서 반원 O의 반지름의 길이는 $4\sqrt{6}$

이므로 반원 O의 넓이는 $\dfrac{1}{2}\times\pi\times(4\sqrt{6})^2=48\pi$

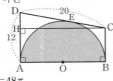

**21** 원 O의 반지름의 길이를 $r$이라 하면

$\overline{AF}=\overline{AE}=r$

또, $\overline{BD}=\overline{BF}=2(cm)$, $\overline{CD}=\overline{CE}=3(cm)$

$\triangle ABC$에서 $(r+2)^2+(r+3)^2=5^2$, $r^2+5r-6=0$

$(r+6)(r-1)=0$ $\therefore r=1(cm)(\because r>0)$

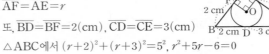

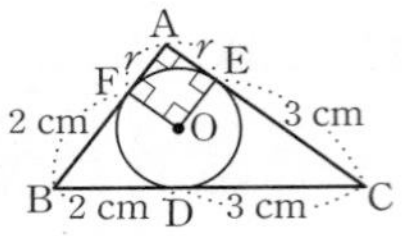

**22** 사각형이 원에 외접하므로 $\overline{AD}+\overline{BC}=6+9=15(cm)$

$\therefore \square ABCD=\dfrac{1}{2}\times(\overline{AD}+\overline{BC})\times\overline{AB}=\dfrac{1}{2}\times15\times6=45(cm^2)$

**23** $\triangle ABC$와 $\triangle DBE$에서 $\angle BAC=\angle BDE=90°$, $\angle B$는 공통이므로

$\triangle ABC\backsim\triangle DBE$(AA 닮음) $\therefore x=\angle C$ ...... ❶

$\overline{BC}=\sqrt{12^2+5^2}=\sqrt{169}=13$ ...... ❷

$\therefore \cos x=\cos C=\dfrac{\overline{AC}}{\overline{BC}}=\dfrac{5}{13}$ ...... ❸

| 채점 기준 | 배점 |
|---|---|
| ❶ $x=\angle C$임을 알기 | 3점 |
| ❷ $\overline{BC}$의 길이 구하기 | 2점 |
| ❸ $\cos x$의 값 구하기 | 3점 |

**24** $\triangle ABC$에서 $\angle B=60°$이므로 $\overline{AD}=4\sin 60°=2\sqrt{3}$ ...... ❶

$\triangle ADE$에서 $\angle D=60°$이므로 $\overline{AF}=2\sqrt{3}\sin 60°=3$ ...... ❷

$\triangle AFG$에서 $\angle F=60°$이므로 $\overline{AH}=3\sin 60°=\dfrac{3\sqrt{3}}{2}$이므로

$\triangle AFG=\dfrac{1}{2}\times3\times\dfrac{3\sqrt{3}}{2}=\dfrac{9\sqrt{3}}{4}$ ...... ❸

| 채점 기준 | 배점 |
|---|---|
| ❶ $\overline{AD}$의 길이 구하기 | 2점 |
| ❷ $\overline{AF}$의 길이 구하기 | 2점 |
| ❸ $\triangle AFG$의 넓이 구하기 | 3점 |

**25** $\square ABCD$가 원 O에 외접하는 사각형이므로

$\overline{DG}=\overline{DH}=5(cm)$,

$\overline{CF}=\overline{CG}=7-5=2(cm)$ ...... ❶

점 C에서 $\overline{AD}$에 내린 수선의 발을 P라고 하면

$\triangle CPD$에서 $\overline{PD}=5-2=3(cm)$

$\therefore \overline{HF}=\overline{PC}=\sqrt{7^2-3^2}=2\sqrt{10}(cm)$ ...... ❷

따라서 원 O의 반지름의 길이가 $\sqrt{10}$ cm이므로

원 O의 넓이는 $\pi\times(\sqrt{10})^2=10\pi(cm^2)$ ...... ❸

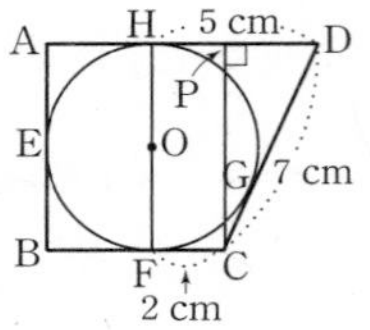

| 채점 기준 | 배점 |
|---|---|
| ❶ $\overline{CF}$의 길이 구하기 | 3점 |
| ❷ $\overline{HF}$의 길이 구하기 | 3점 |
| ❸ 원 O의 넓이 구하기 | 2점 |

---

## 중간고사 대비 실전 모의고사

**2회**

| | | | | | |
|---|---|---|---|---|---|
| 01 ② | 02 ① | 03 ④ | 04 ① | 05 ④ | 06 ② |
| 07 ③ | 08 ① | 09 ④ | 10 $x=77.71$, $y=62.93$ | | |
| 11 ④ | 12 ③ | 13 ③ | 14 ② | 15 ④ | 16 ⑤ |
| 17 $18\sqrt{2}$ | 18 ④ | 19 ④ | 20 ④ | 21 ④ | 22 ④ |
| 23 $\sqrt{21}$ | 24 $44\sqrt{3}$ cm² | | 25 24 cm | | |

**01** $\overline{AC}=\sqrt{4^2+3^2}=5$이므로 $\sin x=\dfrac{\overline{AB}}{\overline{AC}}=\dfrac{4}{5}$

**02** 오른쪽 그림의 직각삼각형 ABC에서

$\overline{AB}=\sqrt{3^2-(\sqrt{5})^2}=2$

$\therefore \sin C=\dfrac{\overline{AB}}{\overline{AC}}=\dfrac{2}{3}$

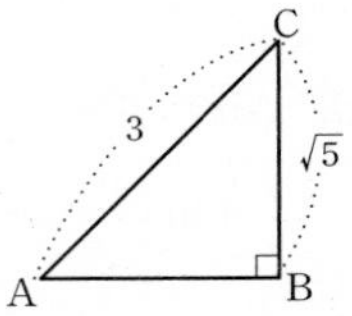

**03** $\triangle ABC\backsim\triangle ADB$이므로 $\angle BCA=\angle DBA=x$

$\triangle ABC\backsim\triangle BDC$이므로 $\angle BAC=\angle DBC=y$

$\triangle ABC$에서 $\overline{AC}=\sqrt{5^2+4^2}=\sqrt{41}$

$\therefore \cos x+\sin y=\cos C+\sin A=\dfrac{4}{\sqrt{41}}+\dfrac{4}{\sqrt{41}}=\dfrac{8\sqrt{41}}{41}$

**04** $\overline{BF}=a$라 하면 $\overline{HF}=\sqrt{2}a$

따라서 $\triangle BHF$에서 $\angle BFH=90°$이므로 $\tan x=\dfrac{a}{\sqrt{2}a}=\dfrac{\sqrt{2}}{2}$

**05** (주어진 식)$=\dfrac{1}{2}\times1+3\sqrt{2}\times\dfrac{\sqrt{2}}{2}-\sqrt{3}\times\dfrac{\sqrt{3}}{2}=2$

**06** $\tan x=\sqrt{3}$이므로 $x=60°$

$\therefore \cos(x-15°)=\cos(60°-15°)=\cos 45°=\dfrac{\sqrt{2}}{2}$

**07** $\cos x=\dfrac{2\sqrt{2}}{4}=\dfrac{\sqrt{2}}{2}$이므로 $x=45°$

**08** $\triangle ABC$에서 $\overline{AC}=\dfrac{6}{\sin 60°}=4\sqrt{3}$

$\triangle ACD$에서 $\overline{AD}=\overline{AC}\cos 45°=2\sqrt{6}$

**09** ④ $\sin z=\sin y=\dfrac{\overline{AB}}{\overline{AC}}=\overline{AB}$

**10** $x=100\sin 51°=100\times0.7771=77.71$

$y=100\cos 51°=100\times0.6293=62.93$

**11** $45°<A<90°$일 때,

$\cos 90°<\cos A<\cos 45°$, $0<\cos A<\dfrac{\sqrt{2}}{2}$

$\therefore 0<\sqrt{2}\cos A<1$

$-1<\sqrt{2}\cos A-1<0$, $1<\sqrt{2}\cos A+1<2$이므로

(주어진 식)$=-(\sqrt{2}\cos A-1)+(\sqrt{2}\cos A+1)=2$

**12** $\overline{AH}=h$라 하면 $\triangle ABH$에서 $\overline{BH}=h\tan 45°$,

$\triangle AHC$에서 $\overline{CH}=h\tan 60°$

$\overline{BC}=\overline{BH}+\overline{CH}$이므로 $16=h\tan45°+h\tan60°=h(1+\sqrt{3})$

$\therefore \overline{AH}=h=\dfrac{16}{1+\sqrt{3}}=8(\sqrt{3}-1)$

**13** $\triangle ABC=\dfrac{1}{2}\times6\times5\sqrt{2}\times\sin45°$

$=15$

**14** $\square ABCD=\overline{AB}\times\overline{BC}\times\sin B=5\times8\times\sin60°$

$=20\sqrt{3}(\text{cm}^2)$

**15** $\overline{OB}=r$이라 하면 $\overline{OC}=r-2$

직각삼각형 OBC에서

$4^2+(r-2)^2=r^2,\ 4r=20$

$\therefore r=5(\text{cm})$

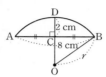

**16** 점 O에서 $\overline{AB}$에 내린 수선의 발을 M이라 하고

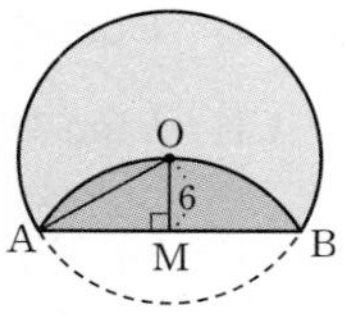

$\overline{OA}=12,\ \overline{OM}=6$이므로

직각삼각형 OAM에서

$\overline{AM}=\sqrt{12^2-6^2}=\sqrt{108}=6\sqrt{3}$

$\therefore \overline{AB}=2\overline{AM}=2\times6\sqrt{3}=12\sqrt{3}$

**17** 원의 중심 O에서 현 AB에 내린 수선의 발을

M이라 하면

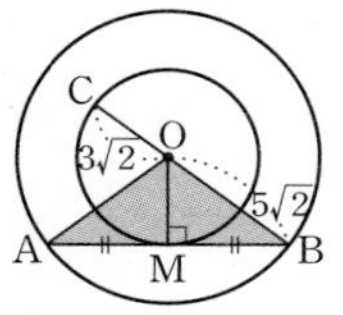

$\overline{OM}\perp\overline{AB}$이므로 $\overline{AM}=\overline{BM}$

$\triangle OMB$에서 $\overline{OM}=3\sqrt{2},\ \overline{OB}=5\sqrt{2}$이므로

$\overline{BM}=\sqrt{(5\sqrt{2})^2-(3\sqrt{2})^2}=4\sqrt{2}$

$\therefore \overline{AB}=2\overline{BM}=2\times4\sqrt{2}=8\sqrt{2}$

$\therefore (\triangle OAB의 둘레의 길이)=2\times5\sqrt{2}+8\sqrt{2}=18\sqrt{2}$

**18** $\overline{OM}=\overline{ON}$이므로 $\overline{AB}=\overline{AC}$

따라서 $\triangle ABC$에서 $\angle x=\dfrac{1}{2}\times(180°-30°)=75°$

**19** $\overline{PA},\ \overline{PB}$는 원 O의 접선이므로 $\angle PAO=\angle PBO=90°$

따라서 $\square APBO$에서

$\angle AOB=360°-(90°+35°+90°)=145°$

**20** $\square APBO$에서 $\angle AOB=120°$이므로

$\angle AOP=\dfrac{1}{2}\times120°=60°$

$\therefore (부채꼴 OAC의 넓이)=\pi\times6^2\times\dfrac{60°}{360°}=6\pi$

**21** $\overline{AB}+\overline{BC}+\overline{CA}=2(\overline{AF}+\overline{BD}+\overline{CE})$이므로

$14+16+8=2(\overline{AF}+\overline{BD}+\overline{CE})$

$\overline{AF}+\overline{BD}+\overline{CE}=19$

$\therefore \overline{BD}=19-(\overline{AF}+\overline{CE})$

$=19-(\overline{AE}+\overline{CE})$

$=19-\overline{AC}$

$=19-8=11$

**22** $\square ABCD$가 원 O에 외접하므로 $8+\overline{CD}=6+13$

$\therefore \overline{CD}=11(\text{cm})$

**23** 오른쪽 그림에서

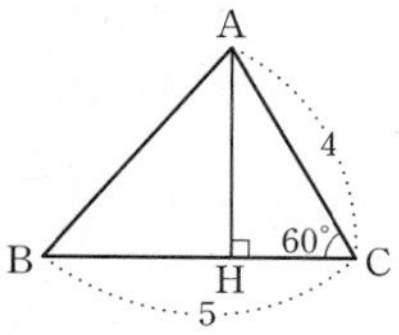

$\overline{AH}=4\sin60°=4\times\dfrac{\sqrt{3}}{2}=2\sqrt{3}$ …… ❶

$\overline{CH}=4\cos60°=4\times\dfrac{1}{2}=2$이므로

$\overline{BH}=5-2=3$ …… ❷

따라서 $\triangle ABH$에서 피타고라스 정리에 의하여

$\overline{AB}=\sqrt{(2\sqrt{3})^2+3^2}=\sqrt{21}$ …… ❸

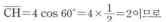

| 채점 기준 | 배점 |
|---|---|
| ❶ $\overline{AH}$의 길이 구하기 | 2점 |
| ❷ $\overline{BH}$의 길이 구하기 | 3점 |
| ❸ $\overline{AB}$의 길이 구하기 | 2점 |

**24** 점 A와 점 D에서 $\overline{BC}$에 내린

수선의 발을 각각 H, G라 하자.

$\overline{AH}=\overline{DG}=8\times\sin60°=4\sqrt{3}(\text{cm})$

…… ❶

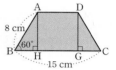

$\overline{BH}=\overline{CG}=8\times\cos60°=4(\text{cm})$ …… ❷

$\overline{AD}=\overline{HG}=15-2\times4=7(\text{cm})$

$\therefore (\square ABCD의 넓이)=\dfrac{1}{2}\times(15+7)\times4\sqrt{3}=44\sqrt{3}(\text{cm}^2)$ …… ❸

| 채점 기준 | 배점 |
|---|---|
| ❶ $\overline{AH}$의 길이 구하기 | 2점 |
| ❷ $\overline{BH}$의 길이 구하기 | 2점 |
| ❸ $\square ABCD$의 넓이 구하기 | 4점 |

**25** $\angle OTA=90°$이므로 $\overline{AT}=\sqrt{13^2-5^2}=\sqrt{144}=12(\text{cm})$ …… ❶

$\overrightarrow{AS},\ \overrightarrow{AT},\ \overline{BC}$가 원 O의 접선이므로

$\overline{AS}=\overline{AT},\ \overline{BD}=\overline{BS},\ \overline{CD}=\overline{CT}$ …… ❷

$\therefore (\triangle ABC의 둘레의 길이)$

$=\overline{AB}+\overline{BC}+\overline{AC}=\overline{AB}+\overline{BD}+\overline{CD}+\overline{AC}$

$=\overline{AB}+\overline{BS}+\overline{CT}+\overline{AC}=\overline{AS}+\overline{AT}$

$=2\overline{AT}=2\times12=24(\text{cm})$ …… ❸

| 채점 기준 | 배점 |
|---|---|
| ❶ $\overline{AT}$의 길이 구하기 | 2점 |
| ❷ $\overline{AS}=\overline{AT},\ \overline{BD}=\overline{BS},\ \overline{CD}=\overline{CT}$임을 알기 | 3점 |
| ❸ $\triangle ABC$의 둘레의 길이 구하기 | 3점 |

중간고사 대비 실전 모의고사

**3** 회 84쪽~87쪽

| | | | | | |
|---|---|---|---|---|---|
| 01 ③ | 02 ④ | 03 1 | 04 ② | 05 ③ | 06 ③ |
| 07 $\dfrac{5\sqrt{6}}{3}$ | 08 11.918 | 09 ③ | 10 ③ | 11 ④ | 12 ② |
| 13 ② | 14 $3(3-\sqrt{3})$ | 15 ② | 16 ④ | 17 ③ | |
| 18 ① | 19 7 cm | 20 ③ | 21 ⑤ | 22 ① | 23 $\dfrac{\sqrt{5}}{2}$ |
| 24 $\dfrac{45\sqrt{3}}{4}+\dfrac{9}{2}$ | | 25 $64\pi$ cm² | | | |

**01** △ADC에서 $\overline{AC}=\sqrt{5^2-3^2}=4$

△ABC에서 $\overline{BC}=\sqrt{(4\sqrt{5})^2-4^2}=8$

$\therefore \cos B=\dfrac{\overline{BC}}{\overline{AB}}=\dfrac{8}{4\sqrt{5}}=\dfrac{2\sqrt{5}}{5}$

**02** 점 A에서 $\overline{BC}$에 내린 수선의 발을 H라 하자.

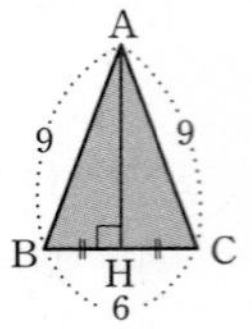

△ABH에서 $\overline{BH}=\dfrac{1}{2}\overline{BC}=3$이므로

$\overline{AH}=\sqrt{9^2-3^2}=6\sqrt{2}$

$\therefore \sin B=\dfrac{6\sqrt{2}}{9}=\dfrac{2\sqrt{2}}{3}$

**03** △ABC∽△DBA∽△DAC(AA 닮음)이므로

$x=\angle C, y=\angle B$

$\overline{BC}=\sqrt{1^2+(\sqrt{3})^2}=2$

따라서 $\sin x=\sin C=\dfrac{1}{2}$, $\cos y=\cos B=\dfrac{1}{2}$이므로

$\sin x+\cos y=\dfrac{1}{2}+\dfrac{1}{2}=1$

**04** $\dfrac{1}{\sin 30°}=1\div\dfrac{1}{2}=1\times 2=2$, $\dfrac{1}{\cos 30°}=1\div\dfrac{\sqrt{3}}{2}=1\times\dfrac{2}{\sqrt{3}}=\dfrac{2\sqrt{3}}{3}$

이므로 주어진 일차방정식은 $2x+\dfrac{2\sqrt{3}}{3}y=1$

일차방정식 $2x+\dfrac{2\sqrt{3}}{3}y=1$의 $x$절편은 $\dfrac{1}{2}$이고, $y$절편은 $\dfrac{\sqrt{3}}{2}$이다.

$\therefore$ (구하는 삼각형의 넓이)$=\dfrac{1}{2}\times\dfrac{1}{2}\times\dfrac{\sqrt{3}}{2}=\dfrac{\sqrt{3}}{8}$

**05** $x$절편이 $-2$, $y$절편이 $4$이므로 그래프는 오른쪽 그림과 같다.

따라서 직각삼각형의 빗변의 길이가 $\sqrt{2^2+4^2}=2\sqrt{5}$이므로

$\sin\alpha=\dfrac{4}{2\sqrt{5}}=\dfrac{2\sqrt{5}}{5}$, $\cos\alpha=\dfrac{2}{2\sqrt{5}}=\dfrac{\sqrt{5}}{5}$

$\therefore \sin\alpha+\cos\alpha=\dfrac{2\sqrt{5}}{5}+\dfrac{\sqrt{5}}{5}=\dfrac{3\sqrt{5}}{5}$

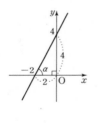

**06** $\overline{CE}=\sqrt{4^2+4^2}=4\sqrt{2}$(cm)

$\overline{EH}=\dfrac{1}{2}\overline{CE}=2\sqrt{2}$(cm)

△AEH에서 $\overline{AH}=\sqrt{5^2-(2\sqrt{2})^2}=\sqrt{17}$(cm)

$\therefore \tan x=\dfrac{\sqrt{17}}{2\sqrt{2}}=\dfrac{\sqrt{34}}{4}$

**07** $\sin 45°=\dfrac{\overline{BC}}{\overline{AB}}$이므로

$\overline{BC}=\overline{AB}\sin 45°=10\times\dfrac{\sqrt{2}}{2}=5\sqrt{2}$

$\tan 60°=\dfrac{\overline{BC}}{\overline{CD}}$이므로 $\overline{CD}=\dfrac{5\sqrt{2}}{\tan 60°}=\dfrac{5\sqrt{6}}{3}$

**08** $\tan 50°=\dfrac{\overline{CD}}{\overline{OC}}=\overline{CD}=1.1918$

$\therefore 10\tan 50°=11.918$

**09** (주어진 식)$=1\times 1+0\times\dfrac{1}{2}-\dfrac{1}{2}=\dfrac{1}{2}$

**10** ③ $0°\leq x<45°$일 때, $\sin x<\cos x$

**11** ④ $\cos x=0.7193$일 때, $x=44°$

**12** △ABC에서 $\overline{AC}=40\sin 28°=40\times 0.47=18.8$(m)

따라서 지면에서 연까지의 높이는 $1.4+18.8=20.2$(m)

**13** 꼭짓점 A에서 $\overline{BC}$에 내린 수선의 발을 H라 하면

△AHC에서 $\overline{AH}=10\sin 60°=5\sqrt{3}$(m)

따라서 △ABH에서

$\overline{AB}=\dfrac{5\sqrt{3}}{\sin 45°}=5\sqrt{3}\times\dfrac{2}{\sqrt{2}}=5\sqrt{6}$(m)

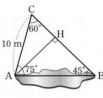

**14** $\overline{AH}=h$라 하면

$\angle BAH=45°$, $\angle CAH=30°$이므로

$\overline{BH}=h\tan 45°=h$,

$\overline{CH}=h\tan 30°=\dfrac{\sqrt{3}}{3}h$

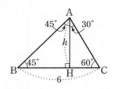

$\overline{BC}=h+\dfrac{\sqrt{3}}{3}h=6$이므로 $\dfrac{3+\sqrt{3}}{3}h=6$

$\therefore h=\dfrac{18}{3+\sqrt{3}}=3(3-\sqrt{3})$

**15** $\triangle ABC=\dfrac{1}{2}\times x\times 8\times\sin(180°-150°)=10$이므로

$2x=10$ $\therefore x=5$(cm)

**16** $\square ABCD=\dfrac{1}{2}\times 16\times 14\times\sin 45°$

$=\dfrac{1}{2}\times 16\times 14\times\dfrac{\sqrt{2}}{2}=56\sqrt{2}$

**17** $\overline{OH}\perp\overline{AB}$이므로 $\overline{AH}=\overline{BH}=7$

따라서 △OAH에서 $\overline{OH}=\sqrt{9^2-7^2}=4\sqrt{2}$

**18** $\overline{CD}\perp\overline{ON}$이므로 $\overline{CN}=\overline{DN}=5$

또, $\overline{AB}\perp\overline{OM}$이므로 $\overline{BM}=\overline{AM}=5$ $\therefore \overline{AB}=10$

따라서 $\overline{AB}=\overline{CD}$이므로 $\overline{OM}=\overline{ON}=\sqrt{7^2-5^2}=2\sqrt{6}$

**19** $\overline{PA}=\overline{PB}$이므로 $\angle PAB=\angle PBA=\dfrac{1}{2}\times(180°-60°)=60°$

따라서 △PBA는 정삼각형이므로 $\overline{AB}=7$(cm)

**20** $\angle OAP=\angle OBP=90°$

△OAP에서 $\overline{PA}=\sqrt{13^2-5^2}=12$

△OBP에서 $\overline{OA}=\overline{OB}=5$, $\overline{PB}=\overline{PA}=12$이므로

$\triangle OBP=\dfrac{1}{2}\times 5\times 12=30$

**21** $\overline{AB}, \overline{BC}, \overline{AC}$가 원 O의 접선이므로 $\overline{BD}=\overline{BF}=x$라 하면

$\overline{AD}=\overline{AG}=11-x$, $\overline{CF}=\overline{CG}=12-x$

$\overline{AC}=(11-x)+(12-x)=9$이므로 $x=7$(cm)

따라서 $\overline{PD}=\overline{PE}$, $\overline{QF}=\overline{QE}$이므로

(△BQP의 둘레의 길이)$=\overline{BQ}+\overline{PQ}+\overline{BP}=\overline{BQ}+\overline{QF}+\overline{PD}+\overline{BP}$

$=\overline{BF}+\overline{BD}=2\overline{BD}=2\times 7=14$(cm)

**22** $\overline{AB}+\overline{CD}=\overline{AD}+\overline{BC}$에서 $\overline{AB}+10=\overline{AD}+11$

$\therefore \overline{AB}-\overline{AD}=11-10=1$(cm)

**23** $\sin A=\dfrac{\overline{BC}}{9}=\dfrac{2}{3}$이므로

$3\overline{BC}=18$ $\therefore \overline{BC}=6$ ······ ❶

$\therefore \overline{AB}=\sqrt{9^2-6^2}=\sqrt{45}=3\sqrt{5}$ ······ ❷

$\therefore \tan C=\dfrac{\overline{AB}}{\overline{BC}}=\dfrac{3\sqrt{5}}{6}=\dfrac{\sqrt{5}}{2}$ ······ ❸

| 채점 기준 | 배점 |
|---|---|
| ❶ $\overline{BC}$의 길이 구하기 | 3점 |
| ❷ $\overline{AB}$의 길이 구하기 | 2점 |
| ❸ $\tan C$의 값 구하기 | 2점 |

**24** $\overline{AC}$를 그으면

$\square ABCD=\triangle ABC+\triangle ACD$이므로

$\triangle ABC=\dfrac{1}{2}\times 3\sqrt{5}\times 3\sqrt{5}\times \sin 60°$

$=\dfrac{45\sqrt{3}}{4}$ ······ ❶

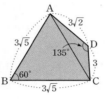

$\triangle ACD=\dfrac{1}{2}\times 3\times 3\sqrt{2}\times \sin(180°-135°)=\dfrac{9}{2}$ ······ ❷

$\therefore \square ABCD=\dfrac{45\sqrt{3}}{4}+\dfrac{9}{2}$ ······ ❸

| 채점 기준 | 배점 |
|---|---|
| ❶ $\triangle ABC$의 넓이 구하기 | 3점 |
| ❷ $\triangle ACD$의 넓이 구하기 | 3점 |
| ❸ $\square ABCD$의 넓이 구하기 | 2점 |

**25** $\overline{AB}$와 작은 원의 접점을 T라 하면

$\overline{AT}=8$ cm ······ ❶

큰 원의 반지름의 길이를 $a$ cm,

작은 원의 반지름의 길이를 $b$ cm라 하면

$\triangle OAT$에서 $a^2-b^2=8^2=64$ ······ ❷

$\therefore$ (색칠한 부분의 넓이)$=\pi a^2-\pi b^2=\pi(a^2-b^2)=64\pi(\text{cm}^2)$

······ ❸

| 채점 기준 | 배점 |
|---|---|
| ❶ $\overline{AT}$의 길이 구하기 | 3점 |
| ❷ 두 원의 반지름의 제곱의 차 구하기 | 3점 |
| ❸ 색칠한 부분의 넓이 구하기 | 2점 |

### 중간고사 대비 실전 모의고사

**4회**

88쪽~91쪽

| 01 ⑤ | 02 ① | 03 8 | 04 ② | 05 $\dfrac{\sqrt{29}}{4}$ | 06 ④ |
|---|---|---|---|---|---|
| 07 ㅁ, ㄴ, ㄷ, ㄱ, ㄹ | | 08 ④ | 09 ④ | 10 ③ | 11 ③ |
| 12 ⑤ | 13 ② | 14 ⑤ | 15 ⑤ | 16 ④ | 17 ② |
| 18 ③ | 19 ① | 20 ① | 21 ② | 22 ③ | |
| 23 $2(1+\sqrt{2}+\sqrt{3})$ cm | | 24 12 cm | 25 5 | | |

**01** $\triangle BAG$에서 $\overline{BG}=\sqrt{1^2+1^2}=\sqrt{2}$

$\triangle CBG$에서 $\overline{CG}=\sqrt{(\sqrt{2})^2+1^2}=\sqrt{3}$

같은 방법으로 하면 $\overline{DG}=2$, $\overline{EG}=\sqrt{5}$, $\overline{GF}=\sqrt{6}$

따라서 $\cos x=\dfrac{\sqrt{5}}{\sqrt{6}}=\dfrac{\sqrt{30}}{6}$

**02** 오른쪽 그림에서

$\overline{AB}=\sqrt{25^2-7^2}=24$이므로

$\cos A=\dfrac{24}{25}$, $\tan A=\dfrac{7}{24}$

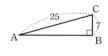

**03** $\triangle ABC\backsim\triangle ACD\backsim\triangle CBD$(AA 닮음)

이므로 $\angle DBC=x$, $\angle DAC=y$

$\triangle ABC$에서 $\overline{AB}=\sqrt{3^2+4^2}=5$(cm)

따라서 $\sin x=\dfrac{4}{5}$, $\cos y=\dfrac{4}{5}$이므로

$\therefore 5(\sin x+\cos y)=5\left(\dfrac{4}{5}+\dfrac{4}{5}\right)=8$

**04** $\tan 60°=\sqrt{3}=\dfrac{\overline{AB}}{2\sqrt{3}}$이므로 $\overline{AB}=6$

따라서 $\sin 45°=\dfrac{\sqrt{2}}{2}=\dfrac{6}{\overline{AD}}$이므로 $\overline{AD}=6\sqrt{2}$

**05** $\overline{FG}=\sqrt{(3\sqrt{5})^2-2^2-4^2}=5$

$\overline{EG}=\sqrt{5^2+2^2}=\sqrt{29}$

$\cos x\div\sin x=\dfrac{\sqrt{29}}{3\sqrt{5}}\times\dfrac{3\sqrt{5}}{4}=\dfrac{\sqrt{29}}{4}$

**06** ① $\sin x=\dfrac{\overline{AB}}{\overline{OA}}=\overline{AB}$    ② $\cos x=\dfrac{\overline{OB}}{\overline{OA}}=\overline{OB}$

③ $\sin y=\dfrac{\overline{OB}}{\overline{OA}}=\overline{OB}$    ④ $\cos y=\dfrac{\overline{AB}}{\overline{OA}}=\overline{AB}$

⑤ $\tan x=\dfrac{\overline{CD}}{\overline{OD}}=\overline{CD}$

**07** ㄱ. $\sin 45°=\dfrac{\sqrt{2}}{2}$    ㄴ. $\cos 0°=1$    ㄷ. $\cos 30°=\dfrac{\sqrt{3}}{2}$

ㄹ. $\sin 30°=\dfrac{1}{2}$    ㅁ. $\tan 60°=\sqrt{3}$

따라서 큰 것부터 차례로 나열하면 ㅁ, ㄴ, ㄷ, ㄱ, ㄹ이다.

**08** $\sin A=\dfrac{1}{2}$이므로 $A=30°$

$\therefore \cos A=\cos 30°=\dfrac{\sqrt{3}}{2}$

따라서 $\cos A+1>0$, $\cos A-1<0$이므로

(주어진 식)$=(\cos A+1)+(\cos A-1)=2\cos A=\sqrt{3}$

**09** $\triangle ABC$에서 $\overline{AC}=100\sin 25°=100\times 0.42=42$(m)

따라서 지면에서 연까지의 높이는 $1.6+42=43.6$(m)

**10** $\triangle ABC$에서 $\angle A=35°$

$\overline{AC}=20\times\cos 35°=20\times 0.82=16.4$

$\overline{BC}=20\times\sin 35°=20\times 0.57=11.4$

$\therefore (\triangle ABC$의 둘레의 길이$)=\overline{AB}+\overline{BC}+\overline{AC}$

$=20+16.4+11.4$

$=47.8$

**11** 점 B에서 $\overline{AC}$에 내린 수선의 발을 D라고 하자.

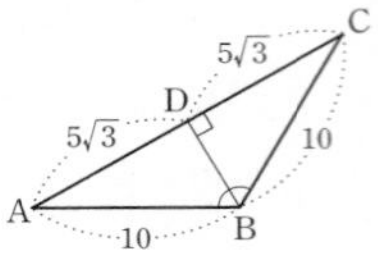

$\overline{AB}=\overline{BC}=10$이므로

$\angle A=\angle C$, $\overline{AD}=\overline{CD}$

$\cos A = \dfrac{\overline{AD}}{\overline{AB}} = \dfrac{5\sqrt{3}}{10} = \dfrac{\sqrt{3}}{2}$

이므로 $\angle A = \angle C = 30°$

$\therefore \angle B = 180° - 30° - 30° = 120°$

**12** 주어진 정육각형은 한 변의 길이가 4 cm인
정삼각형 6개로 이루어져 있다.

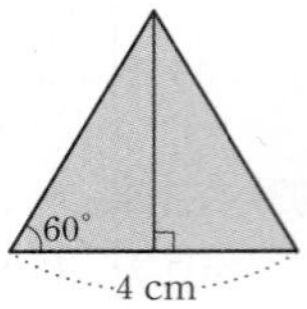

1개의 정삼각형의 높이는

$4\sin 60° = 2\sqrt{3}$ (cm)이고

정삼각형의 넓이는 $\dfrac{1}{2} \times 4 \times 2\sqrt{3} = 4\sqrt{3}$ (cm²)이다.

따라서 정육각형의 넓이는 $6 \times 4\sqrt{3} = 24\sqrt{3}$ (cm²)

**13** $\square ABCD = \dfrac{1}{2} \times 10 \times x \times \sin 45° = 30\sqrt{2}$, $\dfrac{5\sqrt{2}}{2}x = 30\sqrt{2}$

$\therefore x = 12$ (cm)

**14** $\overline{AC}$를 그으면

$\square ABCD = \triangle ABC + \triangle ACD$

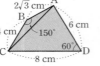

$= \dfrac{1}{2} \times 2\sqrt{3} \times 4 \times \sin(180° - 150°)$

$\quad + \dfrac{1}{2} \times 8 \times 6 \times \sin 60°$

$= 2\sqrt{3} + 12\sqrt{3} = 14\sqrt{3}$ (cm²)

**15** $\overline{OM} \perp \overline{AB}$이므로 $\triangle OAM$에서 $\overline{AM} = \sqrt{8^2 - 4^2} = 4\sqrt{3}$

따라서 $\overline{AM} = \overline{MB}$이므로 $\overline{AB} = 2\overline{AM} = 2 \times 4\sqrt{3} = 8\sqrt{3}$

**16** 오른쪽 그림에서 반지름의 길이를
$x$ cm라 하면

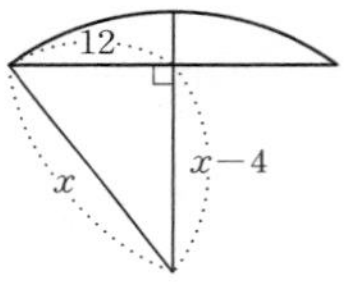

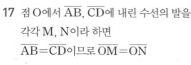

$x^2 = (x-4)^2 + 12^2$, $8x = 160$

$\therefore x = 20$ (cm)

**17** 점 O에서 $\overline{AB}$, $\overline{CD}$에 내린 수선의 발을
각각 M, N이라 하면

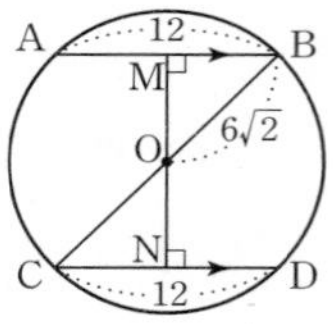

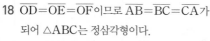

$\overline{AB} = \overline{CD}$이므로 $\overline{OM} = \overline{ON}$

$\triangle OBM$에서 $\overline{MB} = \dfrac{1}{2} \times 12 = 6$

$\overline{OM} = \sqrt{(6\sqrt{2})^2 - 6^2} = 6$

따라서 두 현 AB, CD 사이의 거리는 $\overline{MN} = 2\overline{OM} = 12$

**18** $\overline{OD} = \overline{OE} = \overline{OF}$이므로 $\overline{AB} = \overline{BC} = \overline{CA}$가
되어 $\triangle ABC$는 정삼각형이다.

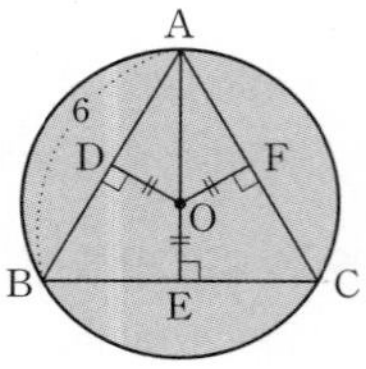

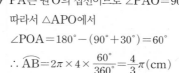

$\therefore \overline{AE} = 6\sin 60° = 6 \times \dfrac{\sqrt{3}}{2} = 3\sqrt{3}$

원의 중심 O는 $\triangle ABC$의 무게중심이므로

$\overline{AO} = \dfrac{2}{3} \times 3\sqrt{3} = 2\sqrt{3}$

따라서 원 O의 넓이는 $\pi \times (2\sqrt{3})^2 = 12\pi$

**19** $\overrightarrow{PA}$는 원 O의 접선이므로 $\angle PAO = 90°$

따라서 $\triangle APO$에서

$\angle POA = 180° - (90° + 30°) = 60°$

$\therefore \overparen{AB} = 2\pi \times 4 \times \dfrac{60°}{360°} = \dfrac{4}{3}\pi$ (cm)

**20** $\overline{AB} + \overline{BE} = \overline{AB} + \overline{BD} = 7$ (cm)

$\overline{AC} + \overline{CE} = \overline{AC} + \overline{CF} = \overline{AF} = 7$ (cm)

$\therefore (\triangle ABC$의 둘레의 길이$) = 2\overline{AF} = 14$ (cm)

**21** $\overline{CF} = \overline{CE} = x$라 하면

$\overline{AD} = \overline{AF} = 10 - x$, $\overline{BD} = \overline{BE} = 13 - x$

따라서 $\overline{AB} = (10-x) + (13-x) = 11$이므로

$2x = 12$ $\therefore x = 6$

**22** $\overline{EB} = \overline{EP} = x$라 하고, 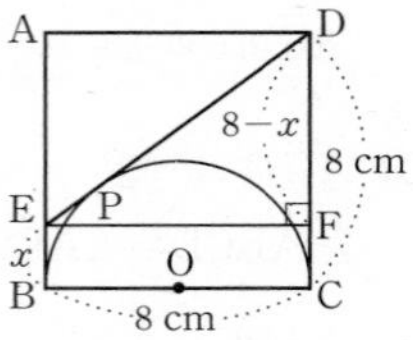
점 E에서 $\overline{CD}$에 내린 수선의 발을 F라 하면

$\overline{EF} = \overline{BC} = 8$ (cm), $\overline{DF} = 8 - x$ (cm),

$\overline{DE} = 8 + x$ (cm)

$\triangle DEF$에서

$8^2 + (8-x)^2 = (8+x)^2$, $32x = 64$ $\therefore x = 2$ (cm)

$\therefore \overline{DE} = 8 + 2 = 10$ (cm)

**23** 점 A에서 $\overline{BC}$에 내린 수선의 발을 D라 하자.

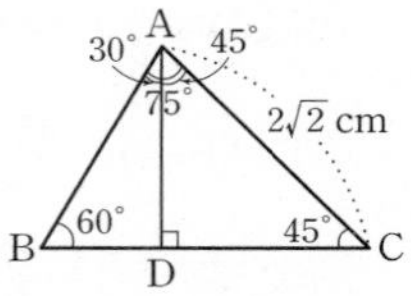

$\triangle ADC$에서

$\overline{AD} = \overline{DC} = 2\sqrt{2}\cos 45°$

$\qquad = 2\sqrt{2} \times \dfrac{\sqrt{2}}{2} = 2$ (cm) ...... ❶

$\triangle ABD$에서

$\overline{AB} = \dfrac{2}{\sin 60°} = \dfrac{4}{\sqrt{3}} = \dfrac{4\sqrt{3}}{3}$ (cm) ...... ❷

$\overline{BD} = 2\tan 30° = \dfrac{2\sqrt{3}}{3}$ (cm) ...... ❸

$\therefore (\triangle ABC$의 둘레의 길이$) = \dfrac{4\sqrt{3}}{3} + \dfrac{2\sqrt{3}}{3} + 2 + 2\sqrt{2}$

$\qquad = 2(1 + \sqrt{2} + \sqrt{3})$ (cm) ...... ❹

| 채점 기준 | 배점 |
|---|---|
| ❶ $\overline{AD}$, $\overline{DC}$의 길이를 각각 구하기 | 2점 |
| ❷ $\overline{AB}$의 길이 구하기 | 2점 |
| ❸ $\overline{BD}$의 길이 구하기 | 2점 |
| ❹ $\triangle ABC$의 둘레의 길이 구하기 | 2점 |

**24** 오른쪽 그림에서 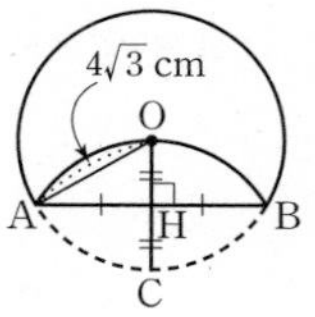
$\overline{OA} = \overline{OC} = 4\sqrt{3}$ (cm)이므로

$\overline{OH} = \dfrac{1}{2}\overline{OC} = \dfrac{1}{2} \times 4\sqrt{3} = 2\sqrt{3}$ (cm) ...... ❶

$\triangle OAH$에서

$\overline{AH} = \sqrt{(4\sqrt{3})^2 - (2\sqrt{3})^2} = \sqrt{36} = 6$ (cm) ...... ❷

$\therefore \overline{AB} = 2\overline{AH} = 2 \times 6 = 12$ (cm) ...... ❸

| 채점 기준 | 배점 |
|---|---|
| ❶ $\overline{OH}$의 길이 구하기 | 2점 |
| ❷ $\overline{AH}$의 길이 구하기 | 3점 |
| ❸ 현 AB의 길이 구하기 | 2점 |

**25** $\overline{BN} = x$라 하면 $\overline{EN} = \overline{BN} = x$

$\overline{EM} = \overline{DM} = 3$, $\overline{MN} = x + 3$, $\overline{CN} = 6 - x$ ...... ❶

$\triangle CMN$에서 $(x+3)^2 = (6-x)^2 + 3^2$, $18x = 36$이므로

$x = \overline{BN} = 2$ ...... ❷

$\therefore \overline{MN} = x + 3 = 5$ ...... ❸

| 채점 기준 | 배점 |
|---|---|
| ❶ △CMN의 세 변의 길이를 미지수를 사용하여 나타내기 | 3점 |
| ❷ $x$의 값 구하기 | 3점 |
| ❸ $\overline{MN}$의 길이 구하기 | 2점 |

## 중간고사 대비 실전 모의고사

### ⑤ 회
92쪽~95쪽

| 01 ⑤ | 02 ⑤ | 03 ④ | 04 $\dfrac{1}{3}$ | 05 ⑤ | 06 ③ |
|---|---|---|---|---|---|
| 07 2쌍 | 08 ④ | 09 43° | 10 66.35 m | | 11 $2\sqrt{39}$ |
| 12 ⑤ | 13 ④ | 14 ④ | 15 ⑤ | 16 ② | 17 ③ |
| 18 ④ | 19 ④ | 20 ④ | 21 7 cm | 22 ③ | 23 $\dfrac{1}{2}$ |
| 24 $(12\sqrt{3}-4\pi)$ cm² | | 25 $6\pi$ cm | | | |

**01** $\overline{BC}=\sqrt{26^2-10^2}=24$(cm)이므로

$\sin A=\dfrac{\overline{BC}}{\overline{AC}}=\dfrac{24}{26}=\dfrac{12}{13}$, $\tan C=\dfrac{\overline{AB}}{\overline{BC}}=\dfrac{10}{24}=\dfrac{5}{12}$

$\therefore \sin A \times \tan C=\dfrac{12}{13}\times\dfrac{5}{12}=\dfrac{5}{13}$

**02** $\cos C=\dfrac{\overline{AC}}{\overline{BC}}=\dfrac{4}{7}$이므로 $\overline{BC}=\dfrac{7}{4}\overline{AC}=\dfrac{7}{4}\times16=28$

피타고라스의 정리에 의해 $\overline{AB}=\sqrt{28^2-16^2}=4\sqrt{33}$

$\alpha=\sin B=\dfrac{16}{28}=\dfrac{4}{7}$, $\beta=\cos B=\dfrac{4\sqrt{33}}{28}=\dfrac{\sqrt{33}}{7}$

$\alpha^2+\beta^2=\left(\dfrac{4}{7}\right)^2+\left(\dfrac{\sqrt{33}}{7}\right)^2=1$

**03** $x$절편이 $-12$, $y$절편이 5이므로
그래프는 오른쪽 그림과 같다.
따라서 직각삼각형의 빗변의 길이가
$\sqrt{12^2+5^2}=13$이므로 $\cos a=\dfrac{12}{13}$

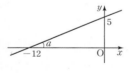

**04** 꼭짓점 A에서 밑면에 내린 수선의 발을
H라 하면
점 H는 △BCD의 무게중심이다.
△AEH는 ∠AHE=90°인 직각삼각형
이고,
$\overline{AE}:\overline{EH}=\overline{DE}:\overline{EH}=3:1$이므로
$\cos x=\dfrac{\overline{EH}}{\overline{AE}}=\dfrac{1}{3}$

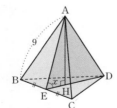

**05** $\angle BAD=\angle CAD=\dfrac{1}{2}\angle A=30°$

△DAB는 이등변삼각형이므로 $\overline{AD}=8$

△ADC에서 $\sin 30°=\dfrac{1}{2}=\dfrac{\overline{DC}}{8}$  $\therefore \overline{DC}=4$

△ABC에서 $\cos 30°=\dfrac{\sqrt{3}}{2}=\dfrac{8+4}{x}$  $\therefore x=8\sqrt{3}$

**06** $\overline{OB}=\cos 50°=\sin 40°$, $\overline{AB}=\sin 50°=\cos 40°$

따라서 점 A의 좌표인 것은 ③ $(\sin 40°, \sin 50°)$이다.

**07** ㄱ. $\tan 45°=1$  ㅁ. $\cos 0°=1$

ㄴ. $\cos 60°=\dfrac{1}{2}$  ㅂ. $\sin 30°=\dfrac{1}{2}$

ㄱ과 ㅁ, ㄴ과 ㅂ  $\therefore$ 2쌍

**08** $\tan 0°<\sin 20°<\cos 50°<\sin 60°<\tan 45°$

참고 $\cos 50°=\sin 40°>\sin 20°$

**09** $\sin x=\dfrac{341}{500}=0.682$이므로

삼각비의 표에서 $x=43°$

**10** △ABC에서
$\overline{BC}=50\tan 53°=50\times1.3270$
$=66.35$(m)
$\therefore$ (건물의 높이)$=66.35$(m)

**11** △ABH에서
$\overline{BH}=10\cos 60°=5$
$\overline{AH}=10\sin 60°=5\sqrt{3}$
$\overline{CH}=14-5=9$이므로
$\therefore \overline{AC}=\sqrt{(5\sqrt{3})^2+9^2}=2\sqrt{39}$

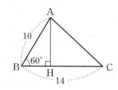

**12** $\angle BAD=60°$, $\angle BAC=45°$이므로
$\overline{CD}=\overline{BD}-\overline{BC}$
$=\overline{AB}\tan 60°-\overline{AB}\tan 45°$
$=\overline{AB}(\tan 60°-\tan 45°)$
$\therefore \overline{AB}=\dfrac{\overline{CD}}{\tan 60°-\tan 45°}=\dfrac{12}{\sqrt{3}-1}=6(1+\sqrt{3})$(m)

**13** $\dfrac{\overline{AE}}{\overline{AD}}=\dfrac{1}{2}$이므로 $\angle ADE=30°$이고

$\angle CDE=120°$
$\overline{AD}=4\sqrt{3}$이므로 $\overline{DE}=4\sqrt{3}\times\cos 30°=6$
$\therefore$ (△CDE의 넓이)
$=\dfrac{1}{2}\times4\times6\times\sin(180°-120°)$
$=6\sqrt{3}$

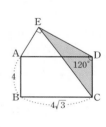

**14** 평행사변형은 두 쌍의 대각의 크기가 각각 같으므로
$\angle A=\angle C=60°$

$\therefore \triangle APB=\dfrac{1}{4}\square ABCD=\dfrac{1}{4}\times(12\times8\times\sin 60°)=12\sqrt{3}$

**15** ⑤ 현의 길이는 중심각의 크기에 비례하지 않는다.

**16** $\overline{AB}\perp\overline{OC}$이므로 $\overline{AM}=\overline{BM}=6$

또한 $\overline{OM}=x-2$이므로 △OAM에서
$x^2=(x-2)^2+6^2$, $4x=40$
$\therefore x=10$

**17** $\overline{OM}=\overline{ON}$이므로 $\overline{AB}=\overline{CD}=10$(cm)
$\therefore \overline{DN}=\dfrac{1}{2}\times10=5$(cm)

정답 & 해설 33

**18** 원의 외부의 한 점에서 그 원에 그은 접선의 길이는 같으므로

$x=\overline{PA}=7$

또, $\overline{PA}=\overline{PB}$이므로 $\angle PAB=\angle PBA$

$\therefore \angle PAB=\dfrac{1}{2}\times(180°-40°)=70°$   $\therefore y=70$

$\therefore x+y=77$

**19** $\overline{OA}=r$이라 하면 $\overline{OM}=\dfrac{1}{2}r$이다.

$\triangle OAM$에서 $r^2=\left(\dfrac{1}{2}r\right)^2+(4\sqrt3)^2$, $r^2=64$   $\therefore r=8\,(\because r>0)$

$\overline{AB}=2\overline{AM}=8\sqrt3$, $\overline{OM}=\dfrac{1}{2}\overline{OA}=4$이므로

$(\triangle OAB의 넓이)=\dfrac{1}{2}\times\overline{AB}\times\overline{OM}=\dfrac{1}{2}\times8\sqrt3\times4=16\sqrt3$

**20** 점 P에서 원 O에 그은 접선의 접점을
T라 하면 $\overline{PT}\perp\overline{TO}$이므로
$\triangle POT$에서
$\overline{PT}=\sqrt{6^2-3^2}=3\sqrt3$

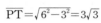

**21** $\overline{PY}=\overline{PX}=10\,(cm)$

$\overline{AC}=\overline{AX}=\overline{PX}-\overline{PA}=3\,(cm)$

$\overline{BC}=\overline{BY}=\overline{PY}-\overline{PB}=4\,(cm)$

$\therefore \overline{AB}=\overline{AC}+\overline{BC}=3+4=7\,(cm)$

**22** $\overline{CD}=x\,cm$라 하면 $\overline{DH}=\dfrac{x}{2}\,cm$

$\overline{AB}+\overline{CD}=\overline{AD}+\overline{BC}$이므로

$10+x=2+\dfrac{x}{2}+12$, $\dfrac{1}{2}x=4$   $\therefore x=8\,(cm)$

$\therefore \square ABCD=\dfrac{1}{2}\times(6+12)\times8=72\,(cm^2)$

**23** (i) $x^2-4x+3=0$, $(x-1)(x-3)=0$   $\therefore x=1$ 또는 $x=3$

따라서 $\tan A=1$이므로 $\angle A=45°$   ……❶

(ii) $2x^2+3x-2=0$, $(x+2)(2x-1)=0$   $\therefore x=-2$ 또는 $x=\dfrac{1}{2}$

따라서 $\cos B=\dfrac{1}{2}$이므로 $\angle B=60°$   ……❷

(iii) $\sin(2A-B)=\sin30°=\dfrac{1}{2}$   ……❸

| 채점 기준 | 배점 |
|---|---|
| ❶ $\angle A$의 크기 구하기 | 2점 |
| ❷ $\angle B$의 크기 구하기 | 2점 |
| ❸ $\sin(2A-B)$의 값 구하기 | 3점 |

**24** $\overline{OP}$를 그으면 $\triangle POT$에서

$\overline{PT}=2\sqrt3\tan60°=6\,(cm)$   ……❶

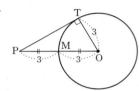

$\square PT'OT=2\times\dfrac{1}{2}\times2\sqrt3\times6$
$=12\sqrt3\,(cm^2)$   ……❷

$\angle TOT'=360°-(90°+90°+60°)=120°$

$(부채꼴 OTT'의 넓이)=\pi\times(2\sqrt3)^2\times\dfrac{120°}{360°}=4\pi\,(cm^2)$   ……❸

$\therefore (색칠한 부분의 넓이)=12\sqrt3-4\pi\,(cm^2)$   ……❹

| 채점 기준 | 배점 |
|---|---|
| ❶ $\overline{PT}$의 길이 구하기 | 1점 |
| ❷ $\square PT'OT$의 넓이 구하기 | 3점 |
| ❸ 부채꼴 $OTT'$의 넓이 구하기 | 3점 |
| ❹ 색칠한 부분의 넓이 구하기 | 1점 |

**25** $\overline{AB}=\sqrt{8^2+15^2}=17\,(cm)$   ……❶

원 O의 반지름의 길이를 $r\,cm$라 하면

$\overline{AF}=\overline{AE}=15-r\,(cm)$

$\overline{BF}=\overline{BD}=8-r\,(cm)$

$17=(15-r)+(8-r)$

$\therefore r=3$   ……❷

$\therefore (원주)=2\pi\times3=6\pi\,(cm)$   ……❸

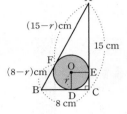

| 채점 기준 | 배점 |
|---|---|
| ❶ $\overline{AB}$의 길이 구하기 | 3점 |
| ❷ 원의 반지름의 길이 구하기 | 3점 |
| ❸ 원 O의 원주 구하기 | 2점 |

## 중간고사 대비 실전 모의고사

**❻ 회**   96쪽~99쪽

| | | | | | |
|---|---|---|---|---|---|
| 01 $\dfrac{\sqrt{13}}{7}$ | 02 ④ | 03 ② | 04 ⑤ | 05 45°, 1 | 06 ④ |
| 07 $\dfrac{3\sqrt3}{2}$ m | 08 ② | 09 ③ | 10 44.95 | 11 ④ | |
| 12 ③ | 13 $2-\sqrt3$ | 14 ③ | 15 ② | 16 ④ | 17 ③ |
| 18 ② | 19 ④ | 20 ② | 21 ① | 22 2 cm | 23 $\sqrt2$ |
| 24 $18\sqrt2+6\sqrt6$ | | 25 12 cm, 90° | | | |

**01** $\angle MBC=\angle C$이므로 $\overline{BM}=\overline{CM}$

즉, $\overline{AM}=\overline{BM}=\overline{CM}$이므로

$\triangle ABC$는 $\angle B=90°$인 직각삼각형이다.

피타고라스의 정리에 의해 $\overline{BC}=\sqrt{14^2-12^2}=2\sqrt{13}$

$\therefore \cos C=\dfrac{\overline{BC}}{\overline{AC}}=\dfrac{2\sqrt{13}}{14}=\dfrac{\sqrt{13}}{7}$

**02** $\sin B=\dfrac{\overline{AC}}{\overline{AB}}=\dfrac{2}{3}$이므로 $\overline{AB}:\overline{AC}=3:2$

$\overline{AB}=3a$, $\overline{AC}=2a\,(a>0)$라 하면

$\overline{BC}=\sqrt{(3a)^2-(2a)^2}=\sqrt5 a$

$\therefore \cos A\times\tan A=\dfrac{2a}{3a}\times\dfrac{\sqrt5 a}{2a}=\dfrac{\sqrt5}{3}$

**03** $\overline{BD}=\sqrt{16^2+12^2}=20\,(cm)$

$\triangle ABD\backsim\triangle HAD(AA닮음)$이므로 $\angle DBA=\angle DAH=x$

$\therefore \sin x=\dfrac{16}{20}=\dfrac{4}{5}$, $\cos x=\dfrac{12}{20}=\dfrac{3}{5}$

$\therefore \sin x-\cos x=\dfrac{4}{5}-\dfrac{3}{5}=\dfrac{1}{5}$

**04** $\dfrac{\sqrt{3}\sin 30°\times\cos 45°}{\tan 60°}=\left(\sqrt{3}\times\dfrac{1}{2}\times\dfrac{\sqrt{2}}{2}\right)\times\dfrac{1}{\sqrt{3}}=\dfrac{\sqrt{2}}{4}$

$\dfrac{\cos 30°\times\sin 45°}{\tan 30°}=\left(\dfrac{\sqrt{3}}{2}\times\dfrac{\sqrt{2}}{2}\right)\times\dfrac{3}{\sqrt{3}}=\dfrac{3\sqrt{2}}{4}$

(주어진 식)$=\dfrac{\sqrt{2}}{4}+\dfrac{3\sqrt{2}}{4}=\sqrt{2}$

**05** 직선의 기울기는 $\tan a=\dfrac{\sqrt{5}}{\sqrt{5}}=1$

$\tan a=1$이므로 $a=45°$

$\therefore \sqrt{2}\sin 45°=\sqrt{2}\times\dfrac{\sqrt{2}}{2}=1$

**06** $\overline{AB}=20\sin y,\ \overline{BC}=20\sin x$

$\therefore \overline{AB}+\overline{BC}=20\sin y+20\sin x$

$=20(\sin x+\sin y)$

$=20\times\dfrac{7}{5}=28$

**07** 전신주가 부러져서 생긴 삼각형 ABC에서

$\overline{AC}=1.5\tan 30°=\dfrac{3}{2}\times\dfrac{\sqrt{3}}{3}=\dfrac{\sqrt{3}}{2}$(m)

$\overline{AB}=\dfrac{1.5}{\cos 30°}=\dfrac{3}{2}\times\dfrac{2}{\sqrt{3}}=\sqrt{3}$(m)

$\therefore$ (처음 전신주의 높이)$=\dfrac{\sqrt{3}}{2}+\sqrt{3}=\dfrac{3\sqrt{3}}{2}$(m)

**08** 점 A에서 $\overline{BC}$에 내린 수선의 발을 D, $\overline{AC}=a$라 하면

$\triangle ADC$에서 $\sin 45°=\dfrac{\overline{AD}}{\overline{AC}}$이므로

$\overline{AD}=\overline{AC}\sin 45°=\dfrac{\sqrt{2}}{2}a$

$\triangle ABD$에서 $\sin 30°=\dfrac{\overline{AD}}{\overline{AB}}$이므로 $\overline{AB}=\dfrac{\overline{AD}}{\sin 30°}=\sqrt{2}a$

$\therefore \dfrac{\overline{AC}}{\overline{AB}}=\dfrac{a}{\sqrt{2}a}=\dfrac{\sqrt{2}}{2}$

**09** $\angle ABC=a,\ \angle DBC=b$라 하면

$\cos a=\dfrac{2\sqrt{6}}{4\sqrt{6}}=\dfrac{1}{2}$이므로 $a=60°$

$\triangle ABC\equiv\triangle DCB$(RHS합동)이므로 $\angle ABC=\angle DCB=60°$

$\therefore b=\angle DBC=30°$

$\angle ABE=a-b=30°$이므로 $x=90°+30°=120°$

**10** $x=15\tan 53°=19.95$

$y=\dfrac{15}{\cos 53°}=\dfrac{15}{0.60}=25$

$\therefore x+y=19.95+25=44.95$

**11** $0°<x<90°$일 때, $0<\sin x<1$이고 $\tan 45°=1$이므로

$\sin x+\tan 45°>0,\ \sin x-\tan 45°<0$

$\therefore \sqrt{(\sin x+\tan 45°)^2}-\sqrt{(\sin x-\tan 45°)^2}$

$=\sin x+1-\{-(\sin x-1)\}$

$=\sin x+1+\sin x-1$

$=2\sin x$

**12** 점 B에서 $\overline{OA}$에 내린 수선의 발을 H라 하면

$\overline{OH}=8\cos 45°=4\sqrt{2}$(cm)

$\therefore$ (B 지점에서의 높이)$=8+4-4\sqrt{2}$

$=12-4\sqrt{2}$

$=4(3-\sqrt{2})$(cm)

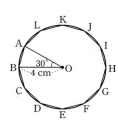

**13** $\angle ADB=60°+90°=150°$이고 $\overline{AD}=\overline{BD}$이므로

$\angle B=\angle BAD=15°$

$\triangle ADC$에서

$\overline{AD}=\dfrac{6}{\cos 60°}=12,\ \overline{CD}=6\tan 60°=6\sqrt{3},\ \overline{BD}=\overline{AD}=12$

$\therefore \tan 15°=\dfrac{6}{12+6\sqrt{3}}=2-\sqrt{3}$

**14** 오른쪽 그림과 같이 $\overparen{AB}$에 대한 중심각의 크기가 $30°$이고, $\triangle OAB$와 합동인 삼각형이 11개가 더 있으므로

(정십이각형의 넓이)

$=\dfrac{1}{2}\times 4\times 4\times\sin 30°\times 12$

$=48$(cm$^2$)

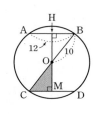

**15** $\square ABCD=\dfrac{1}{2}\times 10\times x\times\sin(180°-150°)=30$에서

$\dfrac{1}{2}\times 10\times x\times\dfrac{1}{2}=30,\ \dfrac{5}{2}x=30$

$\therefore x=12$

**16** 점 O에서 $\overline{AB}$에 내린 수선의 발을 H라 하면

$\overline{BH}=6,\ \overline{OH}=\sqrt{10^2-6^2}=8$

$\overline{AB}=\overline{CD}$이므로 $\overline{OH}=\overline{OM}=8$,

$\overline{CM}=\dfrac{1}{2}\overline{CD}=6$

$\therefore \triangle OCM=\dfrac{1}{2}\times 6\times 8=24$

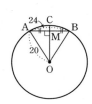

**17** $\overline{OM}\perp\overline{AB}$이므로

$\overline{AM}=\dfrac{1}{2}\times 24=12$

직각삼각형 OMA에서

$\overline{OM}=\sqrt{20^2-12^2}=16$

$\therefore \overline{CM}=\overline{OC}-\overline{OM}=20-16=4$

**18** $\overline{OM}=\overline{ON}$이므로 $\overline{AB}=\overline{AC}$

따라서 $\triangle ABC$는 이등변삼각형이므로 $\angle C=\angle B=62°$

$\therefore \angle A=180°-2\times 62°=56°$

**19** $\overline{OE}$를 그으면 $\triangle OAE$는 직각삼각형이고, $\overline{OE}=\overline{OF}=9$(cm)이므로

$\overline{AE}=\sqrt{15^2-9^2}=12$(cm)

$\therefore$ ($\triangle ABC$의 둘레의 길이)

$=\overline{AD}+\overline{AE}=2\overline{AE}$

$=24$(cm)

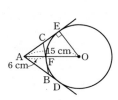

**20** $\overline{AF}=x$ cm라 하면 $\overline{AE}=x$ cm

$\overline{BF}=\overline{BD}=9-x$(cm)

$\overline{CD}=\overline{CE}=11-x$(cm)

$\overline{BC}=\overline{BD}+\overline{CD}$이므로

$(9-x)+(11-x)=10$

$\therefore x=\overline{AF}=5$(cm)

**21** 오른쪽 그림에서

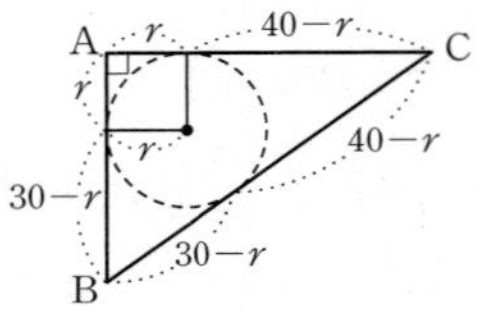

$\overline{BC}=\sqrt{40^2+30^2}=50$(cm)

원형의 화분의 반지름의 길이를 $r$이라

하면

$\overline{BC}=(30-r)+(40-r)=50$

$\therefore r=10$(cm)

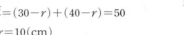

**22** △ABC에서

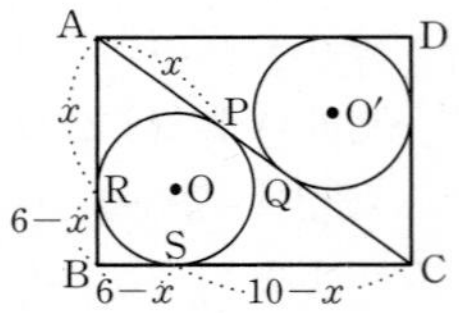

$\overline{AC}=\sqrt{6^2+8^2}=10$(cm)

오른쪽 그림에서

점 P, R, S는 원 O와 △ABC의 접점이고

$\overline{AP}=\overline{AR}=x$ cm라 하면

$\overline{BR}=\overline{BS}=6-x$(cm), $\overline{CP}=\overline{CS}=10-x$(cm)

$\overline{BS}+\overline{CS}=(6-x)+(10-x)=8$ $\therefore x=4$

마찬가지로 △ACD에서 $\overline{CQ}=4$(cm)

$\therefore \overline{PQ}=10-(\overline{AP}+\overline{CQ})=10-(4+4)=2$(cm)

**23** △BCM에서

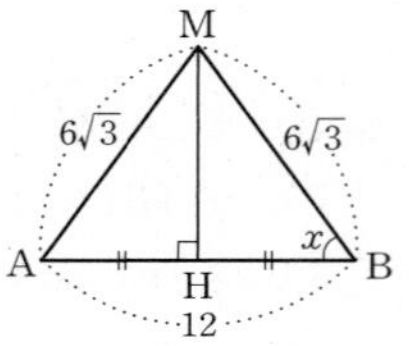

$\overline{BM}=12\sin 60°=6\sqrt{3}=\overline{AM}$ ······ ❶

△MAB는 이등변삼각형이므로

$\overline{AH}=\overline{BH}=6$

$\overline{MH}=\sqrt{(6\sqrt{3})^2-6^2}=6\sqrt{2}$ ······ ❷

$\therefore \tan x=\dfrac{\overline{MH}}{\overline{BH}}=\dfrac{6\sqrt{2}}{6}=\sqrt{2}$ ······ ❸

| 채점 기준 | 배점 |
| --- | --- |
| ❶ $\overline{BM}$의 길이 구하기 | 3점 |
| ❷ $\overline{MH}$의 길이 구하기 | 3점 |
| ❸ $\tan x$의 값 구하기 | 2점 |

**24** $\angle B : \angle C=1 : 2$이므로 $\angle B=30°$

$\overline{AB}=12\sqrt{2}\cos 30°=12\sqrt{2}\times\dfrac{\sqrt{3}}{2}=6\sqrt{6}$ ······ ❶

$\overline{AC}=12\sqrt{2}\sin 30°=12\sqrt{2}\times\dfrac{1}{2}=6\sqrt{2}$ ······ ❷

$\therefore$ (△ABC의 둘레의 길이)$=6\sqrt{6}+6\sqrt{2}+12\sqrt{2}$

$=18\sqrt{2}+6\sqrt{6}$ ······ ❸

| 채점 기준 | 배점 |
| --- | --- |
| ❶ $\overline{AB}$의 길이 구하기 | 3점 |
| ❷ $\overline{AC}$의 길이 구하기 | 3점 |
| ❸ △ABC의 둘레의 길이 구하기 | 1점 |

**25** $\overline{CP}=\overline{AC}=5$(cm), $\overline{DP}=\overline{BD}=7$(cm)이므로

$\overline{CD}=\overline{CP}+\overline{DP}=5+7=12$(cm) ······ ❶

△OAC≡△OPC이므로 $\angle AOC=\angle POC$

△OBD≡△OPD이므로 $\angle BOD=\angle POD$

$\therefore \angle COD=\dfrac{1}{2}\angle AOB=\dfrac{1}{2}\times180°=90°$ ······ ❷

| 채점 기준 | 배점 |
| --- | --- |
| ❶ $\overline{CD}$의 길이 구하기 | 4점 |
| ❷ $\angle COD$의 크기 구하기 | 4점 |

실전에 강한 절대 공부 감각

새로운 개정 교육과정 반영

BEST 유형 + BEST 기출 총망라

내신 UP

중간고사
정답 및 해설

(주)에듀왕
www.왕수학.com

중간고사대비

절대공부감각 내신업

www.왕수학.com